D0586542

ATLAS OF ARCHITECTURE TODAY

ATLAS DER ZEITGENÖSSISCHEN ARCHITEKTUR

ATLAS VAN DE HEDENDAAGSE ARCHITECTUUR

ATLAS OF ARCHITECTURE TODAY

ATLAS DER ZEITGENÖSSISCHEN ARCHITEKTUR

ATLAS VAN DE HEDENDAAGSE ARCHITECTUUR

FKG

F K G

Editorial project:
© 2010 LOFT Publications
Via Laietana, 32, 4º, Of. 92
08003 Barcelona, Spain
Tel.: +34 932 688 088
Fax: +34 932 687 073
loft@loftpublications.com
www.loftpublications.com

Created and distributed in cooperation
with Frechmann Kolón GmbH
www.frechmann.com

Editorial coordinator:
Simone K. Schleifer

Assistant editorial coordinator:
Aitana Lleonart

Editor and texts:
Àlex Sánchez Vidiella

Art director:
Mireia Casanovas Soley

Design and layout coordination:
Claudia Martínez Alonso

Layout:
Anabel N. Quintana

Translation coordination:
Equipo de Edición

Cover Layout:
Ignasi Gracia Blanco

Cover photos:
Bitter Bredt, Emil Bosco, Engelhardt/Sellin, José Ramón Oller, Jumeirah, Lluís Ros, Òscar García, Ross Honeysett, UNStudio

Backcover photo:
Atelier Christian de Portzamparc

ISBN 978-84-92731-70-1 (GB)
      978-84-92731-89-3 (DE)
      978-84-9936-013-3 (NL)

Printed in China

INDEX

One of the outstanding and distinctive aspects of contemporary architecture is the way it boldly breaks barriers established to date. Architects are designing previously unimaginable constructions, crossing limits that were unattainable until now, defying the law of gravity and awarding the exterior a prominence it did not used to have.

This has all been possible thanks to the use of advances in technology that has made it possible to accomplish major projects. Today nearly all large-scale architectural works, designed by illustrious architects of international renown, are created with the aid of computer programs developed especially for this purpose.

Notions such as "the deformation of the form" and "the limit is unlimited" form part of recent and future architecture. These new buildings also perform an important cultural, political and social function.

Although these extraordinary forms may at first appear to run counter to concepts such as environmentalism, functionalism, and pragmatism, the reality suggests just the opposite. Contemporary architecture has to seek and establish a balance between the impact the construction produces and the conservation of an intact environment. Modern buildings are designed following parameters of sustainability, energy-saving, and the reduction of environmental pollution, with photovoltaic installations, practicality and the use of a great variety of building materials.

The designs in this compendium are organized on the basis of the geographical area where they were built, classified into six groups: America, Northern Europe, Southern Europe, Eurasia, Asia, and Oceania. The principal characteristics of the architectural works presented in this book pertain to different typologies: infrastructure and urban development (airports, urban transport, squares, parades, streets, bridges); cultural facilities (museums, universities, schools, and art centers); leisure facilities (theaters, cinemas, auditoriums, shopping malls); inhabitable buildings (hotels, single-family homes, apartment blocks); corporate and office buildings (business headquarters, office blocks, etc.), and, finally, spiritual buildings (churches, mosques, synagogues, and others). All of these works, which unite esthetics, building technique, relationship with the environment, and sustainability, are extraordinary examples of architecture in the age of globalization.

Die zeitgenössische Architektur zeichnet sich vor allem durch ihren Wagemut aus: Unaufhörlich schlagen die Architekten neue Wege ein, entwerfen Bauten, wie man sie sich bisher kaum vorstellen konnte, überschreiten alle früheren Grenzen, fordern die Gesetze der Schwerkraft heraus und beziehen die Umgebung der Bauten in bislang nicht gekannter Weise in die Entwurfsplanung ein.

Diese Entwicklung ist in erster Linie dem technischen Fortschritt zu verdanken. Heutzutage werden so gut wie alle bedeutenden, von international renommierten Architekten entworfenen Bauvorhaben mit Hilfe von ausschließlich zu diesem Zweck erstellten Informatikprogrammen geplant.

Die Auflösung der Form und die Aufhebung aller Grenzen gehören inzwischen zu den einschlägigen Merkmalen der Architektur von heute und morgen. Außerdem ist die wichtige kulturelle, politische und gesellschaftliche Funktion der neuen Gebäude hervorzuheben.

Obwohl die Aufsehen erregende Formgebung den Prinzipien des Umweltschutzes, der Funktionalität oder des Pragmatismus zu widersprechen scheint, zeigt sich in der Regel, dass genau das Gegenteil der Fall ist. In der zeitgenössischen Architektur ist man stets bemüht, die Auswirkungen eines neuen Gebäudes auf seine Umwelt so gering wie möglich zu halten. Daher zeichnen sich heutige Bauprojekte durch Nachhaltigkeit, Energieeinsparung und verminderte Umweltverschmutzung aus, etwa indem Fotovoltaikanlagen und eine große Bandbreite geeigneter Baumaterialien eingesetzt werden.

Im vorliegenden Band wurden die ausgewählten Projekte nach der geografischen Lage in sechs Gruppen geordnet: Amerika, Nordeuropa, Südeuropa, Eurasien, Asien und Ozeanien.

Die vorgestellten Entwürfe lassen sich unterschiedlichen Bautypologien zuordnen: Infrastruktur und Städtebau (Flughäfen, öffentlicher Nahverkehr, Plätze, Promenaden, Straßen und Brücken), Bildungseinrichtungen (Museen, Universitäten, Schulen und Kunstzentren), Freizeiteinrichtungen (Theater, Kinos, Veranstaltungsräume, Einkaufszentren), Wohngebäude (Hotels, Einfamilienhäuser, Wohnblocks), Büro- und Geschäftsgebäude (Firmensitze, Bürohäuser usw.) und religiöse Einrichtungen (Kirchen, Synagogen, Moscheen). Im Hinblick auf ihre Ästhetik, die Bautechnik, die Einbindung in das Umfeld und die Nachhaltigkeit sind alle ausgewählten Projekte hervorragende Beispiele für die außergewöhnliche Qualität des Bauens im Zeitalter der Globalisierung.

L'architecture contemporaine est synonyme d'audace. Les architectes conçoivent désormais des constructions impensables autrefois, transgressent les limites infranchissables, défient les lois de la gravité et confèrent à l'extérieur un rôle primordial sans précédent.

Cette révolution a été rendue possible par les récentes avancées technologiques. De nos jours, presque toutes les œuvres architecturales de grande envergure, conçues par des architectes de renommée internationale, sont créées à l'aide de programmes informatiques développés spécialement.

L'architecture contemporaine et future repose sur des concepts tels que : « la déformation de la forme » ou « la limite est de ne pas avoir de limites ». Les nouveaux édifices remplissent une fonction culturelle, politique et sociale fondamentale.

Bien que ces formes extraordinaires puissent paraître à première vue contraires à l'écologie, au fonctionnalisme ou au pragmatisme, la réalité est tout autre. L'architecture actuelle doit atteindre un équilibre entre les impacts que la construction génère et le préservation d'un environnement intact. Les bâtiments contemporains se conçoivent suivant les paramètres de développement durable, d'économie d'énergie et de réduction de la pollution environnementale, grâce à des installations photovoltaïques et pratiques, tout en employant une grande variété de matériaux de construction.

Dans cet ouvrage, les projets ont été classés en six groupes en fonction de la zone géographique dans laquelle ils ont été construits : Amérique, Europe du Nord, Europe du Sud, Eurasie, Asie et Océanie.

Les bâtiments présentés appartiennent à différentes typologies : infrastructure et urbanisme (aéroports, transports urbains, places, boulevards, rues, ponts) ; équipements culturels (musées, universités, écoles, centres artistiques) ; équipements de loisirs (théâtres, cinémas, centres commerciaux) ; édifices habitables (hôtels, pavillons, immeubles) ; bâtiments corporatifs (sièges d'entreprises, immeubles de bureaux), et enfin des constructions à vocation religieuse (églises, mosquées, synagogues et autres). Toutes ces œuvres conjuguent sens esthétique, techniques de construction de pointe, respect de l'environnement et développement durable. Ce sont des exemples prodigieux de l'architecture à l'ère de la mondialisation.

Een van de opmerkelijke en bepalende aspecten van de moderne architectuur is de moed om door de bestaande barrières heen te breken. Architecten ontwerpen constructies die voorheen ondenkbaar waren, overschrijden tot op heden onbereikbare grenzen, trotseren de wet op de zwaartekracht en kennen het exterieur een hoofdrol toe die hij nooit eerder had.

Dit alles is mogelijk geworden dankzij de technologische vooruitgang. Door de toepassing daarvan konden er grote projecten tot stand worden gebracht. Tegenwoordig worden vrijwel alle ambitieuze architectonische werken, ontworpen door architecten van wereldfaam, gerealiseerd met behulp van speciaal voor dit doel ontwikkelde computerprogramma's.

Noties als "de vervorming van de vorm" of "de grens is het onbegrensde" horen bij de recente en toekomstige architectuur. Bovendien hebben deze nieuwe gebouwen een belangrijke culturele, politieke en sociale functie.

Hoewel deze buitengewone vormen a priori strijdig kunnen lijken met begrippen als ecologisme, functionalisme en pragmatisme, laat de werkelijkheid het tegenovergestelde zien. De moderne architectuur moet een balans zoeken en tot stand brengen tussen de effecten die de constructie sorteert en het behoud van een ongeschonden milieu. Moderne gebouwen worden ontworpen volgens de parameters van duurzaamheid, energiezuinigheid en terugdringing van milieuvervuiling, met fotovoltaïsche systemen, een goede uitvoerbaarheid en gebruikmaking van een grote verscheidenheid aan bouwmaterialen.

In dit compendium zijn de projecten geordend op grond van het geografische gebied waar ze gebouwd zijn, en geclassificeerd in zes groepen: Amerika, Noord-Europa, Zuid-Europa, Eurazië, Azië en Oceanië.

De voornaamste kenmerken van de in dit boek gepresenteerde architectonische werken vallen onder verschillende typologieën: infrastructuur en stedenbouwkunde (vliegvelden, stadsvervoer, pleinen, promenades, straten, bruggen); culturele voorzieningen (musea, universiteiten, scholen en kunstcentra); vrijetijdsvoorzieningen (theaters, bioscopen, concertzalen, winkelcentra); gebouwen met een woonbestemming (hotels, eengezinswoningen, appartementengebouwen); bedrijfs- en kantoorgebouwen (hoofdkantoren, kantoorflats etc.) en, tot slot, religieuze gebouwen (kerken, moskeeën, synagogen en dergelijke). Al deze werken, die esthetica, constructietechniek, relatie met de omgeving en duurzaamheid verenigen, zijn buitengewone voorbeelden van de architectuur in het tijdperk van de globalisering.

America

TDCCBR Toronto

Toronto, Canada

ARCHITECT
Behnisch Architekten
www.behnisch.com

COLLABORATORS AND OTHERS
University of Toronto (client);
architectsAlliance (partners)

DIMENSIONS
Height: 20 750 m² / 223 351 sq ft

PHOTO
© Ben Rahn, T. Arban

The creation of an advanced research center on the human genome entailed a new architectural presence on the University of Toronto campus. The building was conceived as a fully glassed-in rectangular body. Inside are the offices, classrooms, and a cafeteria for the university professors and students.

The center, which stands out among the surrounding buildings for its transparent façade, is 12 stories high and the interior design of the laboratories responds to an open-space philosophy. On the first floor there is a large atrium which connects with the Rosebrugh Building.

A highlight of the internal distribution is the one- and two-level gardens, as well as the open passageways and the stairs that connect the laboratory floors. The surfaces facilitate the suitable use of sunlight and contribute toward the building's natural ventilation.

Die Einrichtung eines modernen Zentrums zur Erforschung des menschlichen Genoms machte die Errichtung eines Neubau auf dem Campus der Universität Toronto erforderlich. Das Gebäude ist als völlig verglaster rechteckiger Baukörper angelegt und beherbergt Verwaltungsräume und Hörsäle sowie eine Cafeteria für die Universitätsangehörigen.

Das Forschungszentrum zeichnet sich durch seine transparente Fassade aus. Es umfasst zwölf Geschosse. Die Inneneinrichtung der Laboratorien folgt dem Prinzip des „open space". Im Erdgeschoss befindet sich ein weites Atrium mit Übergang zum Rosebrugh-Gebäude.

Im Inneren fallen die Gärten auf, die sich zum Teil über zwei Geschosse erstrecken, dann die offenen Flure und die Treppe, über die man die Labors erreicht. Die Verkleidung der Fassade erlaubt die Nutzung des Tageslichts und fördert die Durchlüftung.

La création d'un centre de recherches avancées sur le génome humain implique la présence d'un nouvel élément architectural sur le campus de Toronto. Ce bâtiment de forme rectangulaire est entièrement composé de baies vitrées. À l'intérieur, se trouvent les bureaux, les salles de cours et la cafétéria pour les professeurs et les étudiants de l'université.

Le centre, composé de deux étages, se distingue des autres bâtiments par sa façade transparente. Le design intérieur des laboratoires correspond au concept de l'*open space*. Au rez-de-chaussée, un vaste atrium unit le centre de recherches au bâtiment Rosebrugh.

L'aménagement intérieur attire l'attention par les jardins sur un ou deux niveaux, les couloirs en plein air et les escaliers reliant les étages du laboratoire. Les espaces dégagés facilitent le passage de la lumière et favorisent la ventilation naturelle du bâtiment.

De schepping van een centrum voor geavanceerd onderzoek naar het menselijk genoom leidde tot een nieuwe architectonische verschijning op de universiteitscampus van Toronto. Het gebouw werd ontworpen als een volledig beglaasd rechthoekig lichaam. Het herbergt kantoren, collegezalen en een kantine.

Het centrum, dat door zijn transparante gevel opvalt tussen de omringende gebouwen, bestaat uit twaalf verdiepingen, en het interieurontwerp van de laboratoria beantwoordt aan de open-plan-filosofie. Op de begane grond staat een grote hal in verbinding met het Rosebrugh Building.

Een hoogtepunt in de inrichting zijn de tuinen van één en twee niveaus, evenals de open gangen en de trappen die de verdiepingen van het laboratorium onderling verbinden. De oppervlakten vergemakkelijken het adequate gebruik van zonlicht en zijn gunstig voor een natuurlijke ventilatie.

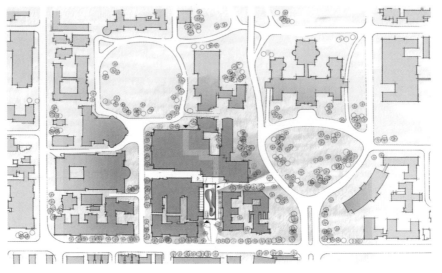

Site plan

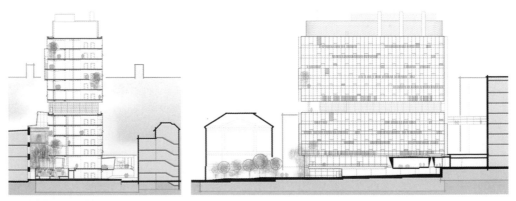

Section and elevation

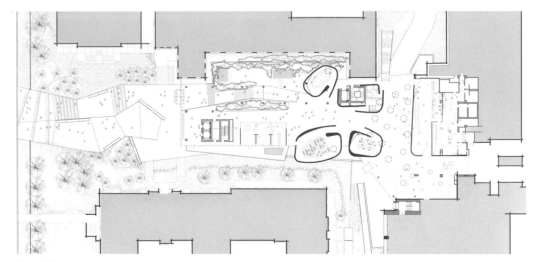

Ground floor

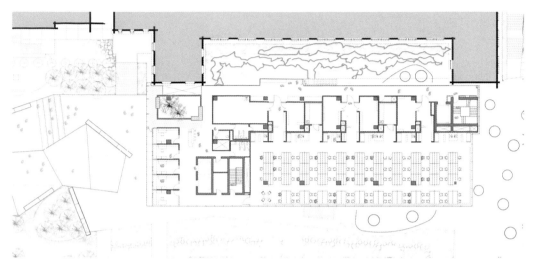

Second floor

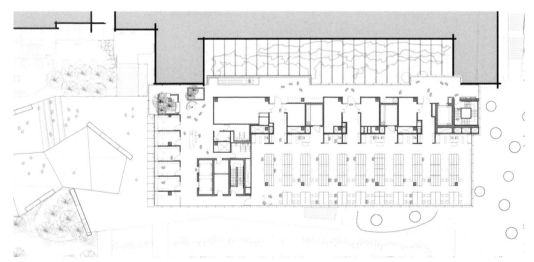

Eleventh floor

The architects decided to create a forecourt in the form of an atrium between the TDCCBR and Rosebrugh buildings. This extensive area comprises vegetation zones and walkways that facilitate access to both buildings. This area helps the entry of natural light into the classrooms, offices, laboratories, and the cafeteria.

Die Architekten entschieden sich für einen Innenhof in Form eines Atriums, um das TDCCBR mit dem Rosebrugh-Gebäude zu verbinden. Der üppig begrünte Patio dient als Übergangs- und Erschließungsbereich beider Trakte und bringt Tageslicht in Hörsäle, Büros, Labors und die Cafeteria.

Les architectes ont créé un patio en forme d'atrium situé entre le TDCCBR et le bâtiment Rosebrugh. Cette vaste zone est composée de végétation et d'allées qui facilitent l'accès aux deux édifices. Cet espace laisse entrer la lumière naturelle dans les salles de cours, les laboratoires et la cafétéria.

De architecten besloten een binnenplaats in de vorm van een hal te creëren tussen de bestaande gebouwen. Deze ruimte bestaat uit groene zones en doorgangszones die de toegang tot beide gebouwen vergemakkelijken. Ze maakt ook dat het daglicht moeiteloos binnenvalt in de collegezalen, kantoren, laboratoria en kantine.

30 Adelaide Street East

Toronto, Canada

ARCHITECT
Janet Rosenberg + Associates; Quadrangle Architects
www.jrala.ca
www.quadrangle.ca

COLLABORATORS AND OTHERS
Dundee Reality Management Corp. (client); Aldershot
Landscape Contractors (builders)

DIMENSIONS
0.23 ha / 2 750 sq yd

PHOTO
© Neil Fox

This work, which acts as a public garden, rest area and interior courtyard, was made in a space surrounded by tall office buildings. The atrium is fully integrated in the environment, as it uses the same color palette and the same building material as the buildings. The customers wanted the architects to create a design that was representative of the brand which would be a reference point in the Canadian city. The furniture, plant pots and access paths to the buildings present the same esthetic.

The landscaping work consists of a central courtyard, whose exterior area is allocated to resting in, and various secondary spaces that relate the buildings with the site. Nature is also important in this urban space: two ginkgo trees are conserved in their original locations.

Dieses städtebauliche Projekt wurde in einem von hohen Bürogebäuden umgebenen Bereich verwirklicht. Das Atrium – öffentliche Grünanlage, Ruhezone und Innenhof zugleich – passt sich vollkommen in die Umgebung ein, weil die gleiche Farbpalette und die gleichen Materialen wie bei den Gebäuden verwendet wurden. Die Bauherrn wünschten sich einen für die Marke repräsentativen Entwurf, der zugleich zu einem Wahrzeichen der kanadischen Stadt werden konnte. Stadtmöbel, Pflanzkübel und Zugangswege folgen einem einheitlichen ästhetischen Designprinzip.
Das landschaftsgärtnerische Konzept besteht in einem zentralen Patio mit umlaufenden Ruhebereich und mehreren kleineren Grünanlagen, welche die Gebäude und den Hof miteinander verbinden. Bei der Anlage wurde Naturschutz groß geschrieben: Zwei Ginkgos konnten an ihrem Standort erhalten bleiben.

Cet ensemble fait à la fois office de jardin public et de zone de repos. Il est circonscrit par de grands immeubles de bureaux. L'atrium s'intègre parfaitement dans son environnement. Il comporte les mêmes tons et matériaux de construction que les bâtiments alentour. Les commanditaires souhaitaient que les architectes réalisent une création emblématique de la marque et qui soit un point de référence de la ville canadienne. Le mobilier, les jardinières et les chemins d'accès aux bâtiments présentent la même esthétique.
L'opération paysagiste consiste en un patio central, dont l'espace extérieur est destiné au repos, et en plusieurs espaces secondaires qui mettent en relation les bâtiments avec leur environnement. La nature prend également une place prépondérante dans cet espace urbain : deux ginkgos ont été conservés à leur emplacement d'origine.

Dit werk, dat fungeert als park, plek ter ontspanning en binnenplaats, is aangelegd in een ruimte omgeven door grote kantoorgebouwen. Het atrium is volledig geïntegreerd in de omgeving, aangezien dezelfde kleuren en bouwmaterialen zijn gebruikt als voor de gebouwen. De opdrachtgevers wilden van de architecten een ontwerp dat representatief was als beeldmerk en een herkenningspunt zou worden voor de Canadese stad. Het meubilair, de plantenbakken en de toegangspaden naar de gebouwen hebben eenzelfde esthetiek.
Het landschapsproject bestaat uit een centrale binnenplaats, waarvan de buitenste zone bedoeld is voor ontspanning, en verscheidene secundaire ruimten die de gebouwen met de plek verbinden. Natuur is ook belangrijk in deze stedelijke omgeving: men heeft twee ginkgo's laten staan op hun oorspronkelijke plek.

There is a central granite walkway which separates the two spaces where the giant trees are. This path is arch-shaped and delimited on either side by two stainless-steel walls. A small sheet of water and rectangular cubes that act as seats are revealed on one side of the atrium.

Ein zentraler Granitpfad trennt die Bereiche voneinander, in den die beiden Baumriesen aufragen. Der Weg verläuft in gebogener Form und wird auf beiden Seiten von Edelstahlmauern eingefasst. Auf einer Seite des Atriums findet sich eine kleine Wasserfläche, daneben Steinwürfel, die als Sitzgelegenheit dienen.

Une allée centrale en granite sépare les deux espaces où se trouvent les arbres géants. Elle a la forme d'un arc et se trouve délimitée par deux murs en acier inoxydable. Sur l'un des murs latéraux de l'atrium on aperçoit un petit filet d'eau et des cubes rectangulaires qui servent de sièges.

Er is een centrale granieten doorgang die de twee zones scheidt waar de reuzenbomen staan. Dit pad is boogvormig en wordt aan beide zijden begrensd door twee roestvrijstalen muurtjes. Aan één kant van het atrium bevinden zich een kleine vijver en rechthoekige kubussen die als zitplaats dienen.

Cannery Lofts

Newport Beach, CA, United States

ARCHITECT
Tannerhecht Architecture
www.tannerhecht.com

COLLABORATORS AND OTHERS
CWI Development (client); Kevin Weeda/Cannery Lofts
LP (contractor); KW Lawler Associates (civil
engineering consultant); Van Dorpe Chou Associates
(structure); KMA (MEP engineering); MJS Design
Group (landscaping).

DIMENSIONS
Overall area: 264 m² / 2 842 sq ft
Residential area: 194 m² / 2 088 sq ft
Commercial area: 70 m² / 753 sq ft

PHOTO
© Brendan Dunnigan, David Hetch / Tannerhecht; Toby
Ponnay

Adjacent and parallel to the Rhine Channel, a residential complex was built comprising a linear set of 24 properties. The apartments are adjoining lofts of three horizontal levels. The strategic location of the complex provides the properties with abundant light, views, and direct access to the channel.

As well as designing homes for the inhabitants of this new area of Cannery Village, the architects aimed to create a dynamic area with pedestrian areas and commercial spaces. The commercial premises are located on the first floors of the different structures, while the upper levels are set aside for the homes. To create the design, the architects based their work on the shapes of existing historical residences nearby, the buildings next to the sea and the industrial look of the neighborhood.

Entlang des Rhine Channel wurde dieses Ensemble von 24 nebeneinander liegenden Wohneinheiten gebaut. Es handelt sich um eine Reihe dreigeschossiger Lofts. Die hervorragende Lage des Wohnkomplexes garantiert helle Räume, privilegierte Aussicht und einen direkten Zugang zum Kanal.

Die Architekten hatten nicht nur den Auftrag, Wohnungen in diesem neuen Teil von Cannery zu bauen, sie sollten auch ein lebendiges Viertel mit Fußgängerbereichen und Einkaufsmöglichkeiten schaffen. Die Ladenlokale liegen jeweils im Erdgeschoss der Gebäude, während die Obergeschosse dem Wohnen vorbehalten bleiben.

Für ihre Entwürfe ließen sich die Architekten von der ortsüblichen Bauweise, den Gebäuden am Meer und der industriellen Vergangenheit des Viertels inspirieren.

Cet immeuble résidentiel formant un ensemble linéaire de 24 logements se situe le long du Rhin. Ce sont des lofts contigus de trois niveaux horizontaux. La situation géographique stratégique du complexe offre une lumière abondante, une vue et un accès direct au canal.

En plus d'avoir conçu des logements pour les habitants de cette nouvelle zone de Cannery, les architectes avaient pour objectif de créer un espace dynamique avec des zones piétonnes et des commerces. Les locaux commerciaux se situent dans la partie basse des différentes structures alors que les étages supérieurs sont consacrés aux logements.

Pour le design, les architectes se sont inspirés des formes des résidences historiques locales, des bâtiments en bord de rives et de l'aspect industriel du quartier.

Dit wooncomplex ligt evenwijdig aan het Rhine Channel en bestaat uit een aantal blokken met in totaal 24 woningen. De woningen zijn naast elkaar gelegen lofts van drie verdiepingen. De strategische ligging van het geheel zorgt voor overvloedig licht, een weids uitzicht en directe toegang tot het kanaal.

De architecten beoogden niet alleen woonruimte te creëren voor de bewoners van deze nieuwe wijk in de stad Cannery, maar ook een dynamische omgeving, met voetgangersgebieden en winkelruimten. De winkels liggen allemaal op straatniveau, terwijl de hoger gelegen verdiepingen als woningen zijn ingericht. Voor het ontwerp hebben de architecten zich gebaseerd op de vormen van de bestaande, historische woningen ter plaatse, de gebouwen langs de kust en het industriële aanzien van de wijk.

Large windows were installed in the façades and open-air roofs and skylights were created. These structures permit the entry of natural light and improve ventilation inside. The living rooms, which enjoy good lighting, give onto large decks that have views over the port and the channel.

Die Fassaden verfügen über großflächige Fenster. Weitere Merkmale sind Vordächer und Oberlichter. In jedem Fall sollte das Tageslicht bestmöglich genutzt und eine gute Durchlüftung gewährleistet werden. Vor den hellen Wohnzimmern liegen großzügige Terrassen mit Blick über den Kanal und den Hafen.

Les façades sont composées de grandes baies vitrées. Des espaces ouverts ainsi que des lucarnes ont également été construits. Ces structures laissent passer la lumière naturelle et permettent également une meilleure ventilation. Les salons, très lumineux, donnent sur de grandes terrasses qui permettent de contempler le port et le canal.

In de gevels zijn grote raampartijen aangebracht, open terrassen en bovenlichten. Hierdoor kan het daglicht volop binnenvallen en is een optimale ventilatie gegarandeerd. Aan de woonkamers, die prachtig verlicht zijn, grenzen ruime terrassen die uitzicht bieden op de haven en het kanaal.

The building materials most used are smooth-finish plaster cement, the metal claddings in undulated shapes and the aluminum employed on the window frames, which are the ones used in typical Cannery constructions. The homes have a grayish look in keeping with an industrial area.

Die bei dieser Wohnanlage am meisten verwendeten Materialien sind glatt polierter Beton für die Wände, gewellte Metalloberflächen bei der Verkleidung und Aluminiumrahmen bei den Fenstern, wie sie in Cannery allgemein üblich sind. Der graue Farbton der Häuser erinnert an das industrielle Erbe.

Les matériaux de construction les plus utilisés sont le ciment crépi à finition lisse, les revêtements métalliques ondulés et l'aluminium pour l'encadrement des fenêtres, matériaux typiques des constructions de Cannery. Les maisons ont un aspect grisâtre propre aux zones industrielles.

De meest toegepaste materialen zijn glad afgewerkt beton, golvend metaal en aluminium voor de raamkozijnen. Deze materialen worden ook gebruikt in andere bouwwerken die typerend zijn voor Cannery. Het grijze kleurenpalet verleent de huizen een passend industrieel aanzien.

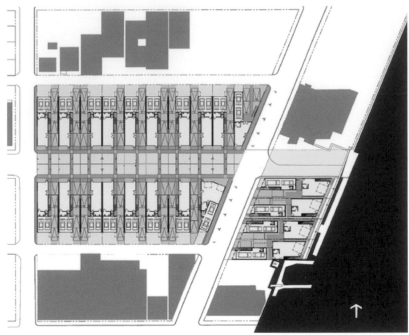

Site plan

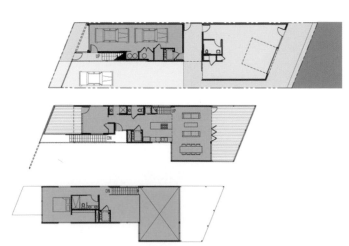

Plans and sections

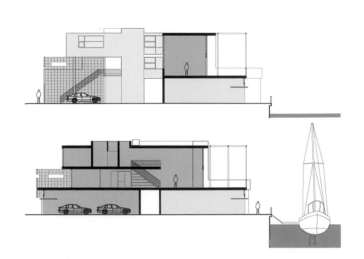

Bat Yahm Temple

Newport Beach, CA, United States

ARCHITECT

Lehrer Architects
www.lehrerarchitects.com

COLLABORATORS AND OTHERS

Temple Bat Yahm (client)

DIMENSIONS

Building area: 2 044 m² / 22 001 sq ft
Total area: 2 694 m² / 29 000 sq ft

PHOTO

© Marvin Rand

Bat Yahm Temple is an architectural complex for spiritual affairs formed of different buildings and outdoor spaces. The main building is the synagogue, whose contemporary design responds to a previous transformation. The existing campus was a single building with few windows. The architects created a design with sustainability elements such as lighting control, natural ventilation, watershed management, permeable landscaped surfaces, and native plantings. A clear example of this concept is the construction of the parking lot, designed to meet the double function of parking vehicles and being a green space. The use of grass instead of traditional asphalt enables the creation of a small park that can also be used to park cars.

Bat Yam ist ein architektonisches Ensemble, dessen Gebäude und Außenanlagen religiösen Zwecken dienen. Hauptgebäude ist die Synagoge, deren heutiges Erscheinungsbild auf einen früheren Umbau zurückgeht. Sonst gab es vorher nur ein weiteres Gebäude mit wenigen Fenstern. Die Architekten ließen sich bei ihrem Entwurf ausdrücklich von Kriterien der Nachhaltigkeit und des Umweltschutzes leiten: Nutzung des Tageslichts, natürliche Belüftung, Kontrolle des Wasserhaushalts, atmungsaktive Oberflächen und Begrünung mit einheimischen Pflanzenarten. Ein weiteres Beispiel für dieses Planungsprinzip stellt der Parkplatz dar: Stellplätze und Grünanlage. Indem statt der Versiegelung mit Asphalt Rasen gesät wurde, entstand ein als Parkplatz zu nutzender Garten.

Le Bat Yahm Temple est un ensemble architectural religieux comprenant différents bâtiments et espaces extérieurs. Le bâtiment principal est la synagogue dont le design actuel provient d'une transformation de l'ancien projet qui se composait d'un seul bâtiment avec très peu de fenêtres. Les architectes ont créé un design qui répond à des principes écologiques, comme par exemple le contrôle de la lumière, la ventilation naturelle, la gestion de l'eau, les superficies perméables et la végétation autochtone. Un exemple écologique flagrant dans ce projet est le parking, dans lequel l'asphalte traditionnel a été remplacé par de la pelouse – ce qui permet la création d'une petite zone verte remplissant une double fonction : être à la fois un parking et un jardin.

De Bat Yahm Temple is een complex met een religieuze bestemming en omvat meerdere gebouwen en buitenruimten. Het belangrijkste gebouw is de synagoge, waarvan het huidige ontwerp een reactie is op een eerdere transformatie. De bestaande campus bestond uit één enkel gebouw met weinig ramen. De architecten maakten een ontwerp met duurzame elementen, zoals lichtbeheersing, natuurlijke ventilatie, watermanagement, doorlaatbare oppervlakten en inheemse beplanting. Een duidelijk voorbeeld van de duurzame aanpak is de parkeerruimte, ontworpen met een dubbele functie: parkeerplaats en groenzone. Door het gebruik van gras in plaats van het traditionele asfalt ontstaat een klein park dat tevens als parkeerplaats kan dienen.

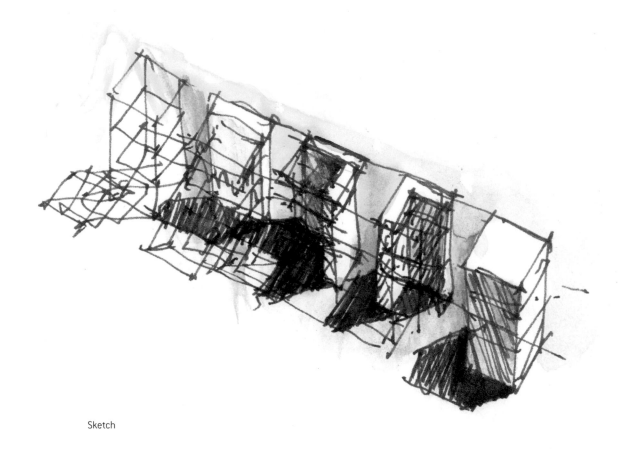

Sketch

The parking lot has a double use: a park to play in and an area for parking vehicles. The architectural ensemble lies on the Pacific coast, an area with a mild climate and lots of light. The façades were painted white to emphasize the role of light typical to a synagogue.

Die Stellplatzanlage erfüllt einen doppelten Zweck: Zum einen ist sie Grünanlage und zum anderen Parkplatz. Der Komplex liegt an der Pazifikküste, einem Gebiet mit gemäßigtem Klima und großer Lichtfülle. Die Fassaden wurden weiß gestrichen, um die Rolle des Lichts, der Erleuchtung einer Synagoge zu unterstreichen.

Le parking a une double fonction : celle de parking et celle de parc. L'ensemble architectural est situé sur la côte Pacifique, une région très ensoleillée au climat tempéré. Les façades sont peintes en blanc afin de faire ressortir l'importance de la lumière propre à une synagogue.

De parkeerplaats wordt tweeledig gebruikt: als park en om te parkeren. Het complex ligt aan de kust van de Grote Oceaan, in een gebied met een mild klimaat en veel licht. De gevels zijn wit geschilderd om de belangrijke rol van het licht in een synagoge te benadrukken.

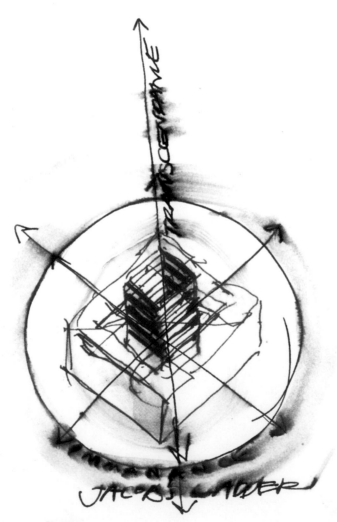

Sketches

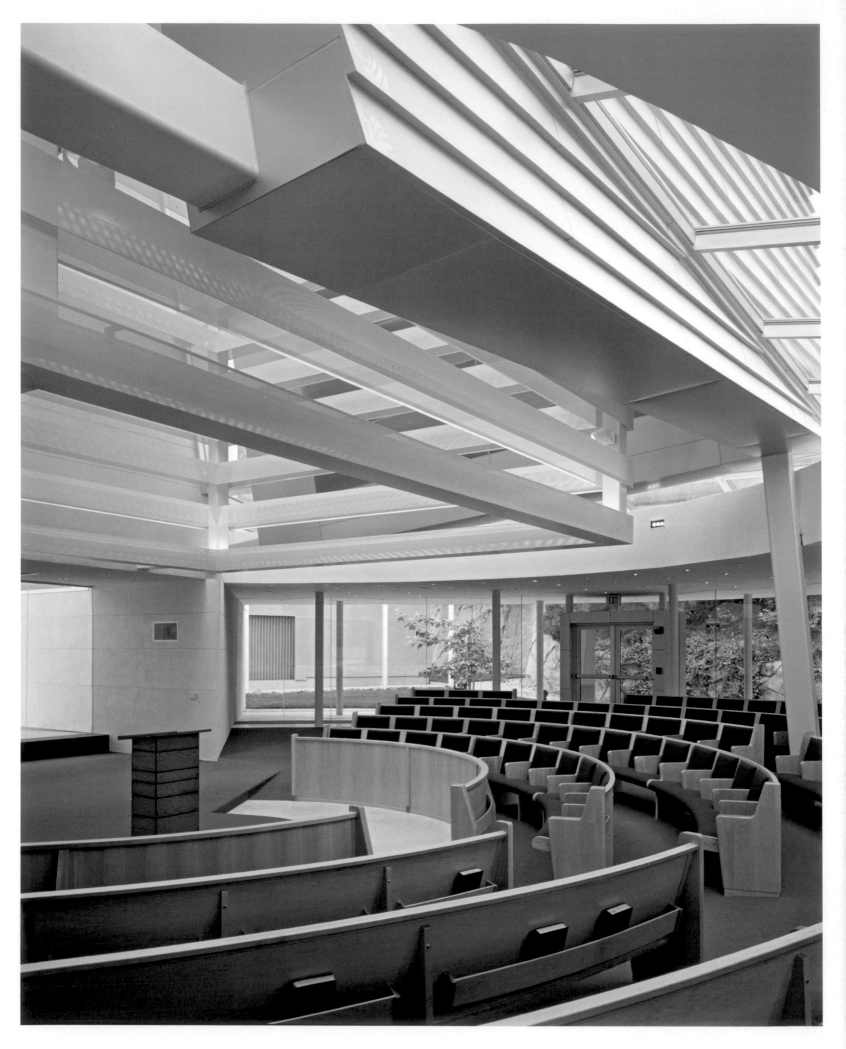

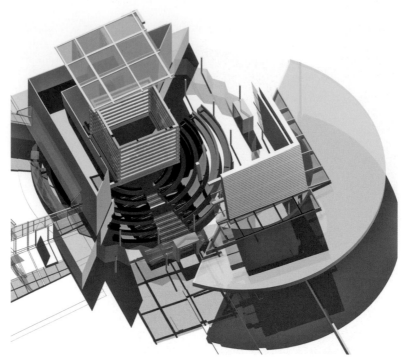

Axonometric views broken down into quarters

Axonometry of the whole complex

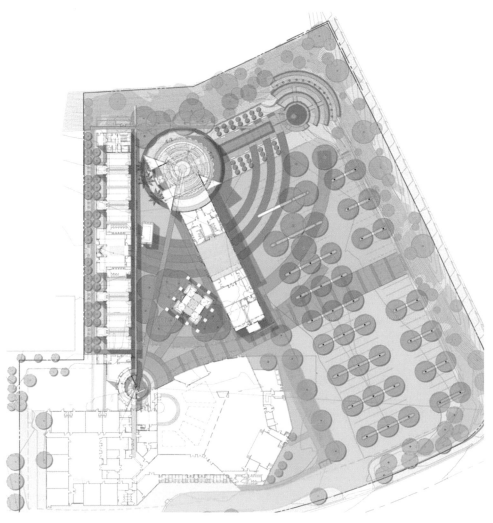

Plan

The union between heaven and earth is symbolically represented inside via the construction of a large skylight above the synagogue's main nave. It is the image of Jacob's ladder, a symbol of the Jewish religion whose light is the element that joins Heaven and Earth.

Die Verbindung von Himmel und Erde ist im Inneren der Synagoge symbolisch durch ein großes Oberlicht im Hauptraum dargestellt. Es erinnert an die Jakobsleiter, ein in der jüdischen Tradition wichtiges Element, wobei das Licht für die Vereinigung von Erde und Himmel steht.

L'union entre le ciel et la terre est représentée de manière symbolique à l'intérieur grâce à la construction d'une grande lucarne dans la nef principale de la synagogue. C'est l'image de l'escalier de Jacob, un symbole de la religion juive, dont la lumière est l'élément reliant la terre et le ciel.

De relatie tussen hemel en aarde wordt binnen symbolisch verbeeld door de constructie van een groot daklicht boven het middenschip van de synagoge. Het stelt de Jakobsladder voor, een symbool van het joodse geloof waarbij licht het verbindende element is tussen Hemel en Aarde.

Extension to the Denver Art Museum

Denver, CO, United States

ARCHITECT
Daniel Libeskind/Studio Daniel Libeskind
www.daniel-libeskind.com

COLLABORATORS AND OTHERS
City of Denver and the Denver Art Museum (client);
Davis Partnership Architects (associate architects);
Stefan Blach, Arne Emerson, Guadalupe Cantu, Robert
Claiborne (project architects); Arup (structural
engineering).

DIMENSIONS
13 564 m² / 146 002 sq ft

PHOTO
© Bitter Bredt

The institution that runs the Denver Art Museum and the State decided to carry out an extension of the gallery facilities, designed by the Italian architect Gio Ponti in 1971. The director, curators and administration, together with the architects, designed a new building connected to the previous one via a glass-clad steel bridge.

The museum extension has become an icon in the US city over the years. Inside is the main entrance to the art center, the souvenir stores, the café, and the theater.

The building's stunning façade references the specific topography of its location, producing an esthetic dialogue between the sassy construction and the mountainous landscape. The façade continually changes in color and appearance in line with the sunlight and the visitor's angle of perception.

Die Träger des Kunstmuseums Denver und der Staat Colorado beschlossen eine Erweiterung der Gemäldegalerie, die 1971 von dem italienischen Architekten Gio Ponti entworfen worden war. Direktion, Konservatoren und Verwaltung einigten sich mit den Architekten des Neubaus auf einen Entwurf, der über eine verglaste Brücke mit dem Altbau verbunden ist.

Der Erweiterungsbau ist längst zu einem Aushängeschild der nordamerikanischen Stadt geworden. Er umfasst den Haupteingang zu den Kunstsammlungen, die Museumsläden, eine Cafeteria und ein Theater.

Die Aufsehen erregende Fassade des Gebäudes greift topografische Merkmale des Bundesstaats auf: So entsteht ein ästhetischer Dialog zwischen dem kühnen Bau und der Landschaft des Felsengebirges. Die Fassade ändert ihre Einfärbung und ihr gesamtes Erscheinungsbild je nach Sonneneinfall und Standort des Betrachters.

La direction du musée d'art de Denver et l'État ont décidé d'agrandir les installations de la pinacothèque créée en 1971 par l'architecte italien Gio Ponti. Le directeur, les conservateurs et l'administration, en collaboration avec les architectes, se sont mis d'accord sur la construction d'un nouveau bâtiment connecté à l'ancien par un pont en verre et en acier.

La nouvelle aile du musée est devenue, au fil du temps, un symbole de la ville américaine. À l'intérieur, se trouvent l'entrée principale de la galerie d'art, les boutiques de souvenirs, une cafétéria et un théâtre.

La façade spectaculaire du bâtiment fait référence à la topographie spécifique du lieu. Un dialogue esthétique se produit entre la structure audacieuse et le paysage montagneux. La façade change de couleur et d'apparence en fonction de la lumière du soleil et de l'angle de vue du visiteur.

Het instituut dat het Denver Art Museum bestuurt en de Staat besloten de voorzieningen van de pinacotheek uit te breiden, die in 1971 ontworpen was door de Italiaanse architect Gio Ponti. De directeur, de conservators en het bestuur ontwierpen samen met de architecten een met staal bekleed nieuw gebouw dat via een luchtbrug verbonden is met het oude gebouw.

De uitbreiding van het museum is mettertijd uitgegroeid tot een icoon van de Amerikaanse stad. Binnen bevinden zich de hoofdingang naar het kunstcomplex, de museumwinkels, de cafetaria en het theater.

De spectaculaire gevel verwijst naar de specifieke topografie van de plek, waardoor een esthetische dialoog ontstaat tussen de gedurfde constructie en het berglandschap. De gevel verandert onder invloed van het zonlicht en afhankelijk van het gezichtspunt van de bezoeker voortdurend van kleur en aanzien.

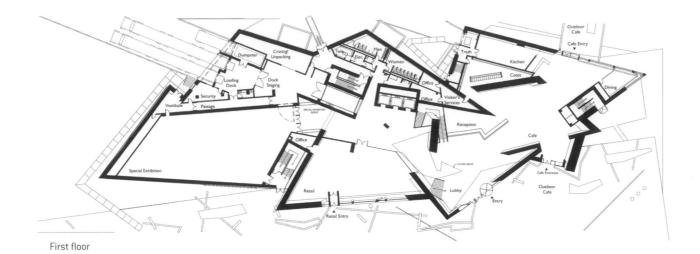

First floor

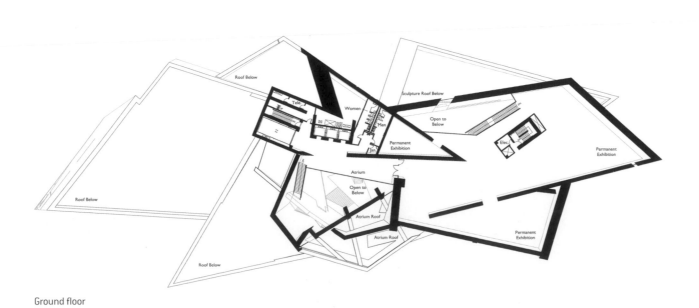

Ground floor

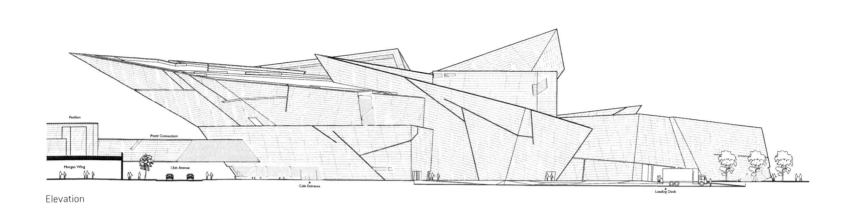

Elevation

A total of 2,700 tons of steel, 142,700 sq ft of cement, 3,100 steel beams, and 9,000 titanium and granite panels comprise the structure of this stunning building. Sharp-angled polygonal shapes made from granite and titanium generate an original façade reminiscent of the folded creases of Japanese origami.

Insgesamt wurden beim Bau des Museums 2700 Tonnen Stahl, 13258 m^2 Beton, 3100 Stahlträger sowie 9000 Paneele aus Titan und Granit eingesetzt. Durch die vieleckigen, spitzwinkligen Formen aus Stein und Metall entsteht eine ungewöhnliche Fassade, die mit ihren zahllosen Falten an das japanische Origami denken lässt.

La structure spectaculaire de ce bâtiment est composée de : 2 700 tonnes d'acier, 13 258 m^2 de ciment, 3 100 poutres en acier et 9 000 plaques de titane et de granite. Des formes polygonales aux angles audacieux réalisés en granite et en titane, donnent naissance à cette façade originale qui rappelle les plis des origamis japonais.

2700 ton staal, 13.258 m^2 cement, 3100 stalen balken en 9000 panelen van titanium en graniet vormen de constructie van dit spectaculaire gebouw. Polygonale vormen met scherpe hoeken, uitgevoerd in titanium en graniet, creëren een originele gevel die doet denken aan het gevouwen papier van Japanse origami.

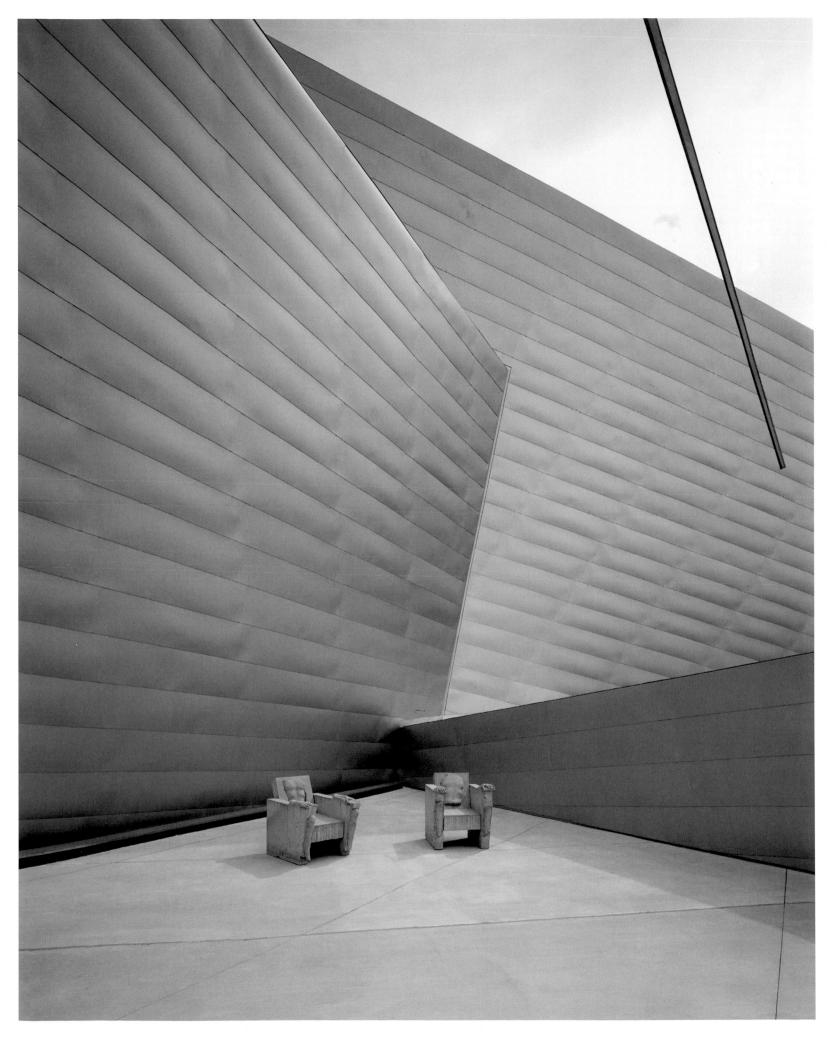

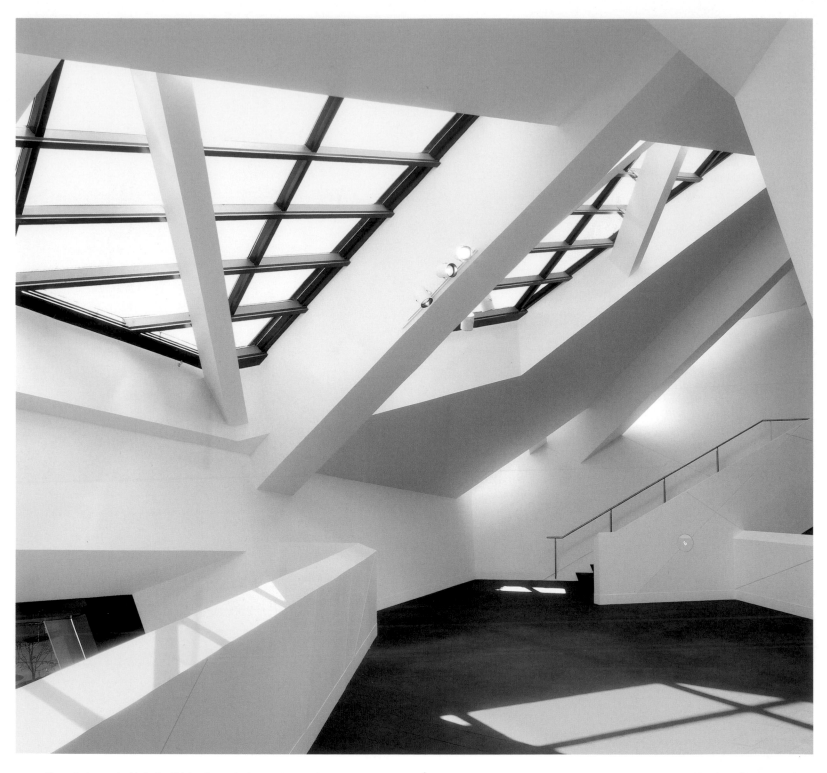

The main feature inside is the 120-ft-tall Pomar Grand Atrium from which visitors access the exhibition galleries via a wide staircase on one of the side walls. The stairs also lead to a theater that seats 280 people. The same gradient that features on the exterior façade is reflected in the indoor spaces.

Im Inneren ist das 37 m hohe Pomar Grand Atrium hervorzuheben, von dem aus man über eine seitlich verlaufende breite Treppe in die Ausstellungsräume gelangt. Über diese Treppe erreicht man auch das Theater mit seinen 280 Sitzplätzen. Die Innenräume weisen die gleiche Schräge auf wie die Außenfassade.

À l'intérieur, le Pomar Grand Atrium, haut de 37 mètres, est mis en valeur. De ce hall, on peut accéder aux galeries d'exposition grâce à un grand escalier situé près d'un des murs. Il conduit également à un théâtre pouvant accueillir 280 personnes. L'intérieur reflète la même inclinaison que celle de la façade extérieure.

Binnen springt het 37 m hoge Pomar Grand Atrium het meest in het oog, van waaruit je via een brede trap langs een van de zijwanden toegang hebt tot de expositieruimten. De trap leidt ook naar een theater met ruimte voor 280 personen. De ruimten binnen hebben dezelfde hellingshoek als de buitengevel.

Guest House

Austin, TX, United States

ARCHITECT

Miró Rivera Architects
www.mirorivera.com

COLLABORATORS AND OTHERS

Chuck Naive/Architectural Engineers Collaborative
(structural engineering); Don Crowell/DCI (general
contractor)

DIMENSIONS

233 m² / 2 5085 sq ft

PHOTO

© Paul Finkel / Piston Design, Lost Pines Aereal
Photography

This guesthouse was built on a small peninsula located in an undeveloped spot in the city of Texas. Access to this place in the marshes is accessed via a purpose-built pedestrian bridged inspired by the vertical and cylindrical shapes of the reeds that abound in the area.

The architects decided to create a building that would cause the least visual and environmental impact, and designed a floor plan that would cover little ground and not be very tall. The result was a three-story property with the first floor given over to the dining room, living room, and bathrooms, etc. This main floor opens onto a deck with access from a glassed-in structure. The deck has undulated shapes including an enormous metal cylindrical pillar in keeping with the rest of the property. The second floor has the master bedroom, and the other bedrooms are on the third floor.

Auf einer kleinen Halbinsel in den Naturgebieten der texanischen Stadt wurde dieses Gästehaus erbaut. Man erreicht das in einer Sumpflandschaft gelegene Gebäude über eine eigens errichtete Fußgängerbrücke, deren Gestalt die aufstrebenden, zylindrischen Formen des hier reichlich vorhandenen Schilfs aufgreift.

Die Architekten bemühten sich in ihrem Entwurf darum, einen sowohl optisch als auch landschaftlich möglichst geringen Eingriff in die Natur vorzunehmen. Daher wurde ein wenig Platz greifender dreigeschossiger Bau errichtet. Im Erdgeschoss finden sich der Speisesaal, der Aufenthaltsraum und die Toiletten. Über eine Glasstruktur gelangt man hinaus auf die in kurvigen Formen gestaltete Terrasse. Der auffällig dicke zylindrische Metallpfeiler fügt sich gut in das Gesamtbild. Im ersten Stock liegt das Hauptschlafzimmer, im zweiten Stock weitere Zimmer.

Cette auberge se situe sur une petite péninsule dans les environs de la ville de Texas. Situé dans une zone marécageuse, l'accès se fait à pied par un pont construit spécialement à cette fin, inspiré des formes verticales et cylindriques des roseaux qui envahissent la zone.

Les architectes ont voulu créer une habitation discrète, ayant le moins d'impact possible sur l'environnement. C'est pourquoi ils ont conçu une construction basse, de seulement trois niveaux, dont le premier est consacré à la salle à manger, au salon, aux toilettes. Il donne sur une terrasse à laquelle on accède grâce à une structure en verre. La terrasse présente des formes ondulées et un remarquable pilier cylindrique en acier, en accord avec le reste du bâtiment. Au premier étage se trouve la chambre principale et au second, les autres chambres.

Op een schiereilandje in een natuurgebied in de omgeving van Texas City staat dit gastenhuis. Deze plek bereik je via een speciaal aangelegde loopbrug, die geïnspireerd is op de verticale, cilindrische vormen van het riet, dat hier overvloedig groeit.

De architecten wilden een gebouw ontwerpen dat tot zo min mogelijk verstoring van de omgeving zou leiden. Ze bedachten een bouwkundige structuur die weinig grondoppervlak zou beslaan en niet erg hoog zou zijn. Het resultaat was een woning van drie verdiepingen, met op de begane grond de eetkamer, de woonkamer, de badkamers etc. Deze verdieping komt uit op een golvend gevormd terras met toegang vanuit een beglaasde constructie. Een enorme metalen cilindrische zuil harmonieert met de rest van de woning. Op de tweede verdieping bevindt zich de grootste slaapkamer en op het derde niveau de overige slaapkamers.

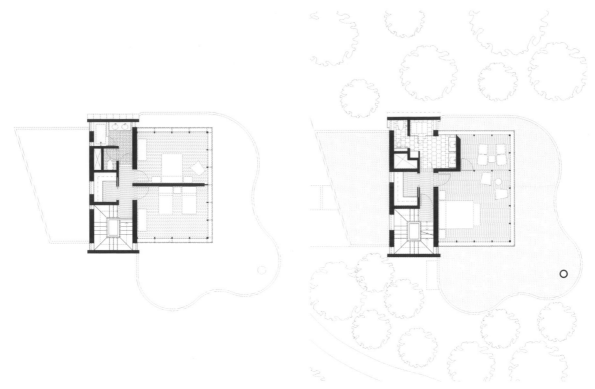

First floor and second floor

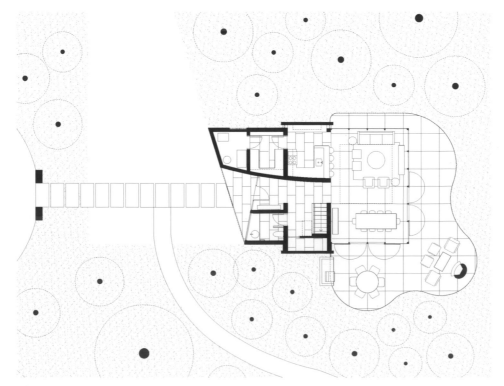

Ground floor

Large windows were planned for the main façade for two reasons: to admire the natural landscape and to permit the natural light to flow inside. Around the back a module clad in copper sheets with a pink rusty look was created. These two structures combine harmoniously, even though they appear contradictory at first.

Die großflächigen Fenster der Hauptfassade erfüllen einen doppelten Zweck: Sie lassen Tageslicht ein und erlauben Ausblicke in die Landschaft. Im rückwärtigen Teil des Hauses wurde ein Modul eingefügt, das mit rötlich eingefärbten Kupferstreifen verkleidet ist. Trotz ihres unterschiedlichen Charakters ergänzen sich beide Elemente in harmonischer Weise.

La façade principale se compose de grandes baies vitrées ayant une double utilité : contempler le paysage et laisser pénétrer la lumière naturelle. À l'arrière du bâtiment se trouve un module revêtu de lattes de cuivre à l'aspect rose oxydé. Ces deux structures se conjuguent de manière harmonieuse même si, à première vue, elles semblent s'opposer.

In de hoofdgevel kwamen grote raampartijen om uitzicht te bieden op het landschap en om daglicht binnen te laten. Aan de achterzijde verrees een bouwelement dat is afgewerkt met repen gebeitst koper die er geoxideerd uitzien. Deze twee op het eerste gezicht "botsende" constructies vormen een harmonieuze combinatie.

The Lurie "Shoulder" Garden
Chicago, IL, United States

ARCHITECT
Gustafson Guthrie Nichol Ltd.
www.ggnltd.com

COLLABORATORS AND OTHERS
Millennium Park (client); Robert Israel (conceptual
thinking); Piet Oudolf (perennial planning design);
Walsh Construction (builders); McDonough Associates,
KPFF Consulting (engineering); Spectrum Strategies
(project management); CMS Collaborative (fountain
design); Schuler & Shook, Inc. (lighting design); Ferry
Guen Design Associates, Inc. (local landscape
architect)

DIMENSIONS
12 643 m² / 136 088 sq ft

PHOTO
© Gustafson Guthrie Nichol Ltd.

This landscape architecture intervention was built in the historical area known as Grant Park, which forms part of the Lakefront Millennium Park. It is located between the semi-covered building designed by Frank O. Gehry & Associates and the Art Institute of Chicago by the Renzo Piano Building Workshop.
The garden is formed by the Extrusion Plaza, an extension that acts as a north-south boardwalk through the park; the Shoulder Hedge, which stands out because of its theatrical lighting, and finally, the Big Shoulders Hedge, the botanical garden with a living wall that protects the nature from the intense traffic of people using the Millennium Park.
There are other small zones within the garden, such as the West Hedge and the Dark Plate, where decorative and original zones coexist with other nostalgic and mysterious ones.

Dieses landschaftsplanerische Projekt wurde in dem als Grant Park bekannten historischen Bereich des Lakefront Millenium Parks verwirklicht. Es befindet sich zwischen dem halboffenen Gebäude von Frank O. Gehry & Associates und dem Art Institute Chicago von Renzo Piano Building Workshop. Die Gartenanlage besteht aus der Extrusion Plaza, einer Fläche, die als Nord-Südachse durch den Park angelegt wurde, Shoulder Hedge mit dramatischer Ausleuchtung und Big Shoulder Hedge, dem botanischen Garten mit einer begrünten Lärmschutzwand, welche die Natur gegen den dichten Verkehr des Millenium Parks abschirmt.
Im Park liegen außerdem noch West Hedge und Dark Plate, die sich durch das Nebeneinander von originellen, dekorativen und geheimnisvoll-nostalgischen Gestaltungsmustern auszeichnen.

Cette architecture paysagiste a été construite dans la zone historique de Gran Park, au sein du Lakefront Millenium Park. Elle est située entre le bâtiment à moitié couvert de Frank O. Gehry & Associés et l'École d'art de Chicago due au Renzo Piano Building Workshop.
A l'intérieur du jardin se trouvent : l'Extrusion Plaza, une extension qui sert d'axe de circulation nord-sud à travers le parc ; le Shoulder Hedge, remarquable par son éclairage théâtral et enfin, le Big Shoulder Hedge, un jardin botanique protégé par un mur végétal.
Il existe d'autres petits espaces à l'intérieur du jardin, comme le West Hedge et le Dark Plate, qui conjuguent originalité et décoration avec nostalgie et mystère.

Dit landschapsarchitectonische werk is aangelegd in het historische gebied dat bekendstaat als Grant Park en dat deel uitmaakt van Lakefront Millennium Park. Het is gelegen tussen het halfoverdekte gebouw ontworpen door Frank O. Gehry & Associates en het Art Institute of Chicago van de Renzo Piano Building Workshop.
De tuin bestaat uit Extrusion Plaza, een uitbreiding die fungeert als noord-zuidverbinding door het park; Shoulder Hedge, dat opvalt door zijn theatrale verlichting en, tot slot, Big Shoulders Hedge, de botanische tuin met een levende muur die de natuur beschermt tegen het intensieve bezoekersverkeer van Millennium Park.
In de tuin zijn nog enkele kleine zones, zoals West Hedge en Dark Plate, waar decoratieve, originele zones bestaan naast nostalgische, mysterieuze gedeelten.

The landscape architects created a design whose lighting is treated with a sense of theater. The paths in the park are lit with lights embedded in the ground to create a brilliant and focal light. The most intense lighting is in those spaces that invite visitors to enter the botanical garden.

Die Landschaftsarchitekten ersannen ein Beleuchtungssystem, das dramatische Wirkungen hervorbringt. Die Spazierwege im Park werden durch im Boden versenkte Lampen erhellt, die helles, gebündeltes Licht erzeugen. Dort, wo die Passanten zum Besuch des botanischen Gartens eingeladen werden, ist das Licht noch intensiver.

Les architectes paysagistes ont conçu ce jardin dans lequel lumière rime avec théâtralité. Les sentiers sont éclairés par des lampes encastrées dans le sol afin de créer une lumière brillante et focale. L'éclairage est plus intense dans certains endroits afin d'attirer le visiteur vers le jardin botanique.

De architecten maakten een ontwerp waarin de belichting theatraal benaderd is. De wandelpaden worden verlicht door lampen die in de grond zijn weggewerkt, waardoor een helder, geconcentreerd licht ontstaat. Daar waar bezoekers worden uitgenodigd de botanische tuin te betreden is de verlichting feller.

Skybridge at One North Halsted

Chicago, IL, United States

ARCHITECT

Perkins & Will Architects
www.perkinswill.com

COLLABORATORS AND OTHERS

Moran Associates/Dearborn Development LLC (client);
Samartano & Company (structural engineering); WMA
Consulting Engineers (MEP & fire protection); Eriksson
Engineering (civil engineering); Ameri-con Enterprise
Services (construction management); Walsh
Construction Group (general contractor); Wolff
Clements & Associates (landscaping); Construction
Services Associates (consultant); Gardo, Lightolier
(exterior lighting); GammaLux, Flos, Juno, Halo, DAC,
Progress, Total Lighting Concepts, Lightolier (interior
lighting); Walsh Construction Group (concrete); MAB
Modac (painted concrete); Vista Wall (doors and
windows: anodized aluminum); Traco (windows:
anodized aluminum), AFGD (enameling); Viracon
(glazing and garage); Circle Metals (glazing custom
steel fabrication); Nu-Trends (wooden panels); USG
(acoustics); Cambridge Commercial Carpets
(carpeting); Mid America Tile (tiles); Mitsubishi
(elevators); Forms + Surfaces (elevator cabins).

DIMENSIONS

Floor plan area: 7 692 m² / 82 796 sq ft
Building area: 74 772 m² / 804 840 sq ft
Tower area: 39 525 m² / 425 444 sq ft
Garage area: 35 247 m² / 379 396 sq ft

PHOTO

© Hedrich Blessing, Steinkamp/Ballog Photography

This big apartment block comprises 39 floors with 237 apartments. The unusual location of the architectural ensemble, surrounded by a freeway and large avenues, conditioned the final design: a vertical tower housing just the apartments and a horizontal base designed for commercial premises. The linear block runs parallel to the route of the nearby freeway and makes it possible to maximize the views of the urban horizon of Chicago.

The residential apartment block was not designed as a sober construction, but with the aim of creating a great variety of different types of homes, views and illuminations. The tower structure was built with cast concrete and the exterior area was fully glassed-in. The façade was painted in shades that permit the reflection of light and with dark gray colors.

Diese hohe Appartementhaus verfügt über 237 Wohnungen in 39 Stockwerken. Die Lage des Komplexes zwischen einer Autobahn und breiten Ausfallstraßen bestimmte die Entwurfsplanung: Entstanden ist ein Turm, der die Appartements aufnimmt, und ein Flachbau, in dem die Ladenlokale zu finden sind. Die Hauptschauseite liegt parallel zur Autobahn und erlaubt weite Ausblicke auf die Skyline von Chicago.

Der Appartementturm wurde nicht als schlichter Wohnblock konzipiert, sondern enthält eine Vielzahl unterschiedlich gestalteter Wohneinheiten mit ihren jeweiligen Fensteröffnungen und Ausblicken. Die tragende Struktur besteht aus Ortbeton, die Außenhaut wurde vollständig verglast. Die Fassade wurde in Farbtönen, die das Licht reflektieren, und in dunklen Grautönen gestrichen.

Ce grand immeuble de 39 étages contient 237 logements. L'emplacement particulier de cet ensemble architectural, cerné d'une autoroute et de grandes avenues, a conditionné la conception du projet : une tour horizontale pour les appartements, les locaux commerciaux dans la partie inférieure. Le bloc linéaire est parallèle à l'axe de l'autoroute adjacente et permet d'optimiser la vue sur la ville de Chicago.

La tour résidentielle n'a pas été conçue comme une construction sobre mais dans le but de créer une grande variété de logements dotés de styles, de vues et d'éclairages différents. La structure de la tour est en béton coulé et l'enceinte extérieure en verre. La façade est peinte avec des couleurs qui reflètent la lumière et une palette dans les tons gris foncé.

Dit grote appartementengebouw telt 39 verdiepingen met in totaal 237 woningen. De opmerkelijke ligging van het architectonische complex, omgeven door een snelweg en grote avenues, was bepalend voor het uiteindelijke ontwerp: een verticale toren die enkel de appartementen huisvest en een horizontale basis voor bedrijven. Het lineaire complex loopt evenwijdig aan de as van de nabijgelegen snelweg, wat een optimaal zicht op de stedelijke horizon van Chicago garandeert.

De woontoren is niet ontworpen als een sober bouwwerk, maar om een grote verscheidenheid aan wooneenheden te creëren, met variatie in indelingen, uitzichten en soorten belichting. Het skelet van de toren is van gegoten beton en de buitenzijde is volledig beglaasd. De gevel werd geschilderd in tinten die licht reflecteren en in donkere grijstinten.

Different shades of red, yellow and blue were used on the volumes into and out of the building, the bridge that connects the two buildings and the top part of the vertical tower. We find eight different types of homes on each floor, with dimensions that oscillate between 914 sq ft and nearly 4,200 sq ft, all with a private balcony to enjoy the impressive views of Chicago.

Bei den vor- und zurückspringenden Gebäudeteilen sowie bei dem Brückenbau zwischen beiden Gebäuden und dem oberen Teil des Turms wurden verschiedene Rot- Gelb- und Blautöne verwendet. In jeder Etage gibt es acht unterschiedliche Wohnungstypen mit Größen zwischen 85 m² und 390 m², alle mit Balkon, um die Aussicht genießen zu können.

Les tons de rouge, jaune et bleu inondent les halls du bâtiment, le pont qui relie les deux bâtiments ainsi que la partie supérieure de la tour. Chaque étage comporte 8 types de logements différents, avec des surfaces allant de 85 m² à 390 m², tous munis d'un balcon privé afin de profiter de la vue spectaculaire sur la ville de Chicago.

Op de inspringende en uitstekende delen van het gebouw, op de brug die beide gebouwen verbindt en op het bovenste deel van de verticale toren zijn diverse rood-, geel- en blauwtinten gebruikt. Op elke verdieping zijn acht verschillende woningtypen, allemaal met een balkon om van het uitzicht op Chicago te genieten.

Typical plan

Sketch

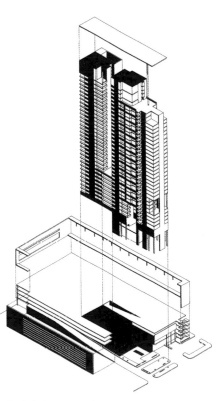

Exploded axonometric

Takeda Pharmaceutical
North American Headquarters

Deerfield, IL, United States

ARCHITECT
Thompson, Ventulett, Stainback & Associates
www.tvsa.com

COLLABORATORS AND OTHERS
Takeda Pharmaceuticals (client); Hines (development
and facility manager)

DIMENSIONS
32 515 m² / 350 000 sq ft

PHOTO
© Brian Gasset/Thompson, Ventulett, Stainback
& Associates

The site to house the Takeda Pharmaceuticals central offices was designed as a large arch formed of five buildings that partially surround the natural landscape. This peculiar orientation maximizes daylight and provides many vantage points. The latest construction work done forms part of the first phase of the overall project and is a combination of form and function that provides flexibility for the company's future growth.

The building comprises five levels, the first floor of which contains the lobby, a number of offices, a cafeteria, and a modern conference center. The other offices are on the remaining four floors above.

Many sustainability aspects were considered in the construction of the building, such as high energy-efficient materials, led lighting to save energy, materials with recycled content, and so on.

Der Firmensitz für die Takeda Pharmaceutical North American Headquarters gibt sich als ein großer, aus fünf Gebäuden bestehender Bogen, der eine Naturlandschaft umfängt. Die Orientierung des Komplexes nutzt die maximale Sonneneinstrahlung und bietet weite Ausblicke. Die zuletzt errichteten Gebäude entsprechen der ersten Bauphase des gesamten Projektes und kombinieren Form und Funktion in einer Weise, die Flexibilität für künftige Erweiterungen des Unternehmens garantiert.

Das Gebäude umfasst fünf Ebenen; im ersten Stock befindet sich die Lobby, einige Büros, eine Cafeteria und ein modernes Konferenzzentrum. Die übrigen Büroräume sind auf die vier Obergeschosse verteilt.

Beim Bau des Komplexes wurde besonderer Wert auf Nachhaltigkeit gelegt, etwa durch Materialien hoher Energieeffizienz, LEDS zur Energieeinsparung oder Materialien aus teilweise wieder verwerteten Rohstoffen.

Afin d'accueillir les bureaux centraux de Takeda Pharmaceuticals, le siège a été conçu comme une grande arche formée de cinq bâtiments entourant en partie le paysage naturel. Cette orientation particulière permet de tirer profit de la lumière du jour et offre une multitude de points de vue. La dernière construction réalisée, correspondant à la première étape du projet global, associe une forme et une fonction offrant une certaine flexibilité pour la future croissance de l'entreprise.

Le bâtiment se compose de cinq niveaux. Au rez-de-chaussée se trouve le lobby, quelques bureaux, une cafétéria et un centre de conférences moderne. Le reste des bureaux est réparti sur les quatre étages supérieurs.

Pour la construction de ce bâtiment, de nombreux aspects environnementaux ont été pris en compte comme, par exemple, l'utilisation de matières de haute efficacité énergétique, de LED économisant de l'énergie, de matériaux à contenu recyclé, etc.

Het hoofdkantoor van Tadeka Pharmaceuticals is ontworpen als een grote arcade bestaand uit vijf gebouwen die deels het natuurlijke landschap omringen. Deze specifieke oriëntatie garandeert een optimale inval van daglicht en biedt tal van uitzichtpunten. De laatst gerealiseerde constructie, behorend bij fase één van het totale ontwerp, is een combinatie van vorm en functie die flexibele mogelijkheden biedt voor de toekomstige groei van het bedrijf.

Het gebouw heeft vijf niveaus: op de eerste verdieping zijn de lobby, een aantal kantoren, een kantine en een modern conferentiecentrum. De overige kantoren zijn gehuisvest op de vier resterende verdiepingen.

Bij het ontwerp is rekening gehouden met talrijke aspecten van duurzaamheid, zoals hoog energie-efficiënte materialen, energiebesparende led-verlichting, materialen met gerecyclede content, etc.

The new headquarters are specifically developed to foster collaboration and productivity within an environmentally sustainable building. It is being built in different phases and the totality of the architectural complex will involve five similar-look buildings.

Der neue Hauptsitz des Konzerns stellt sich in Entwurf und Ausführung als ein kohärent entsprechend den Prinzipien der Nachhaltigkeit durchgeplantes Gebäude dar und will ein Symbol für Zusammenarbeit und Produktivität sein. Insgesamt sollen fünf ähnlich gestaltete Blöcke entstehen.

Le nouveau siège est cohérent du point de vue de son design. Il a été conçu pour favoriser la collaboration et la productivité dans un bâtiment respectueux de l'environnement. L'ensemble architectural a été construit en plusieurs étapes et, une fois terminé, il comptera cinq bâtiments de style similaire.

Het nieuwe hoofdkantoor is consistent in ontwerp en speciaal ontwikkeld om samenwerking en productiviteit te bevorderen in een ecologisch duurzaam gebouw. Het wordt in fases gebouwd en het totale complex zal bestaan uit vijf gebouwen met een vergelijkbare esthetiek.

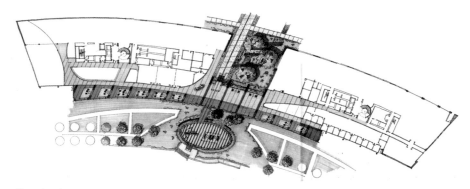

Plan sketch

Elevation sketch

Interior sketch

Central Indianapolis Waterfront

Indianapolis, IN, United States

ARCHITECT
Sasaki Associates
www.sasaki.com

COLLABORATORS AND OTHERS
Indianapolis City, Indiana State, US Army Corps of
Engineers (clients); Beaty Construction, Milestone
Construction (builders)

DIMENSIONS
5.6 km / 1.9 miles (river course)

PHOTO
© Barnett Photography

The landscape work done on the bank of White River where it passes through Indianapolis consisted of urbanizing this area and integrating it in the city. The floodwalls and levees of the waters are blended with long broad promenades that make this area accessible from downtown. The most important space is called Capital City Landing, an area open to public use. The park is built over different levels which integrate all the elements that have been built over the past 175 years of industrial activity.

Another of the outstanding spaces is the National Road Promenade, a pedestrian route running from the shore of the river to the city and ending at McCormick's Rock. The Celebration Plaza closes the landscape design.

Im Rahmen eines landschaftsplanerischen Projkts an den Ufern des Flusses White in Indianapolis wurde der Auenbereich neu gestaltet und in die städtische Umgebung eingebunden. Den Schleusen und Deichen am Wasserlauf entsprechen lange, breite Spazierwege, um das Gebiet zu erschließen.

Bedeutendster Teil der Anlage ist die so genannte Capital City Landing, ein öffentlich nutzbarer Raum unter freiem Himmel. Der Park umfasst unterschiedliche Ebenen und integriert alle menschlichen Eingriffe, die hier in 175 Jahren industrieller Tätigkeit zu verzeichnen waren.

Ein weiterer wichtiger Bestandteil des Entwurfs ist die National Road Promenade, eine Fußgängerverbindung, die das Flussufer entlang in die Stadt führt und an der McCormick-Terrasse endet. Den Abschluss der Anlage bildet die Celebration Plaza.

L'aménagement paysager réalisé sur les rives de la rivière White traversant Indianapolis avait pour d'intégrer cette zone à la ville. Les écluses et les digues se fondent aux grandes allées qui facilitent l'accès à ce lieu depuis le centre de la ville.

Le principal espace est le Capital City Landing, ouvert et public. Le parc est construit sur différents niveaux qui intègrent toutes les constructions réalisées durant les 175 dernières années d'activité industrielle.

Un autre endroit remarquable est la National Road Promenade, une rue piétonne qui part du bord de la rivière en passant par la ville et se termine sur la terrasse McCormick. La Celebration Plaza clôt cet ensemble paysagiste.

Het landschapsproject gerealiseerd aan de oever van de White River waar deze door Indianapolis stroomt, hield het verstedelijken van dit gebied en de integratie ervan in de stad in. De waterkeringen en dijken vormen één geheel met de lange, brede wandelpromenades die deze zone vanuit het stadscentrum bereikbaar maken.

De belangrijkste plek is de zogeheten Capital City Landing, een openbare ruimte. Het park is aangelegd op verschillende niveaus, die alle bouwwerken integreren die daar in de laatste 175 jaar van industriële activiteit zijn gebouwd.

Een ander kenmerkend deel is de National Road Promenade, een voetgangersroute die van de rivieroever tot de stad loopt en eindigt op het terras van McCormick's Rock. Celebration Plaza vormt het sluitstuk van het landschapsontwerp.

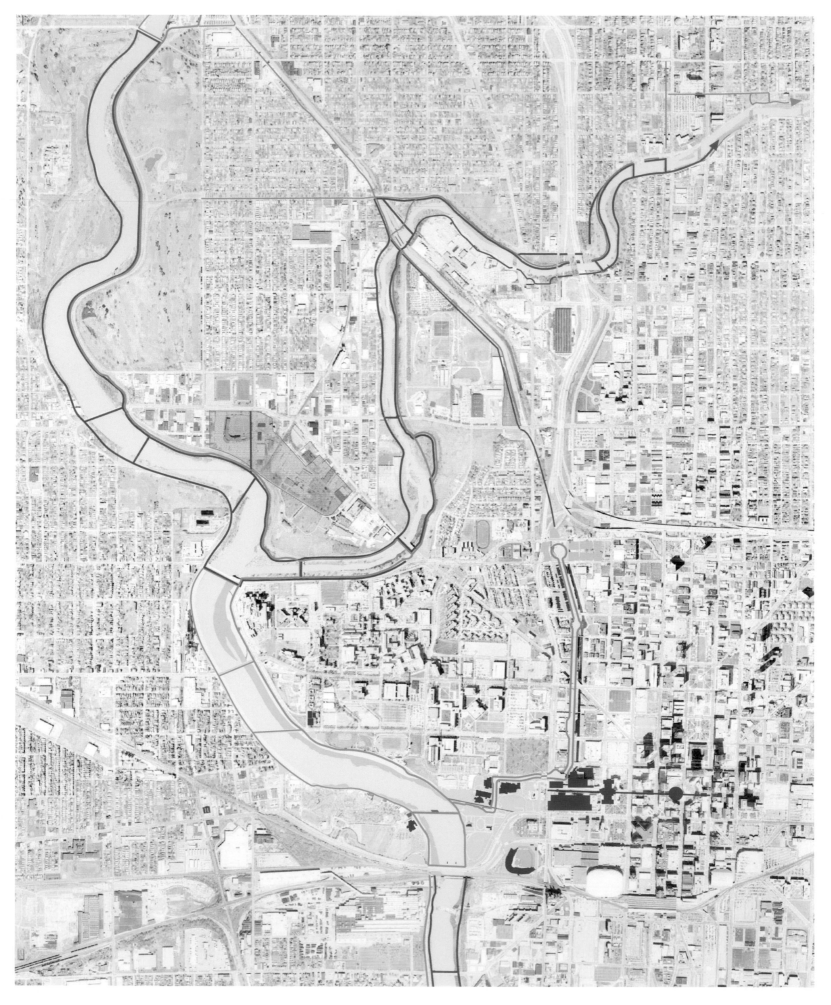

Site plan

A series of public and private spaces was created along the banks of the White River which join and connect the old industrial area with the city. The project has evolved so that it has today become the most singular space in the city of Indianapolis.

Entlang der Ufer des White River wurde eine Reihe miteinander verbundener öffentlicher und privater Räume geschaffen, die das ehemalige Gewerbegebiet an die Stadt anbinden. Das Projekt wurde im Laufe der Zeit weiterentwickelt und der Uferpark ist längst zum Aushängeschild von Indianapolis geworden.

Tout au long de la rivière White, un ensemble d'espaces publics originaux a été créé ; il relie l'ancienne zone industrielle à la ville. Ce projet a été développé de façon à en faire l'endroit le plus singulier d'Indianapolis.

Langs de oevers van de White River werd een reeks openbare en particuliere ruimten gecreëerd die één geheel vormen en die het vroegere industriegebied met de stad verbinden. Het project heeft zich zodanig ontwikkeld dat het nu de bijzonderste plek van Indianapolis City is.

Eyebeam Institute

New York, NY, United States

ARCHITECT
Diller Scofidio & Renfro
www.dillerscofidio.com

COLLABORATORS AND OTHERS
Eyebeam Museum of Art and Technology (client);
Charles Renfro, Deane Simpson, Dirk Hebel (projects);
Ove Arup & Partners (structure + MEP engineering);
Helfland Myerberg Guggenheimer (associate
architects); Ben Rubin, Tom Igoe, Joe Paradiso
(consultants); Mueser Rutledge (engineering); Joshua
Bolchover, Alfio Faro, Reto Geiser, Gabu Heindl, David
Huan, Dieter Janser, David Ross (additional team);
Matthew Johnson & Dbox, James Gibbs, Eris
Schuldenfrel (animation)

DIMENSIONS
Structural area: 8 400 m² / 90 417 sq ft
Plot area: 1 400 m² / 15 069 sq ft

PHOTO
© Diller Scofidio & Renfro

In New York City the possibility of creating a museum dedicated to the art of the communication media was considered. The clients wanted to erect a revolutionary building that would integrate the existing connections between science and art, particularly video and electronics with architecture. The design presented by the New York-based architecture firm Diller Scofidio & Renfro involved a plan to house different exhibition spaces, artist-in-residence studios, various classrooms and study rooms, a library, a digital archive, a bookstore, and a theater. The building is generated from a large screen that continually winds its way up and generates different spaces separated from one another along the route, allocated to production rooms and exhibition spaces.

In New York spielte man mit dem Gedanken, ein Museum einzurichten, das der Kunst in den Kommunikationsmitteln gewidmet ist. Auf Wunsch der Bauherrn sollte ein Gebäude entstehen, das in revolutionärer Weise die bestehenden Wechselwirkungen zwischen Wissenschaft und Kunst, vor allem zwischen Video und Elektronik mit der Architektur verknüpft.
Das New Yorker Architekturbüro Diller Scofidio & Renfro entwarf dazu einen Baukomplex, der verschiedene Ausstellungsräume, ein Studentenwohnheim, mehrere Hörsäle und Seminarräume, eine Bibliothek, ein digitales Archiv, einen Buchladen und ein Theater umfasst. Kernstück der Planung ist ein breites weißes Band, das in schlängelnder Bewegung nach oben strebt und dabei Ausgangspunkt der unterschiedlichen Räumlichkeiten ist, die jeweils der Herstellung oder der Schaustellung dienen.

À New York, la possibilité de créer un musée consacré à l'art des médias a été envisagée. Les clients voulaient ériger un bâtiment révolutionnaire qui reflète les liens existant entre la science et l'art, et plus précisément entre la vidéo, l'électronique et l'architecture.
Le projet que le cabinet d'architectes new-yorkais Diller Scofidio & Renfo consistait en un ensemble architectural qui héberge plusieurs salles d'exposition, une résidence étudiante, plusieurs salles de classe, une bibliothèque, des archives numériques, une librairie et un théâtre. Le bâtiment part d'un grand écran qui serpente de manière continue et verticale. Le long de ce parcours sont répartis les différents espaces dédiés à la production et à l'exposition.

In New York City overwoog men de bouw van een museum gewijd aan de kunst van de communicatiemedia. De wens van de opdrachtgevers was een revolutionair gebouw te ontwerpen waarin de bestaande raakvlakken tussen wetenschap en kunst, met name tussen videografie en elektronica, geïntegreerd zouden worden met architectuur.
Het ontwerp zoals gepresenteerd door het New Yorkse architectenbureau Diller Scofidio & Renfro behelst een complex dat diverse expositiezalen huisvest, studentenonderkomens, aula's en studieruimten, een bibliotheek, een digitaal archief, een boekwinkel en een theater. Het gebouw heeft als basis een groot scherm dat telkens omgevouwen wordt, zodat het zich omhoog slingert. Langs deze constructie worden de verschillende ruimten aangebracht, gescheiden in twee categorieën: de ruimten bestemd voor productie en die bestemd voor expositie.

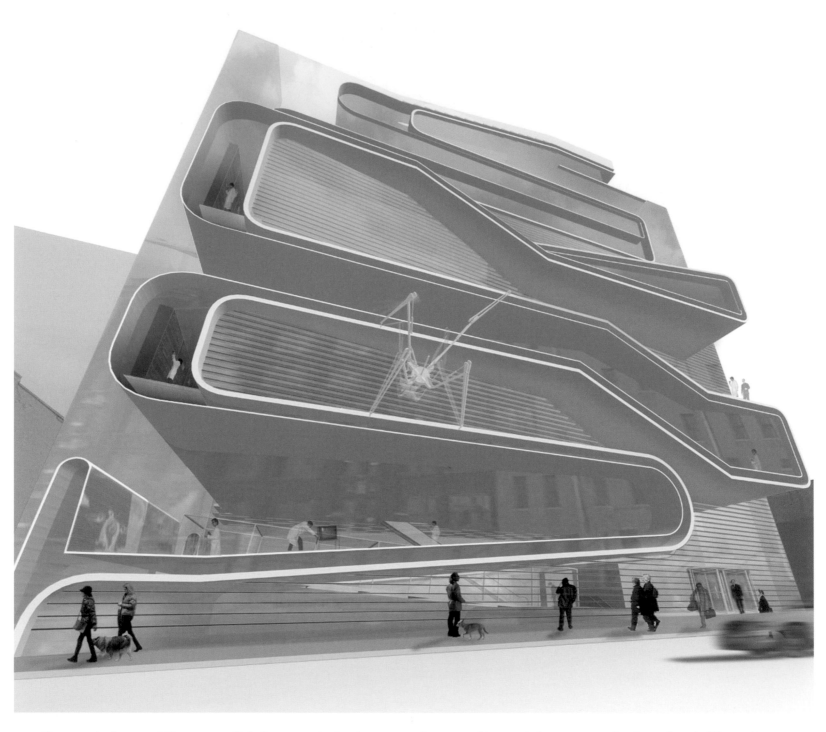

The spaces that form part of this museum are divided between those allocated to the production of works of art and those dedicated to exhibiting the works. The lighting is different, too: the production spaces have natural and artificial lighting, while the exhibition spaces alternate theatrical lighting with zones of shadow.

Die in diesem musealen Komplex entstandenen Räume dienen entweder der Produktion von Kunstwerken oder aber deren Ausstellung. Dementsprechend wurde auch die Beleuchtung eingerichtet: Die Ateliers verfügen über Tages- und Kunstlicht, während der Halbschatten in den Ausstellungsräumen nur von dramatischen Lichtkegeln durchbrochen wird.

Les espaces faisant partie de ce complexe se divisent entre ceux servant à la production des œuvres d'art et ceux consacrés à leur exposition. L'éclairage prend également différentes formes : les espaces de production sont éclairés de manière naturelle alors que les espaces d'exposition ont un éclairage théâtral avec des zones d'ombre.

De ruimten zijn verdeeld in vertrekken bestemd voor de productie van kunstwerken en die voor de presentatie van de werken. De verlichting verschilt ook: de productieruimten ontvangen zowel daglicht als kunstlicht, terwijl in de tentoonstellingsruimten heldere verlichting en donkere stukken elkaar afwisselen.

National Air & Space Museum
Steven F. Udvar-Hazy Center

Chantilly, VA, United States

ARCHITECT
HOK-Hellmuth, Obata & Kassabaum
www.hoc.com

COLLABORATORS AND OTHERS
The Smithsonian Institution (client); Hensel Phelps
Construction Company, Virginia Department of
Transportation (general building contractors); Speigel
Zamecnik & Shah, Inc. (structural engineering); Law
Engineering (geothermal engineering); Patton Harris
Rust & Associates (civil engineering); Gage-Babcock
& Associates (safety); Fisher Marantz Stone (lighting
design); Constructions Consultants Inc. (cost
consultant)

DIMENSIONS
65 844 m² / 708.739 sq ft

PHOTO
© Alan Karchmer, Joseph Romeo, Elisabeth Gill Lui

The old museum, which dated back to the 1960s, required an extension of its facilities as it could only house a small part of the collection. The clients chose the same architects who had designed the original museum to continue with the same type of design for the new construction.
The architects were inspired by an airport terminal to create the interior design: the spaces were divided into a ground zone and an air zone. The spaces that comprise the ground zone are the museum entrance, the souvenir store, a restaurant, an education center, the admin offices, an IMAX cinema, and the observation tower. The air zone features the spaces allocated for the airplane exhibition: the main exhibition room, a space area, a plane restoration zone, and an air device warehouse.

Das alte Luft- und Raumfahrtmuseum stammte aus den sechziger Jahren und sollte erweitert werden, da bisher nur ein kleiner Teil der Sammlung ausgestellt werden konnte. Die Bauherrn wandten sich dazu an dieselben Architekten, die schon den Altbau entworfen hatten, sodass Kontinuität in der Entwurfsplanung gegeben war.
Für die Gestaltung des Inneren ließen sich die Architekten von der Abfertigungshalle eines Flughafens inspirieren: Der Raum ist in einen Boden- und einen Luftbereich gegliedert. Der Bodenbereich umfasst den Eingang, den Museumsladen, die Cafeteria, den Bildungsbereich, die Verwaltung, ein IMAX-Kino und den Tower. Im Luftbereich befinden sich die Ausstellungsräume für die Flugzeuge: der Hauptsaal, die Abteilung Raumfahrt, die Restaurationswerkstätten und das Magazin für Flugapparate.

L'ancien musée, qui datait des années 1960, avait besoin d'être agrandi car il ne pouvait héberger qu'une petite partie de la collection. Les commanditaires ont choisi les architectes qui avaient conçu le musée à l'origine, afin que l'extension soit dans la même ligne.
Les architectes se sont inspirés du terminal d'un aéroport pour concevoir le design intérieur. Les espaces se divisent en deux zones, l'une terrestre, l'autre aérienne. Dans la première partie, qui correspond à l'entrée du musée, on trouve une boutique de souvenirs, un restaurant, un centre éducatif, les services administratifs, un cinéma IMAX et une tour d'observation. La salle d'exposition principale, une zone spatiale, un atelier de restauration des avions ainsi qu'un magasin d'appareils aériens sont situés dans la seconde partie de l'extension.

Het oude museum uit de jaren zestig was toe aan een uitbreiding van de voorzieningen aangezien het slechts een klein deel van de collectie kon huisvesten. De opdrachtgevers kozen voor de architecten die ook aan de wieg van het oorspronkelijke museum hadden gestaan, voor continuïteit in het ontwerp.
De architecten lieten zich bij het interieurontwerp inspireren door een luchthaventerminal: de ruimten werden verdeeld in een grond- en een luchtzone. De ruimten die het gronddeel vormen, zijn de entree, de museumwinkel, een restaurant, een educatief centrum, de administratieve kantoren, een IMAX-bioscoop en de verkeerstoren. In het luchtdeel zijn de ruimten bedoeld voor het exposeren van de vliegtuigen: de belangrijkste expositieruimte, een ruimtehangar, een hangar waar vliegtuigen gerestaureerd worden en een magazijn met lucht- en ruimtevaartapparatuur.

Cross section

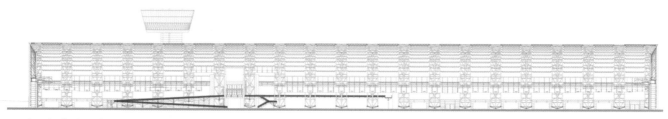

Longitudinal section

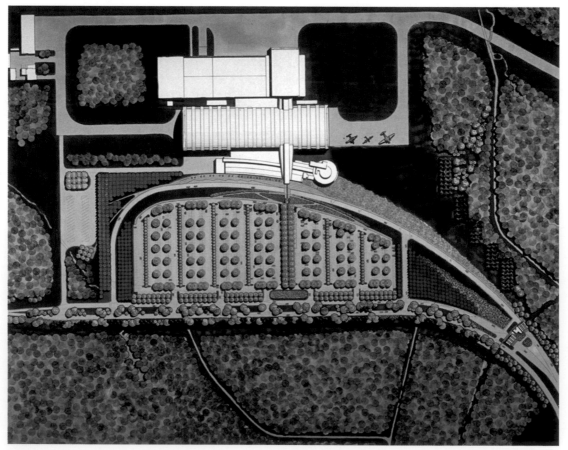

Site plan

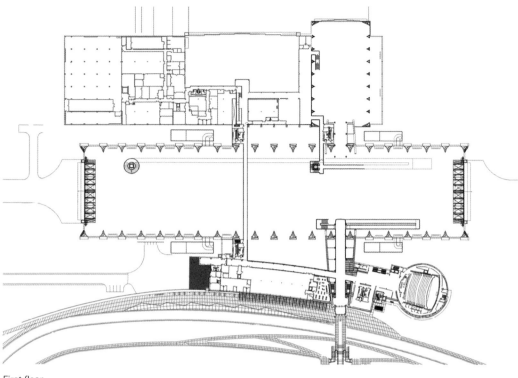

First floor

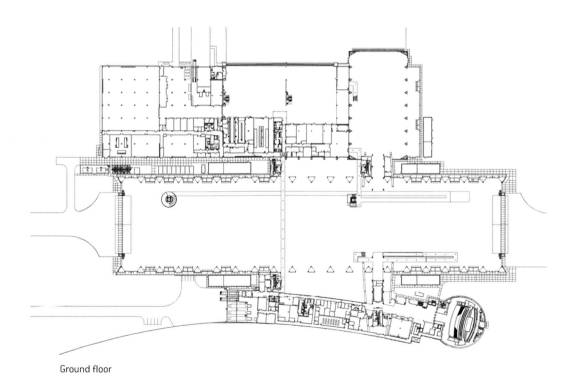

Ground floor

The exterior aspect of the museum stands out for the façade clad in shiny gray and blue panels. This smooth glass look resembles the material used in aerospace construction. Both the entrance doors and the inside of the hangars are of large dimensions to permit the entry and exit of aircraft.

Die Außenansicht wird bestimmt von der mit glänzenden grauen und bläulichen Paneelen verkleideten Fassade. Die glatten, glasähnlichen Oberflächen erinnern an die Materialien der Raumfahrt. Sowohl die Eingangstore als auch das Innere der Hangars sind sehr großzügig bemessen, um Ein- und Ausfahrt der Flugzeuge zu ermöglichen.

L'aspect extérieur du musée attire l'attention par sa façade revêtue de panneaux brillants bleus et gris métallisés. Cet aspect lisse et cristallin fait référence aux matériaux de construction aérospatiale. Les portes d'entrée et les hangars sont de grande taille afin de permettre l'entrée et la sortie des avions.

Het buitenaanzicht van het museum valt op doordat de gevel bekleed is met glimmende panelen. Ze doen denken aan het constructiemateriaal dat gebruikt wordt in de lucht- en ruimtevaart. De toegangsdeuren en het interieur van de hangars zijn ruim bemeten zodat de vliegtuigen naar binnen en naar buiten kunnen.

The Boston Convention & Exhibition Center

Boston, MA, United States

ARCHITECT

Rafael Viñoly Architects

www.rvapc.com

COLLABORATORS AND OTHERS

Shen Milson & Wilke Inc (acoustics, audio/visual,
telecommunications); Fort Point Associates (ADA
Compliance); Primary Group, Rafael Viñoly Architects
PC (architecture); Quantum Leap Associates Inc (CAD
management & visualization); HNTB Corporation, Rizzo
Associates (civil engineers)

DIMENSIONS

Height: 157 935 m² / 1 700 012 sq ft

PHOTO

© Brad Feinknopf, James D'Addio

This convention center is considered the biggest exhibition center built in northeast USA. The project stands out for its original large, metal, double-curved roof which rises toward the north and slopes from the commercial area through to the residential zones. The commercial area is 200 ft high while the three-story residential zones are 40 ft high at their most southerly edge. The complex is accessed from the front of the building and permits visitors to enter any of the side lobbies located at the entrance to each room.

The architects wanted the inside to be flexible enough to permit a comfortable distribution and decide how to best use the building. The inside has 94 configurable meeting rooms, over 3.230 sq ft of function areas, eight registration areas, and a ballroom.

Dieses Kongress- und Ausstellungszentrum gilt als das größte seiner Art im Nordosten der Vereinigten Staaten. Der Entwurf besticht durch die Originalität seines lang gestreckten, doppelt gebogenen Metalldachs, das nach Norden hin ansteigt und vom Einkaufszentrum bis zum Wohnbereich hin abfällt. Das Einkaufszentrum ist 60 m hoch, während die dreigeschossigen Wohnbauten am Südende gerade noch 12 m hoch sind.

Der Zugang zu diesem Komplex erfolgt über die Vorderseite des Gebäudes. Von hier gelangen die Besucher zu den seitlich gelegenen Vorhallen der Veranstaltungssäle.

Das Innere wurde flexibel gestaltet, um eine angemessene Verteilung der Räumlichkeiten und die jeweils beste Nutzung zu ermöglichen. Es gibt 84 veränderbare Konferenzräume, über 300.000 m² Nutzfläche, acht Akkreditierungsbereiche und einen Ballsaal.

Ce Palais des Congrès est considéré comme le principal centre d'exposition du nord-ouest des États-Unis. Le projet se distingue pour sa toiture originale, en acier et doublée, qui s'élève du côté nord et s'incline depuis la zone commerciale jusqu'aux zones résidentielles. La partie commerciale a une hauteur de 60 m, alors que les zones résidentielles sur trois étages ont une hauteur de 12 m sur la façade nord.

L'entrée à l'enceinte se fait pas la partie avant ce qui permet aux visiteurs d'accéder à tous les halls latéraux situés à l'entrée de chacune des salles.

Les architectes souhaitaient que l'intérieur soit flexible afin de faciliter l'aménagement interne et d'optimiser l'utilisation du bâtiment. L'intérieur dispose de 84 salles de réunions adaptables, plus de 300 000 m² d'aires fonctionnelles, 8 espaces d'enregistrement et un salon de danse.

Dit congrescentrum wordt beschouwd als het grootste expocentrum van het noordoosten van de VS. Het project onderscheidt zich door het originele, lange, metalen, dubbel gebogen dak dat zich naar het noorden toe verheft en schuin afloopt vanaf het winkelgebied tot aan het gedeelte met woningen. Het winkelgebied is 60 m hoog terwijl de woongedeelten, van drie verdiepingen, aan het zuidelijke uiteinde 12 m hoog zijn.

De entree ligt aan de voorzijde van het gebouw en verschaft de bezoekers toegang tot elk van de zijlobby's die zich bij de ingang van elke zaal bevinden.

De architecten wilden een dermate flexibel interieur dat een comfortabele indeling mogelijk is en tot een optimaal gebruik van het gebouw besloten kan worden. Binnen zijn 84 variabele vergaderzalen, ruim 300.000 m² aan functionele ruimten, acht registratieruimten en een balzaal.

Elevation

The main exhibition floor comprises three sections that can be divided to hold shows separately or to create a single general space. Inside, the gradual pitch of the main roof and the side building, less elevated on the sides, mitigates the feeling of the large size of the exhibition rooms.

Das Hauptgeschoss des Ausstellungsbereichs besteht aus drei Abschnitten, die unterschiedlich genutzt oder aber zu einem einzigen Raum zusammengelegt werden können. Die abgestufte Höhe des Dachs und das weniger hohe Nebengebäude mildern den Eindruck der Riesenhaftigkeit dieses Raums.

L'étage principal du centre d'exposition se compose de trois zones qui peuvent être divisées afin d'accueillir des spectacles différents ou être utilisées comme un seul espace général. À l'intérieur, l'inclinaison du toit principal et le bâtiment latéral, moins élevé sur les côtés, diminuent la sensation de grandeur des salons d'exposition.

De hoofdverdieping bestaat uit drie secties die onderling afgescheiden kunnen worden om aparte expo's te houden of juist één grote ruimte te vormen. Binnen verzachten de geleidelijke helling van het hoofddak en het zijgebouw, dat aan de zijkanten lager is, het gevoel van uitgestrektheid van de expozalen.

Genzyme Center

Cambridge, MA, United States

ARCHITECT
Behnisch Architekten
www.behnisch.com

COLLABORATORS AND OTHERS
Lyme Propertiers (client base building); Genzyme
Corporation (client tenant improvement)

DIMENSIONS
32 500 m² / 349 700 sq ft

PHOTO
© Anton Grassl

Genzyme Center is the corporate headquarters of a biotech company and includes offices, a café, a library, training rooms, conference rooms, gardens, and spaces for selling goods to the public. The client firm wanted a building that would convey a sense of corporate identity to employees and visitors. The design goal was the development of a building from the inside out, from the individual work environment to the complex general structure of the building.
One of the most outstanding aspects of the building's design is its sustainability. Energy-saving elements were created, such as a ventilated double façade, adjustable solar protection, and colored curtains. The building is sheathed in a curtain with a pivot-window glazing system.

Genzyme Center ist der Sitz eines Biotechnologiekonzerns und verfügt über Büros, eine Kantine, eine Bibliothek, Schulungs- und Konferenzräume, Gärten und Verkaufsräume. Die Konzernleitung wünschte sich ein Gebäude, das sowohl den Beschäftigten als auch den Besuchern die Corporate Identity des Unternehmens vermittelt. Bei der Entwurfsplanung wurde von innen nach außen vorgegangen, also vom individuellen Arbeitsumfeld hin zur komplexen Gesamtstruktur des Gebäudes.
Einer der wichtigsten Planungsaspekte war die Nachhaltigkeit. Um Energie zu sparen wurde z.B. eine doppelte, belüftete Fassade mit regulierbarem Sonnenschutz und farbigen Gardinen eingesetzt. Die Fassade des gesamten Gebäude ist mit einem System gläserner klappbarer Fenster ausgestattet.

Le Genzyme Center est la maison mère d'une entreprise de biotechnologie et compte des bureaux, une cafétéria, une bibliothèque, des salles de formation, des salles de conférence, des jardins et des espaces de vente ouverts au public. L'entreprise voulait un bâtiment qui transmette le sentiment d'identité professionnelle aux employés et aux visiteurs. L'objectif de la conception était de développer un bâtiment allant de l'intérieur vers l'extérieur, c'est-à-dire de l'environnement de travail individuel à la structure générale complexe du bâtiment.
Un des aspects les plus remarquables de la construction est son côté écologique et durable. Les éléments ont été conçus pour économiser de l'énergie comme par exemple la double façade ventilée, une protection solaire réglable et des rideaux colorés. L'édifice est enveloppé d'un rideau muni d'un système de fenêtres inclinables.

Genzyme Center is het hoofdkantoor van een biotechnologisch bedrijf en huisvest kantoren, een cafetaria, een bibliotheek, instructieruimten, conferentiezalen, tuinen en ruimten voor de verkoop van producten aan het publiek. Het opdrachtgevende bedrijf wilde een gebouw dat werknemers en bezoekers een gevoel van bedrijfsidentiteit zou verschaffen. Het doel van het ontwerp was het ontwikkelen van een gebouw van binnen naar buiten, vanaf de individuele werkomgeving tot de complexe algemene structuur van het bouwwerk.
Een van de opmerkelijkste aspecten aan het ontwerp is de duurzaamheid. Energiebesparende elementen werden gecreëerd, zoals een dubbele, ventilerende gevel, een instelbare zonwering en gekleurde gordijnen. Het gebouw is bekleed met een glazen vliesgevel met kantelramen.

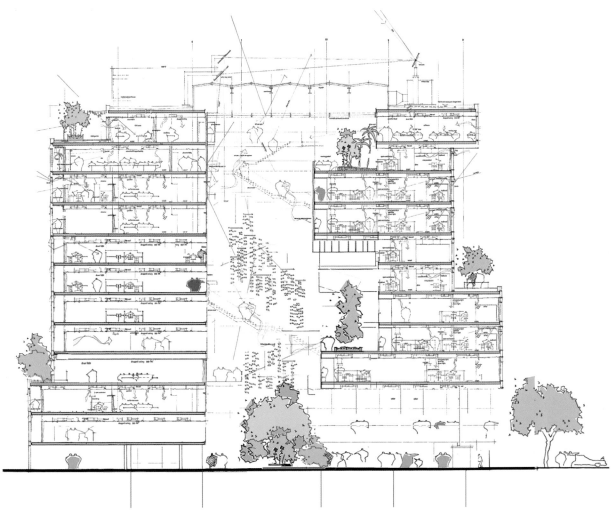

Elevation

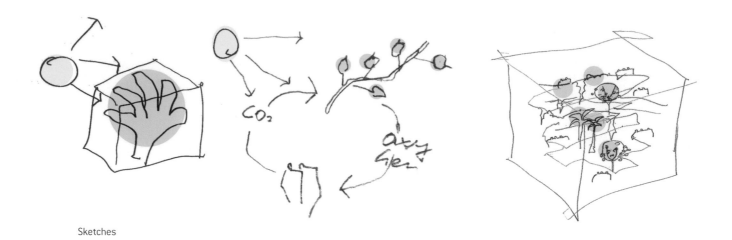

Sketches

Plan

Of note inside is a large lobby of complex shapes, extensive surfaces, open gardens, and an easy-access level. From here the building expands and connects with the different zones that comprise it. There are stairs to join the different levels and connect the terrace gardens.

Im Inneren ist die abwechslungsreiche, weitläufige Eingangshalle mit ihren Gärten und der guten Erschließung hervorzuheben. Von hier aus gelangt der Nutzer in die unterschiedlichen Bereiche des Gebäudes. Die verschiedenen Ebenen und die Gärten der Terrassen sind über Treppen miteinander verbunden.

À l'intérieur se trouve un vaste hall aux formes complexes, des jardins en plein air et un niveau avec un accès facile. À partir de là, le bâtiment s'étend et se connecte aux différents espaces qui le composent. Des escaliers lient les différents niveaux et unissent les jardins des terrasses.

Binnen valt een grote hal met complexe vormen op, met grote oppervlakten, open tuinen en grote toegankelijkheid. Vanaf hier ontplooit het gebouw zich en mondt uit in de diverse zones waaruit het bestaat. Er zijn trappen die naar de verschillende niveaus leiden en de terrastuinen met elkaar verbinden.

The main goal of the clients and the architects was to create spaces where flexibility and functionality would prevail. The natural light from the glassed-in façade and the skylight is reflected inside the building. The building materials were selected for their low level of emissions, and came from recycled or locally manufactured material.

Sowohl dem Bauherrn als auch den Architekten war vor allem an Funktionalität und Flexibilität gelegen. Das Tageslicht dringt durch die verglaste Fassade und die Oberlichter in das Innere des Gebäudes ein und wird dort reflektiert. Bei der Materialauswahl wurde auf niedrige Emissionen geachtet und wieder verwertete bzw. in der Nähe hergestellte Produkte bevorzugt.

Le principal objectif des clients et des architectes était de créer des espaces dans lesquels la flexibilité et la fonctionnalité primaient. La lumière naturelle, passant par la façade en verre et les lucarnes, se reflète à l'intérieur du bâtiment. Une attention particulière a été dévolue au choix des matériaux de construction, qui devaient produire un faible taux d'émissions, provenir du recyclage, ou être de fabrication locale.

Het hoofddoel was ruimten te scheppen waarin flexibiliteit en functionaliteit de overhand hebben. Daglicht dat binnenvalt via de gevel en het bovenlicht wordt in het gebouw gereflecteerd. Bij de selectie van materialen gold als eis dat ze een laag emissieniveau hadden, gemaakt waren van gerecycled materiaal of lokaal vervaardigd waren.

House of Meditation

Mexico City, Mexico

ARCHITECT
Pascal Arquitectos
www.pascalarquitectos.com

COLLABORATORS AND OTHERS
Rafael Salame (builder)

DIMENSIONS
262 m² / 2 820 sq ft

PHOTO
© Víctor Benítez

The architects received the commission of building a religious temple dedicated to Judaism. The clients, rabbis, were responsible for advising the architecture studio as the rules to follow when building this type of space are very strict.

The materials, such as granite and wood, and the lighting are the most representative components of the building design. The project was conceived as a space for wakes and religious ceremonies. The architects drew on the architecture of the *mastabas* of ancient Egypt, i.e., funeral buildings made from sun-dried brick and stone, and the Mayan temples of Palenque as inspiration for the construction of the temple.

Although it is sited in a residential area, the building was designed so it could be completely isolated from the exterior. The end result is an almost-monolithic building of great height and practically closed.

Die Architekten erhielten den Auftrag, eine Synagoge zu errichten. Die Rabbiner selbst übernahmen es als Bauherrn, ihnen dabei helfend und beratend zur Seite zu stehen, da der Bau einer Synagoge strengen Regeln unterliegt.

Die entscheidenden Gestaltungselemente des Entwurfs sind die Materialien, wie Granit und Holz, sowie die Lichtführung. Der Bau sollte als Gotteshaus und Aufbahrungsraum für Verstorbene dienen. Dazu ließen sich die Architekten von den Grabdenkmälern des alten Ägyptens, den aus Lehmziegeln oder Stein erbauten Mastabas, anregen. Für das Gotteshaus dienten die Mayatempel von Palenque als Anregung.

Obwohl die Anlage sich in einem Wohnviertel befindet, wurde sie als in sich geschlossene Einheit geplant. Entstanden ist so ein sehr hoher, fast monolithischer hermetischer Bau.

Les architectes ont reçu la mission de construire ce temple spirituel consacré au judaïsme. Les clients, des rabbins, ont été chargés de conseiller le cabinet d'architectes dans la mesure où, pour ce type de construction, les règles sont très strictes.

Les matériaux tels que le granite et le bois, ainsi que l'éclairage, sont les éléments les plus représentatifs de la conception de cet édifice. Le projet a été conçu comme un lieu de veillée funèbre ainsi qu'un espace religieux. Les mastabas de l'Égypte antique (édifices funéraires en brique ou en pierre), ainsi que les temples mayas de Palenque ont inspiré cette construction religieuse.

Bien que ce temple soit construit dans une zone résidentielle, il est conçu pour que l'on puisse être complètement isolé de l'extérieur. Le résultat final est une structure quasi monolithique, de grande taille et pratiquement fermée.

De architecten kregen de opdracht een religieuze tempel te bouwen gewijd aan het joodse geloof. De opdrachtgevers, rabbijnen, moesten het architectenbureau adviseren aangezien de regels die in acht moeten worden genomen bij de bouw van dit soort ruimten heel strikt zijn.

De materialen, zoals graniet en hout, en de verlichting zijn de meest representatieve elementen van het ontwerp. Het project is vormgegeven als een ruimte voor dodenwaken en religieuze ceremonies. Als inspiratiebron voor de bouw van de religieuze tempel dienden de *mastabas*, grafbouwwerken van leem en steen uit het oude Egypte, en de Mayatempels in Palenque.

Ondanks het feit dat het gebouw in een woonwijk staat, is het zo ontworpen dat het zich volledig kan afsluiten van de buitenwereld. Het uiteindelijke resultaat is een bijna monolithische, heel hoge, vrijwel gesloten constructie.

The main façades of the spiritual temple were clad in Grissal granite imported directly from Spain. A wooden triangular door was installed at one end of the main wall that provides access to the interior. This leads to a triangular tunnel 6.5 ft wide and 29 ft high.

Die Fassaden des Gebäudes wurden mit geflammtem Grissal-Granit aus Spanien verkleidet. An einem Ende der Hauptmauer wurde eine dreieckige Tür aus Holz eingefügt, die ins Innere führt. Von dort gelangt man in einen zwei Meter breiten und neun Meter hohen Tunnel mit dreieckigem Querschnitt.

Les principales façades du temple sont revêtues de granite gris flambé importé directement d'Espagne. À l'une des extrémités du mur principal se trouve la porte d'entrée triangulaire en bois. Ensuite, on entre dans un tunnel triangulaire de 2 m de large sur 9 m de haut.

De hoofdgevels van de spirituele tempel zijn bekleed met gevlamd Grissal-graniet, rechtstreeks ingevoerd uit Spanje. Aan een uiteinde van de hoofdmuur is de driehoekige houten deur geïnstalleerd die toegang geeft tot het interieur. Daarna komt men in een driehoekige tunnel van 2 m breed en 9 m hoog.

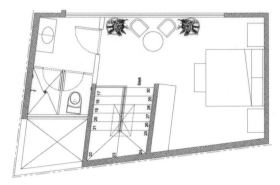

Second floor

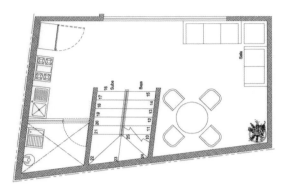

First floor

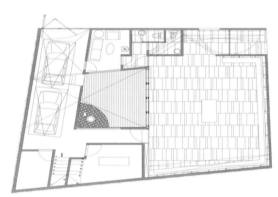

Ground floor

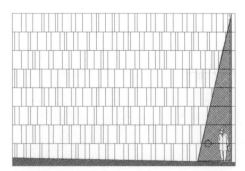

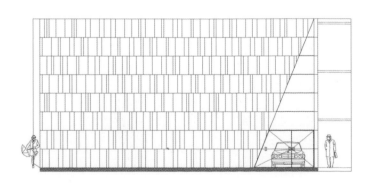

Elevations

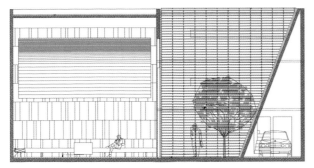

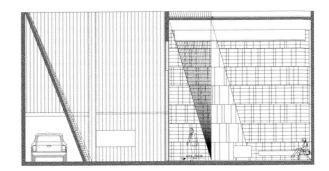

Longitudinal sections

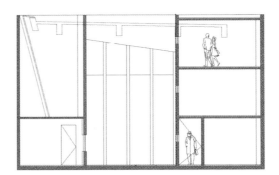

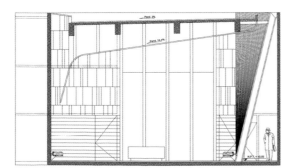

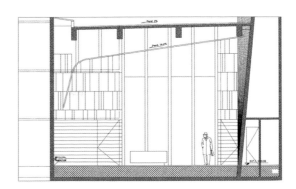

Cross sections

123

The design of this house of meditation is characterized by the pure and austere lines created thanks to materials such as Grissal granite and Cumaru wood. Inside there is a large room illuminated by the light that enters through a leafy interior courtyard that contains a sculpture by Saul Kaminer.

Die Gestaltung dieses Meditationshauses zeichnet sich durch die nüchterne, klare Linienführung aus, die sich aus der Verwendung des grauen Grissal-Granits und des Cumaru-Holzes ergibt. Der große Innenraum erhält sein Licht über den karg begrünten Innenhof mit einer Skulptur von Saul Kaminer.

Le design de ce lieu de culte se caractérise par des lignes pures et austères créées grâce à des matériaux tels que le granite gris ou le bois de cumaru. À l'intérieur, la lumière s'infiltre dans un grand salon et entre par un patio intérieur décoré avec de la végétation et une sculpture de Saúl Kaminer.

Het ontwerp van dit meditatiehuis wordt gekenmerkt door een heldere, sobere belijning dankzij materialen als Grissal-graniet en Cumaru-hout. Binnen is een grote ruimte die verlicht wordt door het daglicht dat binnenvalt via een binnenplaats gedecoreerd met planten en met een sculptuur van Saul Kaminer.

Teatro Reforma
Colonia Juárez
Mexico City, Mexico

ARCHITECT

BGP Arquitectura
www.bgp.com.mx

COLLABORATORS AND OTHERS

Instituto Mexicano del Seguro Social (client); Bernardo
Gómez-Pimienta, Hugo Sánchez (principal in charge);
JN Morones Esquivel, Ramón Álvarez, Luís Enrique
Mendoza, Samael Barrios, Edson Castillo, Rodrigo
Espinosa (project team); Colinas de Buen (structure);
TELETEC (lighting)

DIMENSIONS

550 m² / 5 382 sq ft

PHOTO

© Rafael Gamo

The Mexican Social Security Institute (IMSS) bought an old theater designed by the architect Carlos Obregón Santacilia in the 1950s. After decades of use, it suffered a fire at the end of the past century which led to its progressive abandonment over a number of years.

The job of revamping the interior was awarded to the prestigious architecture studio BGP Arquitectura, whose goal was to enable the space to be used both for stage shows and conferences. This versatility was the source of inspiration for the architects in designing constantly changing interiors.

The end result was the conservation of the concrete shell, a historically listed architectural landmark, and the restructuring of the interior with versatile materials that are easy to assemble and dismount. These include translucent plastic panels installed on either side of the stalls.

Das Mexikanische Sozialversicherungsinstitut (MMSS) erwarb ein in den fünfziger Jahren des 20. Jhs. entstandenes Theater des Architekten Carlos Obregón Santacilia, das nach einem Brand Ende des letzten Jahrhunderts aufgegeben und dem Verfall überlassen worden war.

Der Umbau der Innenräume wurde dem renommierten Büro BGP Arquitectura übertragen. Dabei sollte ein Mehrzwecksaal für Bühnenstücke bzw. Konzerte und Kongresse entstehen. Diese angestrebte Mischnutzung war für die Architekten Anlass, sich ständig wandelnde Innenräume zu entwerfen.

Im Endergebnis ist die äußere, unter Denkmalschutz stehende Betonhülle des Altbaus erhalten worden, während das Innere mit flexibel einsetzbaren, leicht zu montierenden Materialien umgestaltet wurde. Als Beispiel seien hier nur die durchscheinenden Kunststoffpaneele zu beiden Seiten der Sitzreihen des Zuschauerraums genannt.

L'Institut mexicain de la Sécurité Sociale (IMSS) a fait l'acquisition d'un théâtre construit dans les années 1950 par l'architecte Carlos Obregon Santacilia. Après des décennies consacrées au théâtre, le bâtiment a été victime d'un incendie à la fin des années 1990, ce qui a provoqué son abandon progressif.

La prestigieuse agence BGP Arquitectura s'est chargée de la rénovation intérieure. L'objectif était de créer un espace pouvant accueillir à la fois des spectacles et des conférences. Cette modularité a été à la base de la conception de ce projet.

Au final, la remarquable coquille en béton a été conservée et l'intérieur restructuré avec des matériaux modulables, faciles à monter et à démonter, comme les plaques translucides en plastique, installées de part et d'autre de l'orchestre.

Het Instituto Mexicano de Seguro Social (IMSS) kocht een theater dat in de jaren vijftig gebouwd was door de architect Carlos Obregón Santacilia. Na tientallen jaren te zijn gebruikt, brak er aan het eind van de vorige eeuw een brand uit die tot jarenlang, toenemend verval leidde.

Het gerenommeerde architectenbureau BGP Arquitectura kreeg de opdracht het interieur zo te renoveren dat het geschikt zou zijn voor podiumkunsten en voor conferenties. Deze veelzijdigheid inspireerde de architecten interieurs te ontwerpen die voortdurend veranderden.

Het eindresultaat was het behoud van de betonnen schil – als erkende architectonische mijlpaal – en een herstructurering van het interieur met gemakkelijk te monteren en demonteren veelzijdige materialen. Aan weerszijden van de parterre zijn bijvoorbeeld transparante kunststof panelen geplaatst.

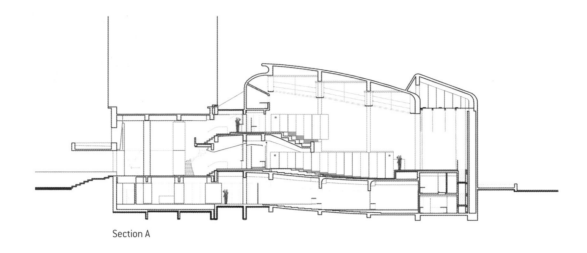

Section A

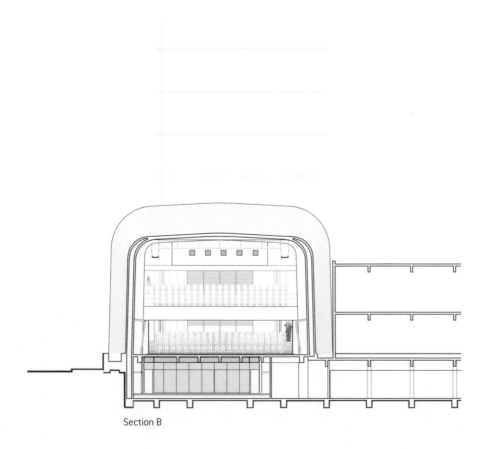

Section B

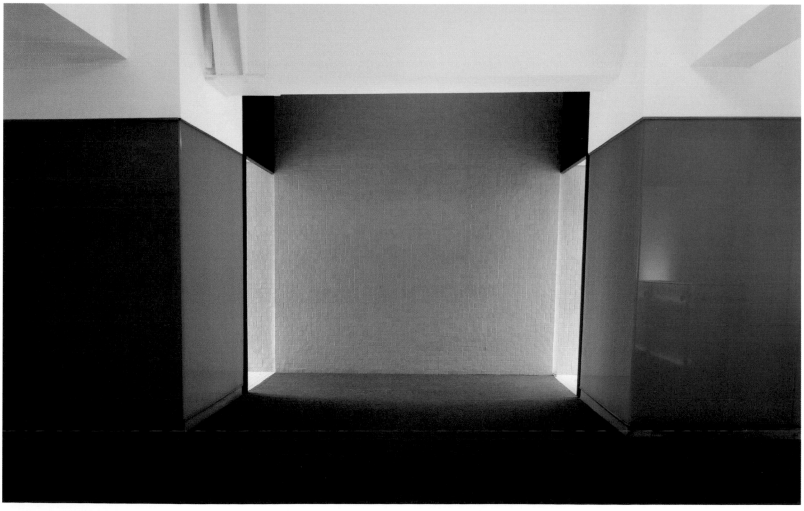

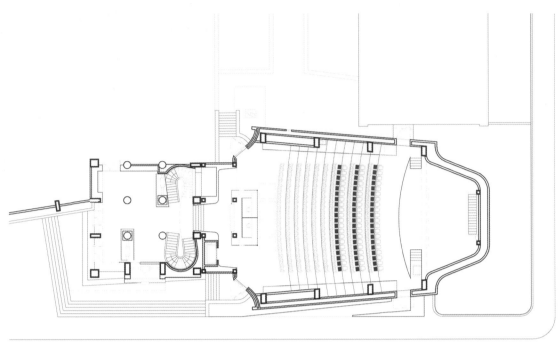

Upper level

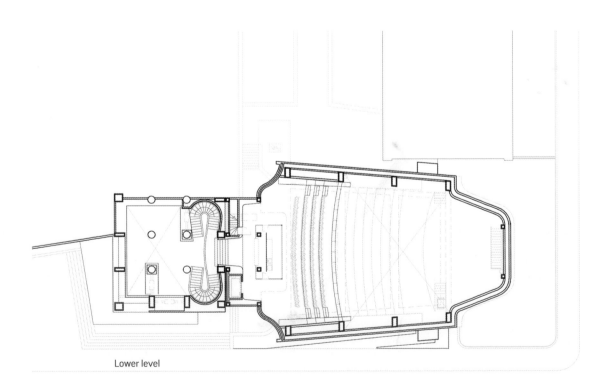

Lower level

A modifiable lighting system was equipped with filters that reduce the flow of light from the lamps positioned inside a number of translucent plastic panels. The system means the main room can be lit with different colors in line with the characteristics of the show.

Innerhalb der lichtdurchlässigen Kunststoffpaneele sind Filter angebracht, wodurch das Licht der dahinter befindlichen Lampen reguliert werden kann. Auf diese Weise lässt sich der Zuschauerraum in verschiedenen Farben beleuchten, je nachdem, was für eine Art von Veranstaltung gerade abläuft.

Un éclairage modulable a également été installé grâce à un système de filtres limitant le passage de la lumière depuis des ampoules placées à l'intérieur de plaques translucides en plastique. Ce système permet à la salle principale d'être éclairée avec différentes couleurs selon l'évènement.

Er is een flexibel verlichtingssysteem met filters geïnstalleerd dat het licht dempt van lampen in transparante kunststof panelen. Dankzij dit systeem kan de grote zaal met verschillende kleuren verlicht worden, al naar gelang de aard van de voorstelling.

Gota de Plata
Auditorium Theater

Pachuca, Mexico

ARCHITECT

Jaime Varon, Abraham Metta, Álex Metta / Migdal
Arquitectos
www.migdal.com.mx

COLLABORATORS AND OTHERS

Gobierno de Hidalgo (client); ITISA-Impulsora
Tlaxcalteca de Industrias (structure and principal
contractor); CTC- Civil Engineers; AKF Atkinson-Koven-
Feinberg (electromechanical installations design); Luz
y Forma (lighting and theatre mechanics design);
Miguel Kuri Gehring (aluminium and glass design);
Eduardo Saad Eljure, Omar Saad (isoptic and acoustic
design); Laboratorios Tlalli (floor mechanism);
Moldequipo Internacional (metal structure); Pretecsa
(architectural prefabrications); Grupo Indi (concrete
structural piers and walls); Paicsa (civil engineering);
BIE Bufete de Ingeniería Especializada
(electromechanical installations); Vitrocanceles (glass
dividers and aluminium); Teletec de México (theatre
mechanics and lighting); Electrolighting Mexicana
(lighting); Metcon (roofing)

DIMENSIONS

Total construction area: 14 000 m² / 150 695 sq ft
Area: 7 000 m² / 75 347 sq ft

PHOTO

© Paul Czitrom Baus, Werner Huthmacher

The auditorium theater was built in the well-known David Ben Gurion Cultural Park in the Mexican city of Pachuca del Soto. In the center of the site stands a large rectangular piazza boasting a 262 × 1,312-ft mural by local artist Byron Gálvez. Around it are other buildings, such as the science and technology museum, the contemporary art museum, the central library, the convention center, the Sculpture Park, and a hotel.
The wow factor of this impressively large building consists of the installation of a structure on the roof that acts as a mirror: three large steel pillars sustain it at a height of 82 feet. The building is conceived as a large vantage point over the piazza, from which to observe the site from an enormous stone podium. A large flight of steps that lead to the building was constructed as if it were a Roman temple.

Der Theater- und Konzertsaal wurde in dem berühmten Kultur- und Erholungspark David Ben Gurion der mexikanischen Stadt Pachuca del Soto errichtet. Das Zentrum der Anlage nimmt ein langrechteckiger Platz mit einem Mosaikpflaster des einheimischen Künstlers Byron González ein. An diesem Platz befinden sich weitere Gebäude, wie das Museum für Wissenschaft und Technik, das Museum für Zeitgenössische Kunst, die Zentralbibliothek, das Kongresszentrum, ein Skulpturengarten und ein Hotel.
Das charakteristischste Merkmal des eindrucksvollen Bauwerks ist das Vordach mit seinen drei Stahlstützen. Die verspiegelte Unterseite erhebt sich in 25 m Höhe. Das Gebäude ist wie eine Aussichtsplattform angelegt: Wie von einem steinernen Podium aus lässt sich von hier die gesamte Platzanlage überblicken. Mit seiner breiten Freitreppe erinnert es an einen römischen Tempel.

Le théâtre auditorium a été construit dans l'enceinte du célèbre parc culturel et récréatif David Ben Gurión de la ville mexicaine de Pachuga del Soto. Au centre, se situe une grande place rectangulaire dotée d'une fresque murale de 80 × 400 mètres réalisée par l'artiste local Byron Gálvez. Autour de cette place se trouvent d'autres édifices comme le Musée de la Science et de la Technologie, le Musée d'Art Contemporain, la bibliothèque centrale, le Palais des Congrès, le Parc des Sculptures ainsi qu'un hôtel.
Cet imposant bâtiment tient son aspect spectaculaire de la structure installée sur le toit qui fonctionne comme un miroir : trois grands piliers en acier le soutiennent à 25 mètres de hauteur. Le bâtiment est conçu comme un grand belvédère donnant sur la place, d'où l'on peut observerl'enceinte sur un énorme podium en pierre. Comme s'il s'agissait d'un temple romain, un grand perron a été construit pour accéder au bâtiment.

Het theater-auditorium werd gebouwd in het beroemde cultuurpark David Ben Gurion in de Mexicaanse stad Pachuca del Soto. Het centrum daarvan wordt gedomineerd door een groot rechthoekig plein, met daarop een immens mozaïek van 80 × 400 m van de lokale kunstenaar Byron Gálvez. Rondom het plein staan andere gebouwen, zoals het wetenschaps- en technologiemuseum, het museum voor moderne kunst, de centrale bibliotheek, het congrescentrum, de beeldentuin en een hotel. Het spectaculaire van dit imposante gebouw zit hem in de installatie op de luifel die fungeert als spiegel, op 25 m hoogte gedragen door drie stalen pilaren. Het gebouw is bedacht als een uitzichtspunt over het plein; vanaf een enorm stenen podium kijk je uit over de uitgestrekte plek. Alsof het een Romeinse tempel betreft, is er een brede toegangstrap naar het gebouw gemaakt.

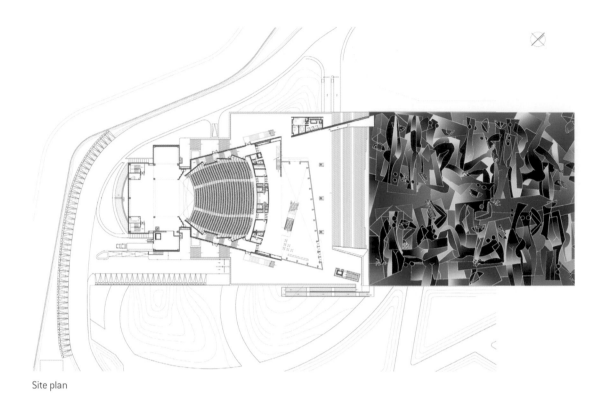

Site plan

The different architects established a dialogue between the auditorium theater and the mosaic in the Cultural Park's square. Local plastic artist Byron Gálvez designed a mosaic measuring 262 x 1,312 feet composed of brightly colored tiles. This mural is replicated in the reflective glass panels of the building's roof.

Die Architekten der einzelnen Gebäude treten in Dialog mit dem Auditorium und dem Mosaik auf dem Platz. Byron González, ein Künstler aus Pachuca del Soto, entwarf dieses 80 x 400 m große Mosaikbild, das aus Steinchen in leuchtenden Farben besteht und in sich von den Glasscheiben des Theaters widerspiegelt.

Les différents architectes ont établi une connexion entre le théâtre auditorium et la mosaïque de la place du parc culturel. Byron Gálvez, un artiste plastique local, a créé une mosaïque de 80 x 400 mètres composée de carrelets de couleurs vives. Cette fresque se reflète sur les pans en verre du toit du bâtiment.

De architecten hebben een dialoog tot stand gebracht tussen het theater-auditorium en het mozaïek op het plein van het cultuurpark. Beeldend kunstenaar Byron Gálvez ontwierp een mozaïek van 80 x 400 m, gemaakt van felgekleurde steentjes. Het wordt gereflecteerd in de spiegelconstructie van de luifel van het gebouw.

As well as the classicism reflected in the building's entrance, inside a large theater was designed that recalls the classic theaters of old in which deep reds and browns prevail. The central aisles were eliminated and various preliminary studies to ensure the acoustics were perfect from any point in the amphitheater were carried out.

Nicht nur das Äußere des Gebäudes besticht durch seine klassische Formgebung. Auch der Theaterraum im Inneren mit seinen intensiven Rot- und Brauntönen lässt an frühere Bauten dieser Art denken. Im Zuschauerraum wurde auf den Mittelgang verzichtet. Eingehende Studien garantieren eine perfekte Akustik von jedem Sitz aus.

Au classicisme de l'entrée du bâtiment répond celui du grand théâtre à l'intérieur, où prédominent les tons rouges et marrons intenses. Les allées centrales ont été supprimées et de nombreuses études préalables ont été réalisées afin que l'acoustique soit parfaite de n'importe quel point de l'amphithéâtre.

Niet alleen in de entree is de verwijzing naar het classicisme zichtbaar; het theater binnen, waarin dieprode en bruine tinten overheersen, herinnert aan de klassieke theaters. Middenpaden zijn weggelaten en er zijn diverse voorstudies verricht, zodat de akoestiek overal in het amfitheater perfect zou zijn.

Chilexpress

Padahuel, Chile

ARCHITECT

Guillermo Hevia
www.guillermohevia.cl

COLLABORATORS AND OTHERS

Francisco Carrión, Marcela Suazo (collaborators);
Alfonso Pacheco (structure); Biotech Chile
Consultores, Jorge Ramírez (bioclimatic consulting);
De Mussy Lta (builder); Inval Ltda (works inspection);
Hunter Douglas (coatings and coverings); Glasstech
(glass); Opendark (lighting); Atika (ceramics and taps)

DIMENSIONS

7 200 m² / 77 500 sq ft

PHOTO

© Cristián Barahona, Guillermo Hevia

The project houses the corporate and operational headquarters of Chilexpress, a national and international courier firm. The two architectural volumes are connected via a small square which functions as a personnel access and relaxation area. A glassed-in hall that permits vertical circulation was also installed. A parking lot was built with mixed flooring of asphalt and grass to produce a large green area. The corporate building stands three stories high and is built from exposed concrete, glass, and steel. Suspended curtain walling was installed to separate the façade skins. The glass of one façade was exchanged for perforated metal panels. The sorting and distribution center is a rectangular metal volume clad in undulating stainless steel-colored thermal panels.

Das Gebäude beherbergt den Firmensitz und das Verteilzentrum des Unternehmens Chilexpress, das sich dem Kurierdienst auf nationaler und internationaler Eben widmet. Die beiden Baukörper sind über einen kleinen Platz miteinander verbunden, der den Mitarbeitern als Zugang und als Ort der Erholung dient. Bei der Anlage des Parkplatzes wurde Pflaster mit Rasenflächen kombiniert, um mehr Grünflächen zu erhalten.
Das dreistöckige Gebäude des Firmensitzes wurde aus Sichtbeton, Glas und Stahl gebaut. Vor der eigentlichen Hauswand wurde eine vorgehängte Fassade angebracht. Bei einer der Fassaden wurden die Glasscheiben durch perforierte Metallpaneele ersetzt. Das Verteilzentrum stellt sich als ein rechteckiger, metallener Bau dar, der mit gewellten, Wärme isolierenden Paneelen in stahlgrauer Farbe verkleidet ist.

L'objectif de ce projet était de construire deux bâtiments pour Chilexpress, dédiée au service de messagerie nationale et internationale. L'un abrite les bureaux de la société, l'autre les opérations de l'entreprise. Les deux volumes sont unis par une petite place qui sert d'accès pour le personnel et de lieu de détente. Un hall vitré qui permet la circulation verticale a été construit, ainsi qu'un parking dont le sol est recouvert de pelouse afin de créer un vaste espace vert. L'immeuble de bureaux contient 3 étages et a été construit en béton apparent, en verre et en acier. Des murs de panneaux suspendus et séparés des façades ont été installés. Sur l'une d'entre elles, les fenêtres ont été remplacées par des panneaux en acier perforés. Le centre de tri et de distribution est un volume métallique rectangulaire, recouvert de plaques thermiques ondulées de couleur acier.

Het project huisvest het bestuurlijke en operationele hoofdkwartier van Chilexpress, een nationaal en internationaal koeriersbedrijf. De twee architectonische componenten zijn verbonden via een klein plein dat fungeert als toegang voor al het personeel en als ontspanningsplek. Ook is er een beglaasde lobby die verticale doorstroming mogelijk maakt. Er is een parkeerplaats aangelegd waarvan de bestrating gecombineerd is met gras, waardoor een grote groene ruimte is ontstaan. Het hoofdkantoor is drie verdiepingen hoog en gebouwd van zichtbeton, glas en staal. Er zijn hangende vliesgevels aangebracht die losstaan van de gevels. In een van de gevels zijn de ramen vervangen door geperforeerde metalen panelen. Het sorteer- en distributiecentrum is een rechthoekig metalen bouwwerk, bekleed met golvende thermische, rvs-kleurige panelen.

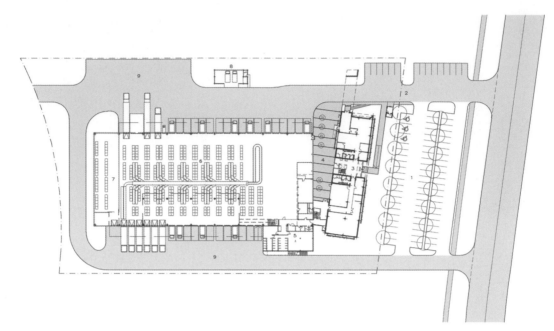

Site plan

The curtain walls, built from glass and steel, create a second-skin effect and have a technical and esthetic meaning. Technically they generate a natural vertical movement of air to create a thermal barrier. Esthetically, they use transparent and glazed glass with silkscreen printing in the company's shade of yellow.

Die vorgehängten Fassaden aus Stahl und Glas bilden eine zweite Haut für das Gebäude, sowohl in ästhetischer als auch in funktionaler Hinsicht. Durch natürlichen Auftrieb strömt die Luft nach oben und dient als Wärmebarriere. Die Mattglasscheiben sind mit Siebdruckmotiven in gelb gestaltet, der Farbe des Unternehmens.

Les murs-rideaux, en verre et en acier, créent une sorte de seconde peau avec un aspect technique et esthétique. Du point de vue technique, ils génèrent une circulation verticale naturelle de l'air en créant une barrière thermique. Sur le plan esthétique, les fenêtres transparentes, satinées et avec les sérigraphies aux couleurs jaunes de l'entreprise, attirent l'attention.

De vliesgevels van glas en staal zijn een soort tweede huid en hebben een technisch en esthetisch oogmerk. Ze zorgen voor een natuurlijke verticale luchtcirculatie, omdat ze een thermische barrière vormen. Het esthetische aspect wordt gevormd door geglaceerde glasplaten met zeefdrukken in de gele bedrijfskleur.

Elevations

Fuente Nueva Chapel

Rupanco, Chile

ARCHITECT

F3 Arquitectos
www.ftres.cl

COLLABORATORS AND OTHERS

Alejandro Dumay, Nicolás Fones, Francisco Vergara
(authors)

DIMENSIONS

21 m² / 226 sq ft

PHOTO

© Ignacio Infante

The decision was made to build a small private chapel in the beautiful area of Rupanco Lake in Chile. The main goal behind the construction of this new chapel was to build a place that would permit the development of the Catholic liturgy, as well as a space for reflection and retreat.

The architects designed a small chapel measuring 226 sq ft with a capacity for 12 people. From the entrance off to one side, a projecting platform makes it possible to house more parishioners during outdoor ceremonies. The small size of the construction is in response to different criteria: visual non-aggression with the environment, integration with nature, and low building and maintenance costs. The simplicity of the design and the materials chosen, i.e., glass and wood, also meet the expressly sought austerity.

In der unberührten Landschaft am Rupanco-See in Chile sollte eine kleine private Kapelle gebaut werden, um einen Ort für den katholischen Gottesdienst zu haben, aber auch um einen eigenen Raum für Besinnung und Meditation zu schaffen.

Die Architekten entwarfen eine kleine Holzkapelle von 21 m² Nutzfläche mit Platz für zwölf Menschen. Vor dem Eingang und an der einen Seite liegt eine Holzplattform, die bei Bedarf, etwa bei Feiern unter freiem Himmel, weiteren Gläubigen Platz bietet. Die geringe Größe des Gebäudes ergibt sich aus verschiedenen Beweggründen: optische Unauffälligkeit und Integration in die natürliche Umgebung, geringe Baukosten und minimaler Instandhaltungsaufwand. Die Klarheit des Entwurfs und die verwendeten ökologischen Baustoffe, Holz und Glas, entsprechen ebenfalls der beabsichtigten nüchternen Schlichtheit.

Dans la région paradisiaque du lac Rupanco au Chili, se trouve une petite chapelle privée. Ce lieu avait été choisi afin de créer une enceinte pour le développement de la liturgie catholique ainsi qu'un espace pour le recueillement et la réflexion.

Les architectes ont conçu un petit ermitage de 21 m² pouvant accueillir 12 personnes. De l'entrée jusqu'à l'un des côtés, une plate-forme permet d'accueillir davantage de paroissiens lors des cérémonies extérieures. Les dimensions réduites de la construction répondent à différents critères : intégrer le bâtiment dans la nature afin qu'il ne choque pas, ainsi que réduire les coûts de construction et d'entretien. La simplicité du design ainsi que les matériaux choisis, le verre et le bois répondent à une austérité voulue.

Er werd besloten tot de bouw van een privékapelletje in de paradijselijke omgeving van het Rupanco-meer. Het belangrijkste doel van de bouw van de nieuwe kapel op deze plaats is het creëren van een plek voor de ontwikkeling van de katholieke liturgie, en daarnaast moet de kapel een ruimte voor afzondering en bezinning zijn.

De architecten ontwierpen een kleine kapel van 21 m² met plaats voor 12 personen. Vanaf de entree strekt zich naar een van de zijden een platform uit dat tijdens buitenceremonies plaats biedt aan meer parochianen. De beperkte afmetingen van de constructie komen tegemoet aan verschillende criteria: geen visuele vervuiling van de omgeving, harmonie met de natuur, en lage bouw- en onderhoudskosten. De eenvoud van het ontwerp en de toegepaste materialen (glas en hout) beantwoorden aan een bewust beoogde soberheid.

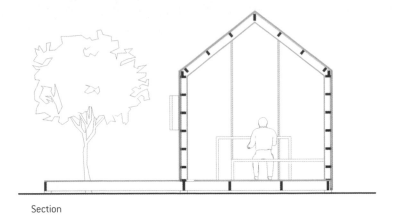

Section

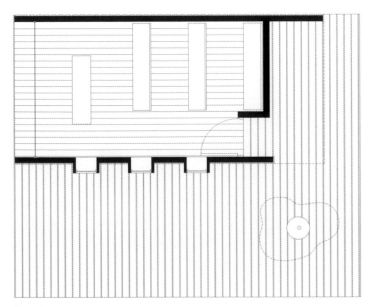

PINO PISO IMPREG. 1,5x4"

TOPE GOMA

PLANCHA ZINC LISA
C/ anticorrosivo negro

FIELTRO

OSB

PINO 2x4"x IMPREG.

LANA DE VIDRIO

MACHIEMBRADO 1/2x5,5"

SOLERA 2x4 PINO IMPREG.

MACHIEMBRADO 1/2x5,5"

Detail of the roof construction

Floor plan

The use of pinewood means the small chapel is conceived as a unitary element where the outside and inside walls, the ceiling, floor, and platform merge into a single volume. The cross, belfry, and altar have been kept simple so that none stands out over the others.

Die durchgängige Verwendung von Kiefernholz bewirkt, dass die kleine Kapelle als eine in sich geschlossene Einheit empfunden wird: Wände, Dach, Boden und Plattform bilden ein Ganzes. Auch das Kreuz, die Glocke und der Altar ordnen sich diesem einheitlichen Gesamteindruck unter.

L'usage du pin permet à la petite chapelle d'être conçue comme un élément dans lequel murs, parois, toits, sols et plate-forme fusionnent en un seul et même volume. La croix, le clocher et l'autel ont été conçus le plus simplement possible afin qu'aucun élément ne se distingue de l'autre.

Het gebruik van vurenhout voor de bouw van het kapelletje is een verbindend element waardoor muren, wanden, dak, vloer en platform samensmelten tot één enkele vorm. Het kruis, de klokkentoren en het altaar zijn bescheiden uitgevoerd, zodat niets zich onderscheidt van de rest.

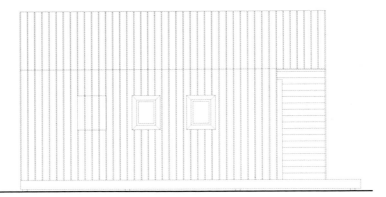

North elevation

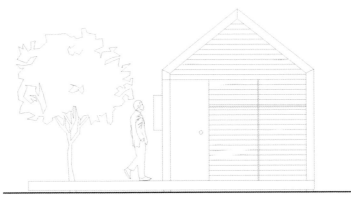

West elevation

East elevation

The altar is in front of the east façade. This was glassed in voluntarily so that the parishioners could look straight out onto the lake and mountains. The Fuente Nueva Chapel was designed in line with ecological and low-cost criteria to provide spirituality and retreat.

Der Altar steht an der Ostseite, die vollständig verglast wurde, sodass die Gläubigen aus der Kapelle direkt auf den See und die Gebirgslandschaft hinaus blicken können. Die Kapelle von Fuente Nueva wurden nach ökologischen Gesichtspunkten und Kosten sparend errichtet.

L'autel se situe devant la façade est. Celle-ci a été construite en verre de manière à ce que les paroissiens puissent contempler les vues qu'offrent le lac et les montagnes. La chapelle Fuente Nueva a été créée selon des critères écologiques et économiques afin de favoriser la spiritualité et le recueillement.

Het altaar staat voor de oostgevel. Deze gevel is eenvoudigweg helemaal beglaasd, zodat de gelovigen direct uitzicht hebben op het meer en de bergen. De Fuente Nueva Chapel is ontworpen volgens ecologische en kostenbesparende criteria, en voorziet in spiritualiteit en afzondering.

Northern Europe

N. 1 Deansgate

Manchester, United Kingdom

ARCHITECT
Ian Simpson Architects
www.iansimpsonarchitects.com

COLLABORATORS AND OTHERS
Crosby Homes North West Ltd (client); Martin Stockley
Associates (engineers)

DIMENSIONS
Height: 60 m / 197 ft
Floors: 14

PHOTO
© Andrew Smith, Crosby Homes

The architecture studio erected an emblematic building that revitalized commerce in the closed area of Deansgate and turned it into a symbol of the new Manchester. This area was destroyed in a 1996 terrorist attack and needed urgent reconstruction.

The building is shaped like a large glass trapezoid and comprises 14 floors of apartments and two floors of commercial premises. These areas are differentiated via large V-shaped pillars that start from the base that contains the two floors of stores. This division is both visual – marking the border between the commercial area and the residential tower – and physical, as it provides better views and light conditions for the apartments. The main materials used were steel to create the structure and glass to create a double skin.

Das Architekturbüro entwarf ein auffälliges Gebäude, um die Einzelhandelsaktivitäten in Deansgate zu beleben, einem Viertel, das nach dem Terroranschlag von 1996 verwüstet war und wieder aufgebaut werden musste. Das Bauwerk ist zu einem Symbol des neuen Manchester geworden. Der Bau hat die Form eines großen gläsernen Trapezes und umfasst 14 Stockwerke mit Wohnungen sowie zwei Ladengeschosse. Diese beiden Nutzungen sind durch die V-Stützen zwischen den beiden Sockelgeschossen und den aufgehenden Geschossen voneinander abgesetzt. Diese Trennung ist sowohl optisch, indem sie die beiden Ladengeschosse von den Wohnungen trennt, als auch funktional, da die Wohnungen durch die höhere Lage mehr Licht erhalten und eine bessere Aussicht bieten. Als Materialien wurden vor allem Stahl für die tragende Struktur und Glas für die doppelte Fassade verwendet.

Le cabinet d'architecture a érigé ce bâtiment emblématique pour redonner vie au commerce de cette région proche de Deansgate. Il est devenu le symbole du nouveau Manchester, une zone dévastée par l'attentat terroriste de 1996 et qui avait besoin d'être rénovée au plus vite.

Le bâtiment a la forme d'un grand trapèze en verre et se compose de 14 étages de logements et de 2 étages de locaux commerciaux qui se différencient par de grands piliers en forme de V que l'on peut voir au premier étage. Cette division n'est pas que visuelle puisqu'elle sépare la zone commerciale et de la zone résidentielle. Elle est également physique puisqu'elle fournit la meilleure vue et la meilleure lumière aux logements. Les principaux matériaux utilisés sont l'acier, pour la structure, et le verre, qui permet de créer une double façade.

Het architectenbureau trok een herkenbaar gebouw op dat de commercie in het gebied rond Deansgate nieuw leven inblies en tot een symbool van het nieuwe Manchester uitgroeide. Deze sector was verwoest bij de terroristische aanslag van 1996 en moest snel heropgebouwd worden. Het pand heeft de vorm van een groot, beglaasd trapezium en bestaat uit veertien woonverdiepingen en twee winkelniveaus. Deze verschillende bestemmingen onderscheiden zich door grote V-vormige zuilen die geplaatst zijn op het fundament waarin de twee winkelniveaus gehuisvest zijn. Deze opsplitsing is zowel visueel – omdat hij de grens markeert tussen winkelgedeelte en woontoren – als fysiek, omdat hij zorgt voor een beter uitzicht en beter licht in de woningen. De meest toegepaste materialen zijn staal, voor het skelet, en glas, waardoor een dubbele gevel opgetrokken kon worden.

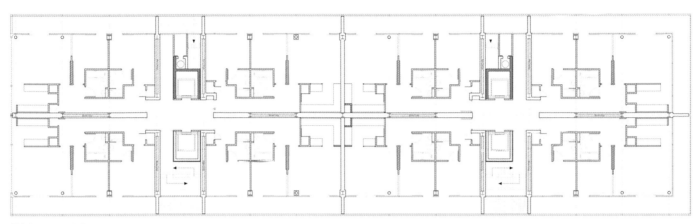

Third to seventh floor

The apartment block has a double skin: an exterior membrane created with practicable lattice work, and an interior double-glazed one. The semi-external sun terraces off the apartments' dining rooms are located in the space between the two façades. This makes it possible for the owners to control the amount of light that enters.

Das Wohnhochhaus verfügt über eine Doppelfassade: die äußere mit verstellbarem Sonnenschutz, die innere mit doppelter Verglasung. In dem dazwischen liegenden Raum befinden sich Terrassen als Erweiterung des Wohnraums nach draußen. Der Einfall des Sonnenlichts kann von den Bewohnern individuell reguliert werden.

La tour résidentielle est composée d'une double façade : une façade extérieure composée de stores et une intérieure avec du double vitrage. Dans l'espace existant entre les deux façades se situent les terrasses qui permettent que la salle à manger se prolonge jusqu'à l'extérieur. Ainsi, les propriétaires peuvent gérer l'éclairage à leur convenance.

De woontoren heeft een dubbele gevel: een buitengevel van beweegbare jaloezieën en een binnengevel van dubbel glas. In de ruimte tussen beide gevels bevinden zich de terrassen, waardoor de woonkamers naar buiten toe uitgebreid worden. Zo kunnen de bewoners de lichtinval aanpassen aan hun persoonlijke wensen.

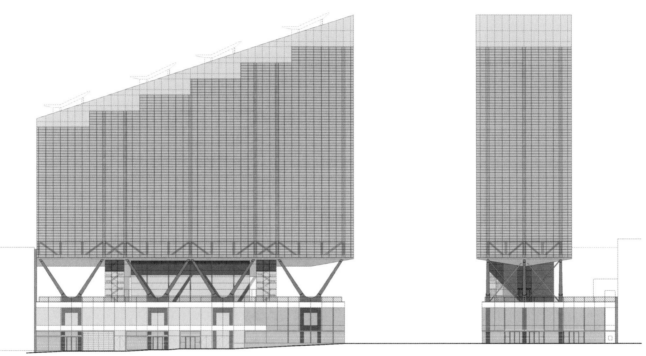

Elevations

The creation of sun terraces between the inside of the apartments and the exterior membrane has a number of advantages for users: acoustic insulation, energy saving and use of light. The terraces also extend the day area and function as privileged vantage points. The building contains 84 duplex and triplex apartments.

Die Terrassen zwischen der Hauswand und der vorgehängten Fassade bringen den Bewohnern Vorteile wie Lärmschutz, Energieeinsparung und Lichtregulierung. Außerdem sind die Terrassen ein bevorzugter Aufenthaltsort, sobald es die Witterung erlaubt. Insgesamt gibt es 84 Maisonnettewohnungen mit zwei bzw. drei Ebenen.

La création de terrasses entre l'intérieur des logements et la façade extérieure a plusieurs avantages : isolement acoustique, économie d'énergie et luminosité. De plus, elle a permis d'agrandir la zone de séjour et donne aux logements une vue imprenable. Le bâtiment compte 84 logements à deux ou trois étages.

De aanleg van terrassen tussen de woningen en de buitengevel biedt meerdere voordelen: geluidsisolatie, energiebesparing en benutten van het licht. Bovendien kon hiermee het leefgedeelte worden uitgebreid en bieden de terrassen een mooi uitzicht. Het gebouw huisvest 84 duplex- en triplexwoningen.

Albion Riverside

London, United Kingdom

ARCHITECT
Foster & Partners
www.fosterandpartners.com

COLLABORATORS AND OTHERS
Hutchison Whampoa Property (client)

DIMENSIONS
Residential area: 28 800 m² / 310 000 sq ft
Commercial area: 7 432 m² / 80 000 sq ft

PHOTO
© Nigel Young

The architectural complex is located in the Albion Wharf neighborhood, a new zone on the south bank of the Thames. The design comprises three independent buildings interlinked by walkways and gardens.

The architects designed the complex on the basis of three functional levels: the top floor contains the apartments; the first floor has the commercial premises and offices; and the parking lot for motorbikes and cars is in the basement.

The most spectacular and emblematic building is an 11-story asymmetrical moon-shaped volume. This original structure enables the creation a community garden that runs along the riverbank in the curve produced. The building has four access points, and 183 luxury apartments were built inside following environmental criteria to make the most of the sunlight.

Dieser Komplex liegt in Albion Wharf, einem Neubauviertel südlich der Themse. Der Entwurf umfasst drei voneinander unabhängige, aber über Wege und Gärten miteinander verbundene Gebäude.

Die Architekten sahen drei funktionale Ebenen vor: Auf der obersten befinden sich die Wohnungen, zu ebener Erde liegen die Ladenlokale und unter der Erde sind die Stellplätze für Autos und Motorräder zu finden.

Das am meisten Aufsehen erregende Element ist ein elfstöckiger Baukörper über einem Grundriss in Form eines asymmetrischen Mondes. Aus dem Gemeinschaftsgarten in dem vom Gebäude eingefassten Hof gelangt man an den Uferweg. Das Gebäude verfügt über vier Eingänge und birgt 183 Luxusappartements, die nach den Prinzipien der Umweltverträglichkeit errichtet wurden, vor allem, was die Nutzung des Sonnenlichts angeht.

Cet ensemble architectural se situe dans le quartier d'Albion Wharf, une nouvelle zone du sud de la Tamise. Ce projet se compose de trois bâtiments indépendants reliés entre eux par des espaces de circulation et des jardins.

Les architectes ont conçu le complexe sur trois niveaux : au niveau supérieur se trouvent les logements, au rez-de-chaussée, les locaux commerciaux et les bureaux, puis, au sous-sol, le garage. Le bâtiment le plus spectaculaire et emblématique est un volume en forme de lune asymétrique de 11 étages. Dans le creux que la courbe crée par sa structure originale, se trouve le jardin commun qui mène à la rivière. Le bâtiment, disposant de quatre entrées, comporte 183 appartements de luxe orientés de façon à profiter de la lumière du soleil.

Het complex ligt in de wijk Albion Wharf, een nieuwe zone op de zuidoever van de Theems, en bestaat uit drie onafhankelijke gebouwen die onderling met elkaar verbonden zijn via passages en tuinen.

De architecten ontwierpen het complex op basis van drie functionele niveaus: op het bovenste niveau zijn woningen ondergebracht, op de begane grond zijn winkelruimten en kantoren gevestigd, en in de kelder zijn parkeerplaatsen voor motoren en auto's.

Het spectaculairste en herkenbaarste pand is een gebouw van elf verdiepingen in de vorm van een asymmetrische maan. Door deze originele constructie kon in de ontstane kromming een gemeenschappelijke tuin worden aangelegd die tot de promenade langs de rivier loopt. Het gebouw heeft vier ingangen en binnen zijn 183 luxe appartementen gebouwd die voldoen aan milieucriteria voor het benutten van zonlicht.

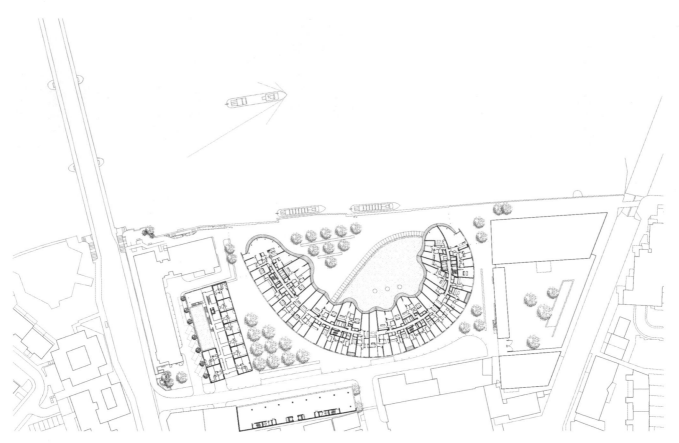

Site plan

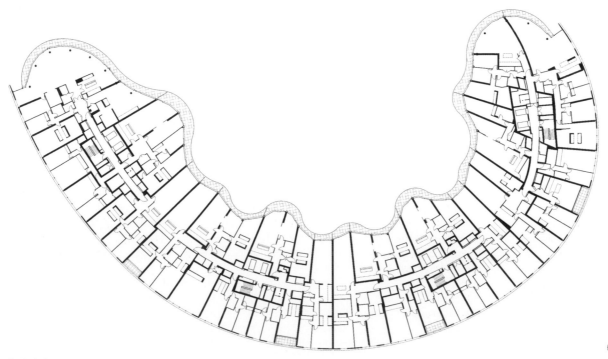

Typical plan

The balconies with views over the River Thames project outward while the south façade has sliding panels to take advantage of the sunlight. The rounded shape of the south façade, similar to a half moon, is generated by the continuity between the wall and roof. The undulating shapes of the north face symbolize the surge of the river.

Die Balkone mit Blick auf die Themse kragen weit aus, während die Schiebefenster auf der Südseite das Sonnenlicht nutzen. Die abgerundete Krümmung der halbmondförmigen Südfassade ergibt sich aus der Kontinuität zwischen Wand und Dach. Die schwingende Gestaltung der Nordfassade soll an die Wellen des Flusses erinnern.

Les balcons, avec vue sur la Tamise, sortent en saillie, alors que sur la façade sud, des fenêtres coulissantes permettent de profiter de la lumière du soleil. La forme arrondie de la façade sud, similaire à un croissant de lune, débute dans la continuité entre le mur et le toit. Les formes ondulées de la face nord représentent la houle de la rivière.

De balkons met uitzicht op de Theems steken uit, terwijl in de zuidgevel schuiframen het zonlicht binnen laten. De gebogen vorm van de zuidgevel, die lijkt op een halve maan, ontstaat doordat de muur overgaat in het dak. De golvende vormen van de noordzijde symboliseren de golven in de rivier.

The main building, made in concrete, rests on a series of enormous double-height V-shaped columns. This structure permits the creation of ground-level commercial areas and walkways. The interior design was created with criteria of functionality: sliding partitions were installed that make it possible to change and adapt the spaces.

Das Hauptgebäude wurde aus Beton errichtet. Es steht auf einer Reihe riesenhafter Stützen in V-Form. Durch diese Aufständerung entsteht Raum für Ladenlokale und Fußgängerverkehr zu ebener Erde. Das Innere wurde nach funktionellen Maßstäben eingerichtet; Schiebewände ermöglichen eine individuelle Nutzung der Räume.

Le bâtiment principal, construit en béton, repose sur une série d'énormes colonnes à double hauteur et en forme de V. Cette structure permet la création d'espaces commerciaux et de circulation au niveau du rez-de-chaussée. Pour le design intérieur, les critères de fonctionnalité ont primé : des panneaux coulissants ont été installés afin de pouvoir moduler les espaces.

Het hoofdgebouw, van beton, steunt op een serie dubbelhoge zuilen in V-vorm. Deze structuur staat de vestiging van winkelruimten en passages op de begane grond toe. Het interieurontwerp is gebaseerd op functionele criteria: door de installatie van schuifpanelen kunnen de ruimten worden veranderd en aangepast.

Passerelle Valmy

Nanterre, France

ARCHITECT

Dietmar Feichtinger Architectes
www.feichtingerarchitectes.com

COLLABORATORS AND OTHERS

EPA Seine Arche (client); Claire Bodénez, Ulrike Plos,
Simone Breitkopf, Christian Wittmeir, Silviu Aldea
(competition); José Luis Fuentes, Mathias Neveling
(project team leader planning); Christian Wittmeir, Guy
Deshayes (team); SBP (engineers); PSP Aachen
(aerodynamic studies); VIRY SA (steel construction
contractor); GTM (fondations contractor); Pfeifer (pre-
stressing contractor); Meurant (electricity contractor)

DIMENSIONS

Length: 88 m / 289 ft

PHOTO

© Antonin Chaix, Dietmar Feichtinger Architectes

The project is a modern urban avenue based on a highly ambitious structural concept. The construction of the 295-ft-long footbridge connects the western part of Paris' financial district, La Defense, with Nanterre via the Tour Granite. The bridge, which starts as a ramp from behind the Grande Ache in continuation with a street, weaves a curve around the office building that is home to the Société Générale Bank. This original structure permits maximum natural lighting to reach the offices and the cafeteria.

The bridge reaches the Tour Granite on the first floor and the connections are via escalators and stairs. The main structural elements are the girders accentuating the bridge every 32 ft like "vertebrae". The "spine" comprises a metal box and the radiating "vertebrae" are interconnected by prestressed "tendons".

Dieses Projekt besteht in der Errichtung einer modernen urbanen Promenade mit einem sehr ehrgeizigen Strukturprinzip. Es handelt sich um einen 90 m langen Fußgängersteg, der den Westen des Pariser Geschäftsviertels La Défense über die so genannte Tour de Granite mit Nanterre verbindet. Die Brücke beginnt als Rampe hinter dem Grande Arche genannten monumentalen Torbau, wird dann als Weg weitergeführt und umrundet in einer Kurve das Bankgebäude der Société Générale. Die frei tragende Konstruktion beeinträchtigt den Lichteinfall in die dahinter liegenden Räume nicht.

Der Steg erreicht den ersten Stock der Tour de Granite, wo der Zugang über Treppen und Rolltreppen erfolgt. Die wichtigsten tragenden Elemente sind ein Hohlkastenträger aus Stahlblech als „Rückgrat" und alle zehn Meter daran ansetzende „Wirbel" die durch Zugstäbe miteinander verbunden sind.

Ce projet de lien urbain moderne est fondé sur un concept structurel très ambitieux. La construction d'une passerelle de 90 m de longueur qui relie la partie ouest du quartier financier de Paris, La Défense, avec Nanterre, en contournant la Tour Granite. La passerelle part derrière la Grande Arche comme une rampe et se poursuit comme une rue, en longeant la courbe que forment les bureaux de la Tour de la Société Générale. Cette structure originale permet de conserver un éclairage naturel pour les bureaux et la cafétéria.

Le pont atteint le premier étage de la Tour de Granite et est relié au sol par des escalators et des escaliers. Les principaux éléments de la structure sont les câbles placés tous les 10 m en forme de vertèbres. La « colonne vertébrale » de la structure est formée par une poutre-caisson en acier et les « vertèbres » radiales sont liées par un système de « tendons ».

Het ambitieuze project leidde tot een moderne stadsavenue. De constructie van de 90 m lange voetgangersbrug verbindt het westelijk deel van het financieel district van Parijs, La Défense, via de Tour Granite met Nanterre. De brug, die als oprit begint achter de Grande Arche, als verlengde van een straat, loopt in een bocht om het kantoorgebouw heen waarin de Société Générale Bank is gehuisvest. Door deze originele structuur is de inval van daglicht, tot in de kantoren en cafetaria, optimaal.

De brug komt uit op de eerste verdieping van de Tour Granite en de verbindingen lopen via roltrappen en traptreden. De belangrijkste structurele elementen zijn de dwarsbalken die de brug om de 10 m als een "wervelkolom" ritmisch markeren. De "ruggengraat" wordt gevormd door een metalen omhulsel en de radiale "wervels" zijn onderling verbonden door voorgespannen "pezen".

The construction of a system of cantilevers permits the absorption of the vertical forces produced. Very good resistance against torsion is assured by the deck interlinking the prestressed "tendons" in the circumferential direction.

Die auftretenden vertikalen Kräfte werden über ein System von Kragträgern aufgefangen. Ein unter dem Steg angebrachtes Zugband, das mit diesen „Wirbeln" verbunden ist und dem Kreissegment folgt, dient der Aufnahme der Torsion über ein horizontales Kräftepaar, nämlich das Brückendeck und das Zugband.

La construction d'un système de saillies favorise l'amortissement des forces qui se produisent verticalement. La torsion structurelle permet une très bonne résistance grâce à une plate-forme qui unit les « tendons » en fonction de la circonférence.

De constructie van een systeem van uitstekende delen absorbeert de opgewekte verticale krachten. De structurele draaiing waarborgt een uitstekend weerstandsvermogen dankzij het plateau dat de voorgespannen "pezen" koppelt aan de cirkelvormige richting.

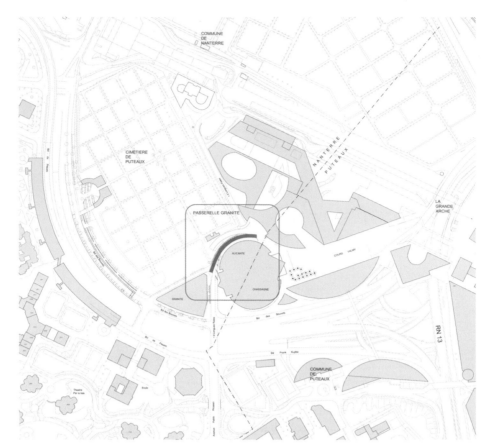

Site plan

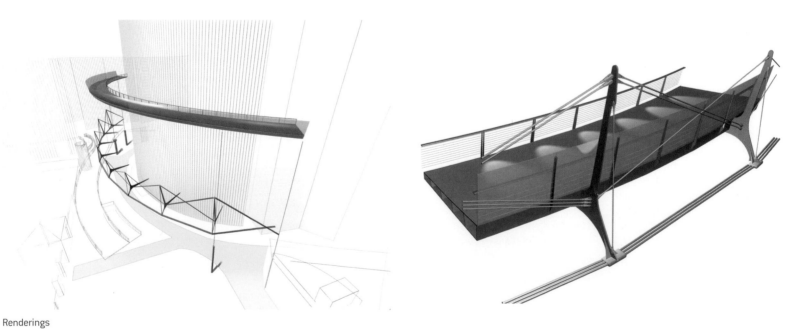

Renderings

Glass banisters were positioned on the exterior curve so that pedestrians can contemplate the cityscape while crossing the footbridge. At night the illumination of the masts emphasizes the rhythmic structure of the promenade.

Die an der Außenseite angebrachten mannshohen Glaswände schützen die Fußgänger vor dem Wind und lassen zugleich den Blick auf die umgebende Stadtlandschaft frei. Sobald es dunkel wird, unterstreichen die beleuchteten Masten der Kragträger die rhythmische Struktur der Brücke.

Des balustrades vitrées ont été installées sur le versant extérieur de la courbe afin que le piéton puisse contempler le paysage en traversant la passerelle. Lorsque la nuit tombe, les mâts s'illuminent, ce qui met en valeur le rythme de la structure du pont.

Er zijn glazen leuningen aangebracht aan de buitenzijde van de kromming, zodat de voetganger op de brug onder het lopen uitzicht heeft op de stad. Als het donker invalt, worden de masten verlicht, waardoor de ritmische structuur van de brug wordt benadrukt.

Passerelle Simone de Beauvoir

Paris, France

ARCHITECT

Dietmar Feichtinger Architectes
www.feichtingerarchitectes.com

COLLABORATORS AND OTHERS

Mairie de Paris, Direction de la Voirie et des
Déplacements (client); RFR (engineering); Emmanuel
Bouchon, Joël Raoul, Daniel Le Faucheur/SETRA,
Messieurs Martin, Dias, Ayamante/SNCF-IGOA, M. Le
Govic/CEBTP, M. Mouchel/COMOBAT (AMO); PSP RWTH
Aix la Chapelle Dr. Hortmanns (aerodynamic studies)

DIMENSIONS

Length: 304 m / 997 ft

PHOTO

© David Boureau, Dietmar Feichtinger Architectes,
Jo Pesendorfer, Michael Zimmermann

The first competition for the construction of a bridge was held in Paris (1998) and the winning project was designed by Dietmar Feichtinger Architectes. The success of the design concept centered on the surprising simplicity of the structure that afforded manifold uses.

The construction of the 997-ft-long footbridge permitted a connection between Bercy Park on the north bank of the river and the new urban development around the French National Library on the south bank. The bridge joined six points corresponding to the three different levels of each bank: the lowest to the docks, the middle on to the street and the upper one to the urbanized areas.

The most outstanding features of the bridge are its 636-ft free span and the structural solution based on the intersection in suspension and an arch: an interlinking of sinuous forms.

Den ersten Wettbewerb zur Errichtung einer neuen Brücke in Paris (1998) gewann der Entwurf des Büros Dietmar Feichtinger, dessen Erfolg vor allem auf seine überraschende strukturelle Einfachheit zurückzuführen war, die trotzdem vielfältige Nutzungen zuließ.

Der Bau der 304 m langen Fußgängerbrücke über die Seine stellt eine Verbindung her zwischen dem Park von Bercy auf dem nördlichen Flussufer mit dem neuen Viertel um die Französische Nationalbibliothek auf dem südlichen. Verbunden werden nicht nur die beiden Ufer, sondern insgesamt sechs Punkte, d. h. drei Ebenen auf jeder Seite, die jeweils dem Kai, dem Straßenniveau und der oberen Ebene der städtischen Bebauung entsprechen.

Hervorzuheben ist die lichte Weite von 194 m und die konstruktive Lösung, die in der Kombination eines Bogens mit einer Hängekonstruktion besteht: Eine Überlagerung geschwungener Formen.

Le premier concours pour la construction de ponts à Paris a été lancé en 1998 et a été remporté l'architecte Dietmar Feichtinger. Son projet a été choisi pour la simplicité surprenante de sa structure qui offre de multiples usages.

La construction, d'une longueur de 304 m, est un pont réservé aux piétons qui unit le parc de Bercy, sur la rive droite du fleuve, et le nouveau quartier situé autour de la Bibliothèque nationale de France, sur la rive gauche. Ce pont a permis de relier six points correspondant aux trois niveaux différents de chaque rive : la partie la plus basse s'unit aux quais, celle du milieu à la rue et la partie supérieure aux zones urbaines.

Les aspects les plus remarquables de ce pont sont l'éclairage de 194 m, la structure basée sur l'intersection en suspension ainsi que l'arche : un entrelacement de formes sinueuses.

De eerste wedstrijd voor het brugontwerp werd uitgeschreven in Parijs (1998). Het winnende ontwerp was van Dietmar Feichtinger Architectes. Het succes ervan zat hem vooral in de verbijsterende eenvoud van de constructie die tal van mogelijkheden bood.

Met de bouw van de 304 m lange voetgangersbrug kwam een verbinding tot stand tussen het Bercy-park op de noordoever en het nieuw ontwikkelde stadsgedeelte rond de Franse Nationale Bibliotheek op de zuidoever. Via deze brug zijn zes punten met elkaar verbonden die corresponderen met de drie niveaus van elke oever: het laagste niveau met de kades, het middelste met de straat en het hoogstgelegen met de bebouwing.

De opvallendste aspecten van de brug zijn de vrije overspanning van 194 m en de constructieve oplossing van zwevende snijpunten en een boog: een vlechtwerk van golvende vormen.

Despite the bridge's generous size, steel (which took shape from welded beams), sheet metal, and wood were used to increase the lightness of the structure. Following this theory, screw unions were minimized to prevent against the risk of rusting.

Trotz ihrer eindrucksvollen Dimensionen wirkt die Brücke dank der verwendeten Materialien eher leicht: Stahlträger und verschweißte Stahlplatten und Holz. Es wurde soweit möglich auf Schraubverbindungen verzichtet, um die Rostanfälligkeit der Konstruktion gering zu halten.

Malgré les dimensions généreuses du pont, la légèreté de la structure provient des matériaux utilisés : l'acier des traverses et des plaques soudées et le bois. Suivant cette logique, les jonctions avec des vis sont limitées pour éviter le risque d'oxydation.

Ondanks de royale afmetingen van de brug zijn staal – in de vorm van gelaste balken en platen – en hout gebruikt om de lichtheid van de constructie te vergroten. In lijn hiermee zijn geschroefde verbindingen tot een minimum beperkt om het risico van oxidatie te vermijden.

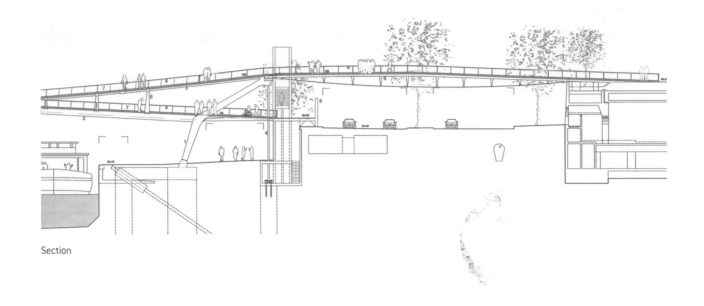

Section

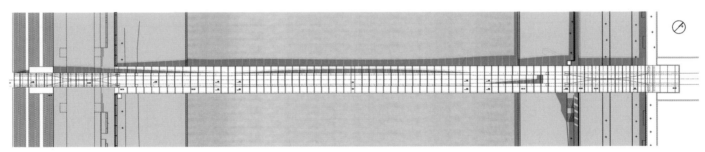

Plan

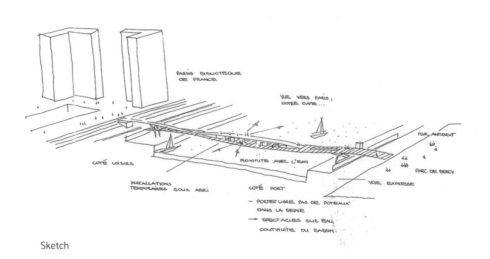

Sketch

An important element in the construction of the bridge is the "boomerang". The boomerang is the compression element that functions as a support positioned at the ends of the footbridge. It is formed of two parts: the foot, which rests on the foundations, and the inclined support. The union of the two is the point where the arch is connected to the boomerang.

Eines der wichtigsten Bauelemente ist der so genannte Bumerang. Es handelt sich dabei um die beiden Pfeilerkonstruktionen, zwischen denen die Brücke gespannt ist. Sie bestehen aus zwei Teilen: dem Fuß, der im Boden verankert ist, und dem rückwärts geneigten Oberteil. Dort wo diese beiden Teile aufeinander treffen, setzt auch der Brückenbogen an.

Un élément primordial de ce pont est ce que l'on appelle le boomerang. Il s'agit de l'élément de compression qui fonctionne comme un appui et se situe aux extrémités de la passerelle. Il est composé de deux parties : le pied, qui prend appui sur les fondations, et le pilier incliné. L'union des ces deux parties constitue le point de connexion entre l'arche et le boomerang.

Een belangrijk element bij de constructie is de "boemerang", het compressie-element dat als steunpunt fungeert en aan de uiteinden van de voetgangersbrug ligt. Het bestaat uit twee delen: het voetpunt, dat op de funderingen rust, en de schoor. De verbinding tussen beide is het punt waarop de boog gekoppeld is aan de boemerang.

Le Monde

Paris, France

ARCHITECT

Christian de Portzamparc

www.chdeportzamparc.com

COLLABORATORS AND OTHERS

Bouygues Immobilier (client); DB Real Estate (owner);
Le Monde newspaper (user)

DIMENSIONS

Surface: 18 118 m² / 195 021 sq ft

PHOTO

© Atelier Christian de Portzamparc, Kamel Khalfi,
Nicolas Borel

The architect reconverted a 1970s building on the famous Boulevard Blanqui. *Le Monde* newspaper was seeking a new headquarters and commissioned the design to this prestigious French architect.

The most outstanding interventions of the project are the cut made on the bias at the top of the building by maintaining the initial height of the south frontage and incorporating side wings in line with the resulting difference. As well as the extension of the main building, two volumes were added on the sides to make up for the stories eliminated by the diagonal cut. The old elevators were moved in order to build large, comfortable offices filled with light. One of the most outstanding aspects of the design is the installation of engraved glass sheets on the main façade.

Es handelt sich hier um den Umbau eines Bürogebäudes der siebziger Jahre am berühmten Boulevard Blanqui in Paris. Der Verlag der Tageszeitung *Le Monde* war auf der Suche nach einem neuen Firmensitz und beauftragte den renommierten französischen Architekten mit diesem Projekt.

Die bedeutendsten Eingriffe in die Bausubstanz waren der diagonale Einschnitt im oberen Teil des Gebäudes bei Erhalt der ursprünglichen Höhe der Südfassade sowie die Angliederung der Seitenflügel entsprechend der entstandenen Höhenunterschiede. Außer der Erweiterung des Hauptgebäudes wurden seitlich zwei Baukörper angefügt, um den durch den Diagonalschnitt entstandenen Verlust an Nutzfläche auszugleichen. Die Aufzüge wurden verlegt, um großzügige, helle Büros zu schaffen.

Eines der auffälligsten Merkmale des Umbaus sind die gravierten Glasplatten an der Hauptfassade.

Le journal Le Monde cherchait un nouvel emplacement pour son siège parisien et a fait appel au prestigieux architecte français. Celui-ci a rénové un bâtiment du boulevard Auguste-Blanqui, datant des années 1970.

Les opérations les plus remarquables ont été de couper en diagonale la partie supérieure du bâtiment, de conserver la hauteur initiale de la façade sud et d'incorporer des annexes latérales en accord avec la dénivellation qui en résultait. En plus de l'agrandissement du bâtiment principal, deux volumes ont été ajoutés sur les côtés, afin de compenser les étages supprimés par la coupe de l'immeuble en diagonale. Les anciens ascenseurs ont été déplacés afin de pouvoir construire de grands bureaux lumineux.

L'un des aspects les plus remarquables de ce design est l'installation de plaques de verre gravées sur la façade principale.

De architect verbouwde een pand uit de jaren zeventig aan de beroemde boulevard Blanqui. Le Monde was op zoek naar een nieuw hoofdkantoor voor de krant en gaf de opdracht aan een prestigieuze Franse architect.

De opvallendste ingrepen van het project waren de diagonale insnijding boven in het gebouw, het handhaven van de oorspronkelijke hoogte van de zuidelijke gevel en het invoegen van een paar zijvleugels in lijn met het ontstane niveauverschil. Naast de uitbreiding van het hoofdgebouw zijn er aan de zijkanten twee bouwelementen toegevoegd om de door de diagonale insnijding verdwenen etages te compenseren. De voormalige liften zijn verplaatst om grote, lichte en comfortabele kantoorruimten te scheppen. Een van de opmerkelijkste aspecten van het ontwerp is de montage van gegraveerde glazen platen aan de hoofdgevel.

Glass sheets engraved with a text by Victor Hugo on press freedom and a sketch by Plantu, in deference to *Le Monde*'s most famous illustrator, were installed on the main façade. The interior stands out for a transparent entrance, luminous central atrium, and a small garden.

An der Fassade wurden gravierte Glasplatten mit einem Text zur Pressefreiheit von Victor Hugo und einer Zeichnung von Plantu angebracht, dem berühmtesten Karikaturisten von *Le Monde*. Im Inneren sind vor allem die transparente Eingangshalle, das helle Atrium und ein kleiner Garten hervorzuheben.

La façade se compose de plaques en verre sur lesquelles ont été gravés un texte de Victor Hugo, traitant de la liberté de la presse, et un dessin de Plantu, le dessinateur et caricaturiste attitré du journal. L'intérieur attire l'attention par son entrée transparente, son hall lumineux et son petit jardin.

Aan de hoofdgevel zijn een paar gegraveerde glazen platen aangebracht met daarop een tekst van Victor Hugo over de persvrijheid en een tekening van Plantu, ter ere van de beroemdste illustrator van *Le Monde*. Het interieur onderscheidt zich door een transparante entree, een centraal atrium met veel licht en een kleine tuin.

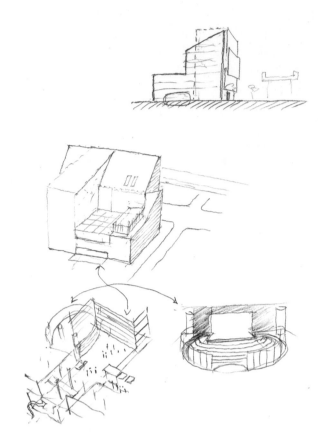

Sketches

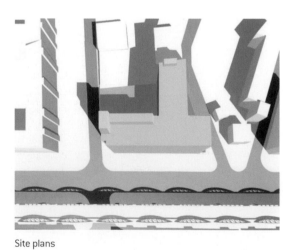

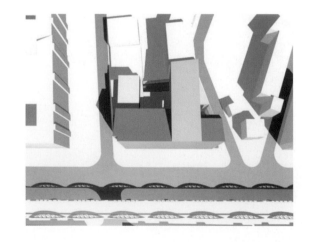

Site plans

Footbridge over the Rhine

Weil am Rhein, Germany / Huningue, France

ARCHITECT

Dietmar Feichtinger Architectes
www.feichtingerarchitectes.com

COLLABORATORS AND OTHERS

Communauté de Communes des Trois Frontières
et Ville de Weil-am-Rhein (client); Max Bögl/Neumarkt
Construction métallique (building contractor); LAP
Berlin, Projektleiter Wolfgang Strobl (engineering firm);
Wolfgang Juen, Ulrike Plos, José Luis Fuentes, Paul-
Eric Schirr-Bonnans, Frederique Bindji, Mendis Thilan
(competition); José Luis Fuentes (project team
leader); Guy Deshayes, Christian Wittmeir, Gunther
Schwaiger, Mathias Neveling, Guy Deshayes, Tillmann
Hohenacker (project team)

DIMENSIONS

Length: 346 m / 1 135 ft

PHOTO

© Alain Caste, David Boreau, Dietmar Feichtinger
Architectes

The Footbridge over the Rhine, known in French as the Passerelle des Trois Pays and in German as Dreiländerbrücke, joins the towns of Huningue, France and Weil am Rhein, Germany, and lies just over 300 ft from the Swiss border.

The two main highways, the Hauptstrasse and the Rue de France, lie on the same axis, so the architects decided to emphasize the connection by laying the bridge along this route. The construction not only had the physical significance of linking the regions and urban areas, but also conveyed a symbolic value as a reference point within a city.

A double, hexagonal, tubular steel arch is the main support element of the bridge. Another single arch is leant against it further south. The design details include the supports close to the river banks and the widening of the slowly rising ramps.

Die Fußgängerbrücke über den Rhein ist auch als Passerelle des Trois Pays bzw. Dreiländerbrücke bekannt. Sie verbindet die Ortschaften Huningue in Frankreich und Weil am Rhein in Deutschland sowie die kaum 100 Meter entfernte schweizerische Grenze miteinander. Die Hauptstraße von Weil und die Rue de France in Huningue jenseits des Grenzflusses liegen in einer Achse. Um die Sichtbeziehung zwischen beiden Orten nicht zu behindern, wurde die Brücke leicht neben die Achse verschoben. Die Brücke schafft nicht nur eine physische Verbindung zwischen den Ländern und Regionen dar, sondern auch eine symbolische.

Die Brücke besteht aus einem doppelten Bogen aus sechseckigem Stahlrohr als tragender Struktur und einem zusätzlichen Bogen aus rundem Stahlrohr auf der Südseite. Die Auflager der Brückenkonstruktion liegen im Uferbereich.

Le Footbridge over the Rhine, également connu sous le nom de Passerelle des Trois Pays ou Dreiländerbrücke en allemand, unie les localités de Huningue (France) et de Weil am Rhein (Allemagne) avec la frontière suisse, située à moins de 100 m du pont. Les deux routes principales, la Hauptstrasse et la rue de France, sont situées sur le même axe. Les architectes ont choisi de souligner cette particularité en bâtissant le pont le long de cet axe. La construction n'a pas seulement une signification physique de lien entre les régions et les zones urbaines, mais elle transmet également une valeur symbolique en tant que point de référence au cœur d'une ville.

Le pont se compose d'une arche double en acier tubulaire et de forme hexagonale qui sert de principal point d'appui. Une autre arche a été construite au sud. Les supports près des rives de la rivière et l'élargissement progressif des rampes constituent les éléments distinctifs du design.

Deze brug, bekend als *Passerelle des Trois Pays* of *Dreiländerbrücke*, verbindt de plaatsen Huningue (Frankrijk) en Weil am Rhein (Duitsland) en de Zwitserse grens, die op nauwelijks 100 m afstand van de brug ligt.

De twee belangrijkste wegen, de Hauptstrasse en de Rue de France, liggen in elkaars verlengde, reden waarom de architecten besloten de verbinding te benadrukken door de brug daartussen te leggen. De bouw betekende niet alleen een fysieke schakel tussen de regio's en de stedelijke gebieden, maar vertegenwoordigde ook een symbolische waarde als referentiepunt in een stad. De brug bestaat uit een dubbele boog van zeskantige stalen buis die het belangrijkste steunpunt vormt. Aan de zuidkant is nog een enkele steunboog geplaatst. De details van het ontwerp bestaan uit pijlers dicht bij de rivieroevers en de geleidelijk toenemende helling van de opritten.

The bridge was assembled some 300 feet from the final location and later tugged along the Rhine. The footbridge was designed to be used by pedestrians and bicycles alike. Two wide lanes were created for that purpose: one allocated to people and the other to cyclists.

Die Brücke wurde etwa 100 Meter von ihrem eigentlichen Standort vormontiert und dann über den Rhein geschleppt. Sie dient Fußgängern und Radfahrern als Flussübergang. Daher verfügt sie über zwei breite Bahnen: einen Fußweg und einen Radweg.

Le pont a été monté à près de 100 m de son emplacement final puis il a été remorqué le long du Rhin. La passerelle a été conçue pour les piétons et les vélos, qui disposent chacun d'une voie.

De brug is op ongeveer 100 m van zijn uiteindelijke bestemming geassembleerd en daarna over de Rijn gesleept. De loopbrug was bedoeld voor zowel voetgangers als fietsen. Daarom zijn er twee brede stroken aangelegd: één bestemd voor wandelaars en de ander voor fietsers.

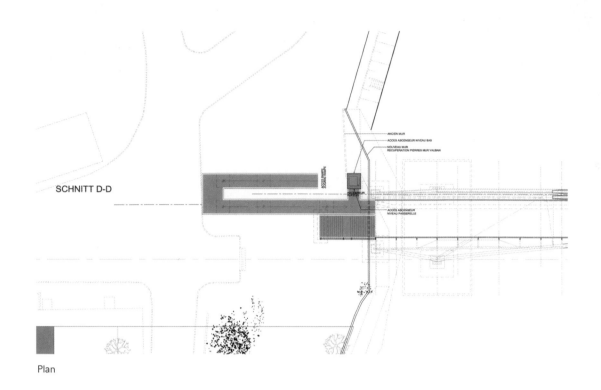

SCHNITT D-D

ANCIEN MUR
ACCES ASCENSEUR NIVEAU BAS
NOUVEAU MUR
RECUPERATION PIERRES MUR VAUBAN

ACCES ASCENSEUR
NIVEAU PASSERELLE

Plan

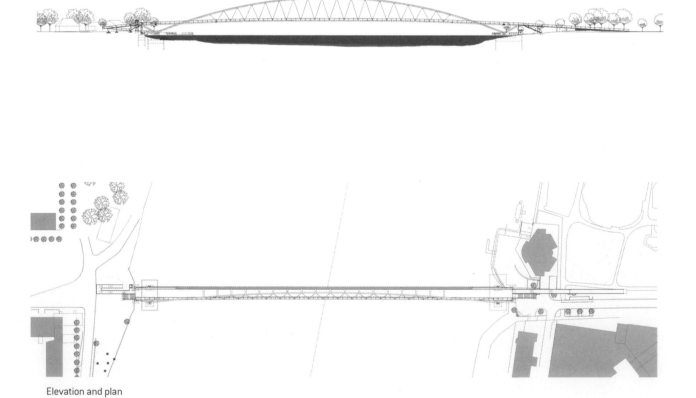

Elevation and plan

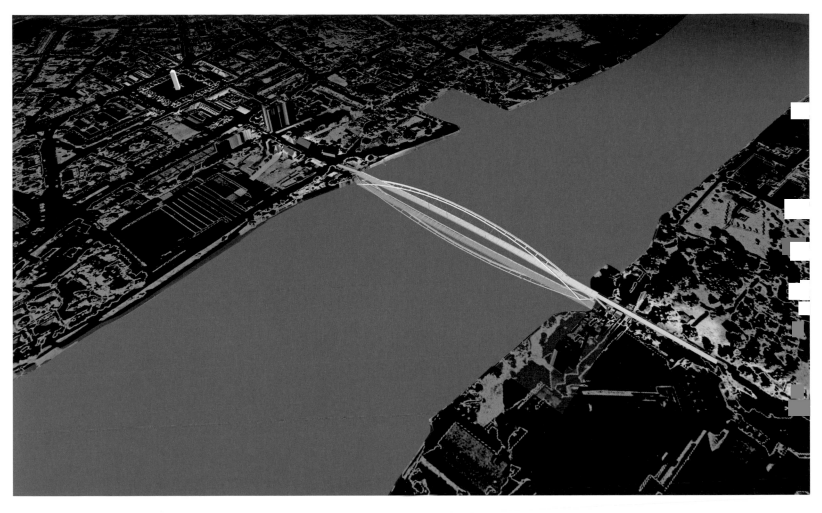

Rendering

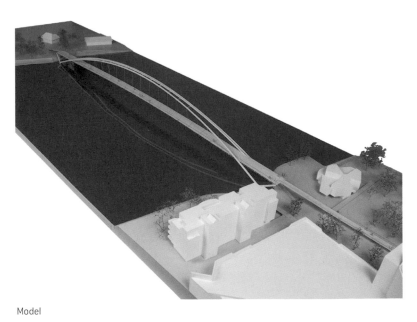

Model

211

Beatrixkwartier

The Hague, The Netherlands

ARCHITECT

Zwarts & Jansma Architects
www.zwarts.jansma.nl

COLLABORATORS AND OTHERS

Stadsgewest Haaglanden (client); Gemeenteweken
Rotterdam (engineer)

DIMENSIONS

Length: 400 m / 1312 ft

PHOTO

© Digidaan

The Randstadrail project was conceived to facilitate connections between The Hague and Rotterdam. It was necessary to build a connection in the Beatrixkwartier district between this new network and the main national railway station. The viaduct also includes a new station halfway along the route.

The 1,200-ft long tubular construction is based on a structure of steel rings with a 32-ft diameter, interconnected by diagonal tubes to form an open structure. The viaduct rests on a number of V-shaped columns and inside it has space for two tracks. Long stretches of 130 and 164 ft meant few columns had to be erected in the street. To guarantee passenger and traffic safety, there are almost no visual obstructions. Access to the platform is via stairs and elevators for people travelling in both directions.

Das Projekt Randstadtrail wurde entwickelt, um die Verbindung zwischen Den Haag und Rotterdam zu verbessern. Im Beatrixkwartier musste das neue Schienennetz mit dem der Niederländischen Staatsbahnen verknüpft werden. Zu dem neuen Viadukt gehört auch ein neuer Bahnhof auf halbem Wege.

Der Bau stellt sich als eine 400 m lange Röhrenstruktur dar, die aus einem Gerüst von Stahlringen mit einem Durchmesser von zehn Metern besteht, die über diagonale Röhren verstrebt sind und eine offene Struktur bilden. Der Viadukt auf V-Stützen bietet Platz für zwei Gleise. Dank der großen Abstände zwischen den Pfeilern (40-50 m) gibt es kaum Beeinträchtigungen unterhalb des Viadukts. Um die Sicherheit der Fahrgäste und des Verkehrs zu erhöhen, wurde versucht jegliche Sichtbehinderungen auszuschließen. Der Zugang zu den Richtungsbahnsteigen erfolgt über Treppen und Aufzüge.

Le projet Randstadrail a été conçu afin de faciliter la connexion entre La Haye et Rotterdam. Dans Beatrixkwartier, il était nécessaire de construire une liaison entre ce nouveau réseau et la ligne de chemin de fer national. Ce viaduc comprend également une nouvelle gare à mi-chemin. La construction se compose d'une structure tubulaire de 400 m de long fondée sur une armature en anneaux d'acier d'un diamètre de 10 m environ, interconnectés par des tubes en diagonal afin de former une structure ouverte. Le viaduc repose sur des colonnes en V et offre un espace pour deux voies. Grâce à de grands tronçons de 40 et 50 m, il a été possible d'installer de petites colonnes dans la rue. Afin de garantir la sécurité des usagers et du trafic, il n'y a presque aucune obstruction visuelle. L'accès à la plate-forme se fait par des escaliers et des ascenseurs pour que les voyageurs puissent circuler dans les deux sens.

Het project RandstadRail is ontworpen om de verbinding tussen Den Haag en Rotterdam te verbeteren. Een aansluiting in het Beatrixkwartier tussen dit nieuwe netwerk en Den Haag CS was noodzakelijk. In het midden van dit viaduct kwam een nieuwe halte.

De constructie bestaat uit een 400 m lange buisvormige structuur, gebaseerd op een frame van stalen ringen van zo'n 10 m in doorsnee die onderling verbonden zijn door diagonale buizen en een open structuur vormen. Het viaduct wordt gedragen door een aantal V-vormige pilaren en biedt plaats aan twee sporen. Dankzij de grote overspanningen van 40 en 50 m kon het aantal steunpilaren op straat beperkt blijven. Om de veiligheid van gebruikers en verkeer te garanderen zijn er vrijwel geen visuele obstructies. De toegang tot het platform — voor reizigers in beide richtingen — is via trappen en liften.

The design included a new station, with a structure composed of concrete and glass to afford protection against the wind. The exterior tubular structure is also reproduced inside the station. Mechanical ramps were installed to facilitate passenger transit.

Die Planung umfasste auch einen neuen Bahnhof, dessen tragende Struktur aus Beton besteht. Die Glasverkleidung schützt gegen Wind. Die Rohrstruktur des Äußeren findet sich auch im Inneren des Bahnhofs wieder. Fahrtreppen erleichtern den Fahrgästen den Zugang zu den Bahnsteigen.

Le projet comprenait une nouvelle gare dont la structure se compose de béton et de verre et offre une protection contre le vent. La structure tubulaire extérieure se retrouve aussi à l'intérieur de la gare. Des rampes mécaniques ont été installées pour faciliter le transit des usagers.

Het project behelsde een nieuw station, opgetrokken uit beton en glas als beschutting tegen de wind. De buisvormige structuur van het exterieur komt binnen in het station terug. Roltrappen moeten de doorstroming van passagiers verbeteren.

Theater Castellum

Alphen aan den Rijn, The Netherlands

ARCHITECT

Dirk Jan Postel/Kraaijvanger Urbis

www.dirkjanpostel.nl

COLLABORATORS AND OTHERS

Municipality of Alphen aan den Rijn (client); Laurence
Meulman, Daniela Schelle, Cees Alberts, Wim van der
Torre, Nick Marks (project team)

DIMENSIONS

8 919 m² / 96 003 sq ft

PHOTO

© Christian Richters

The theater is located in one of the most famous squares of the new nerve center of Alphen aan
den Rijn. The square unfolds along the length of the river and the construction of the building
became the cornerstone of this major urban complex. The environment, of a markedly informal
design, comprises stores, bars, and restaurants.

The construction of this "house of culture" provided a new signal of identity to the Dutch city. The
building houses a main room with 749 seats, another multi-purpose room that seats 240 and
3 cinemas.

The site allocated to building the theater was small in size, so the architects decided to adapt the
building structure to the terrain. The solution was the creation of a puzzle design.

Das Theater befindet sich an einem der bekanntesten Plätze des neuen Stadtzentrums von
Alphen aan de Rijn. Der Platz erstreckt sich am Fluss und der Bau des Gebäudes wurde zum Aus-
gangspunkt eines umfassenden städtebaulichen Projekts. Um das Theater sind in lockerer Folge
Läden, Kneipen und Restaurants entstanden.

Durch den Bau dieses „Kulturhauses" bekamen die Bürger der holländischen Stadt eine neue
Möglichkeit, sich mit ihrer Heimatstadt zu identifizieren. Das Komplex umfasst einen Hauptsaal
mit 749 Plätzen, einen kleinen Saal mit 240 Sitzen und drei Kinos.

Da nur sehr wenig Platz zur Verfügung stand, mussten die Architekten ihren Entwurf den Gege-
benheiten des Grundstücks anpassen. Auf dieses Weise ist eine Art Designpuzzle entstanden.

Le théâtre se situe sur l'une des places les plus connues du nouveau centre névralgique
d'Alphen aan den Rijn. La place s'étend le long de la rivière et le bâtiment est devenu la pierre
angulaire de ce grand ensemble urbain. L'environnement, de conception simple, se compose de
boutiques, de bars et de restaurants.

La construction de cette « maison de la culture » fournit une nouvelle image à la ville hollandaise. Le bâtiment héberge une salle principale de 749 places, une autre salle polyvalente de 240
sièges ainsi que 3 salles de cinéma.

L'espace destiné au théâtre étant réduit, les architectes ont décidé d'adapter la structure du
bâtiment au terrain. La solution architecturale se compose d'un design en forme de puzzle.

Het theater ligt aan een van de bekendste pleinen van het nieuwe stadshart van Alphen aan den
Rijn. Het plein strekt zich uit langs de rivier, en de constructie van het gebouw werd de hoek-
steen van dit grote stedelijke complex. De omgeving van dit opvallend informele ontwerp
bestaat uit winkels, cafés en restaurants.

De bouw van het cultuurhuis gaf de stad er een nieuw herkenningspunt bij. Het gebouw herbergt
een grote zaal met 749 plaatsen, een kleinere multifunctionele zaal met 240 stoelen en drie bioscoopzalen.

Het beschikbare kaveloppervlak voor het theater was niet zo groot, reden waarom de architecten besloten de structuur van het gebouw aan te passen aan het terrein. De architectonische
oplossing was het creëren van een puzzelachtig ontwerp.

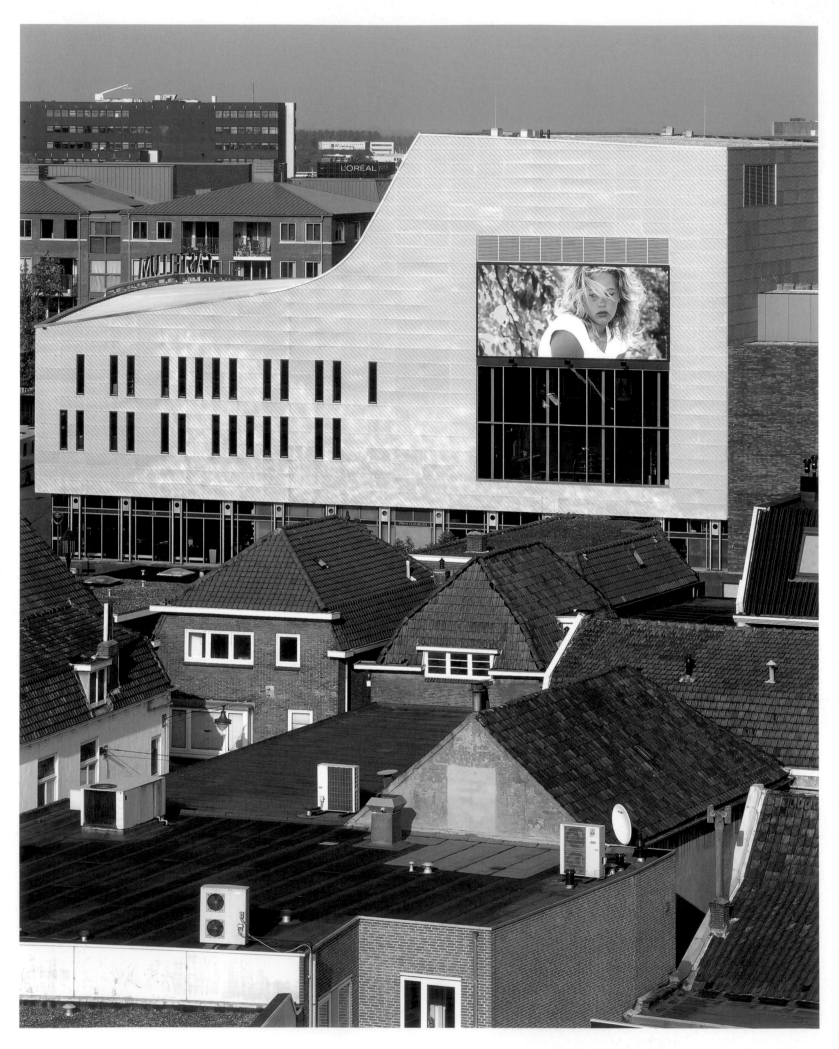

The theater was conceived as a puzzle: the main auditorium and the lobbies form a single volume that integrates the main stage. The façade is sheathed in a layer of corrugated aluminum. This groundbreaking design has been dubbed "desert storm" for its undulated look, reminiscent of the erosion of desert sand by the wind.

Das Theater wurde als eine Art Puzzle entworfen: Der große Saal, die Bühne und die Vorräume bilden einen Baukörper. Die Fassade ist mit geriffeltem Aluminium verkleidet. Dieser neuartige Werkstoff wird „Wüstensturm" genannt, weil sein Aussehen an die Wirkung des Windes auf den Sanddünen in der Wüste erinnert.

Le théâtre est conçu comme un puzzle : l'auditorium principal et les halls forment un seul volume qui comprend la scène principale. La façade est recouverte d'une couche d'aluminium froissé. Ce design innovant porte le nom de « tempête du désert » pour son aspect ondulé qui rappelle l'érosion par le vent dans le désert.

Het theater is vormgegeven als een puzzel: de grote zaal en de lobby's vormen één bouwvolume waarin de toneeltoren is geïntegreerd. De gevel is bekleed met aluminium golfplaten. Dit innovatieve ontwerp kreeg de naam 'desert storm' vanwege zijn golvende uiterlijk, dat doet denken aan winderosie door woestijnzand.

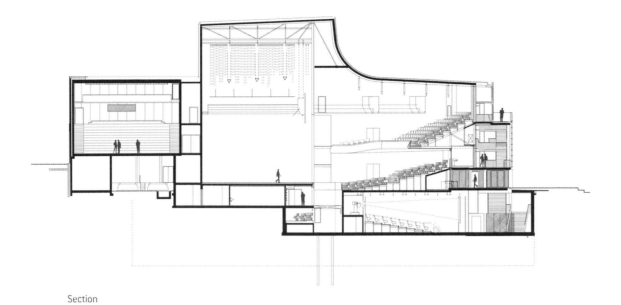

Section

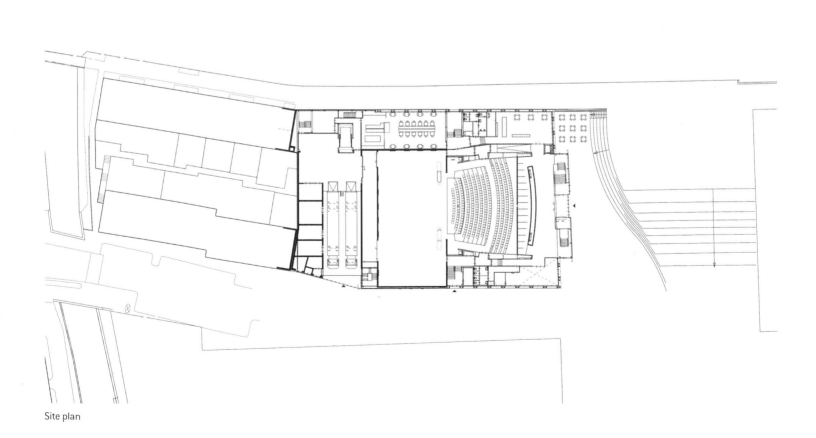

Site plan

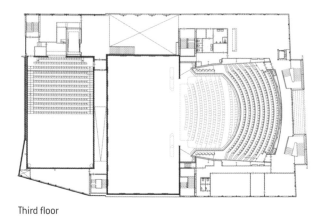

Third floor

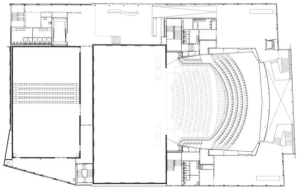

Second floor

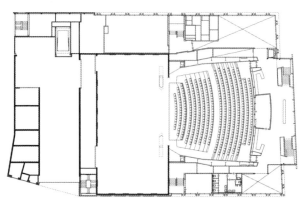

First floor

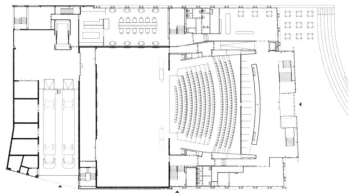

Ground floor

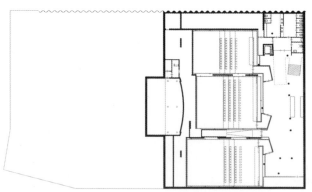

Level −2

Level −1

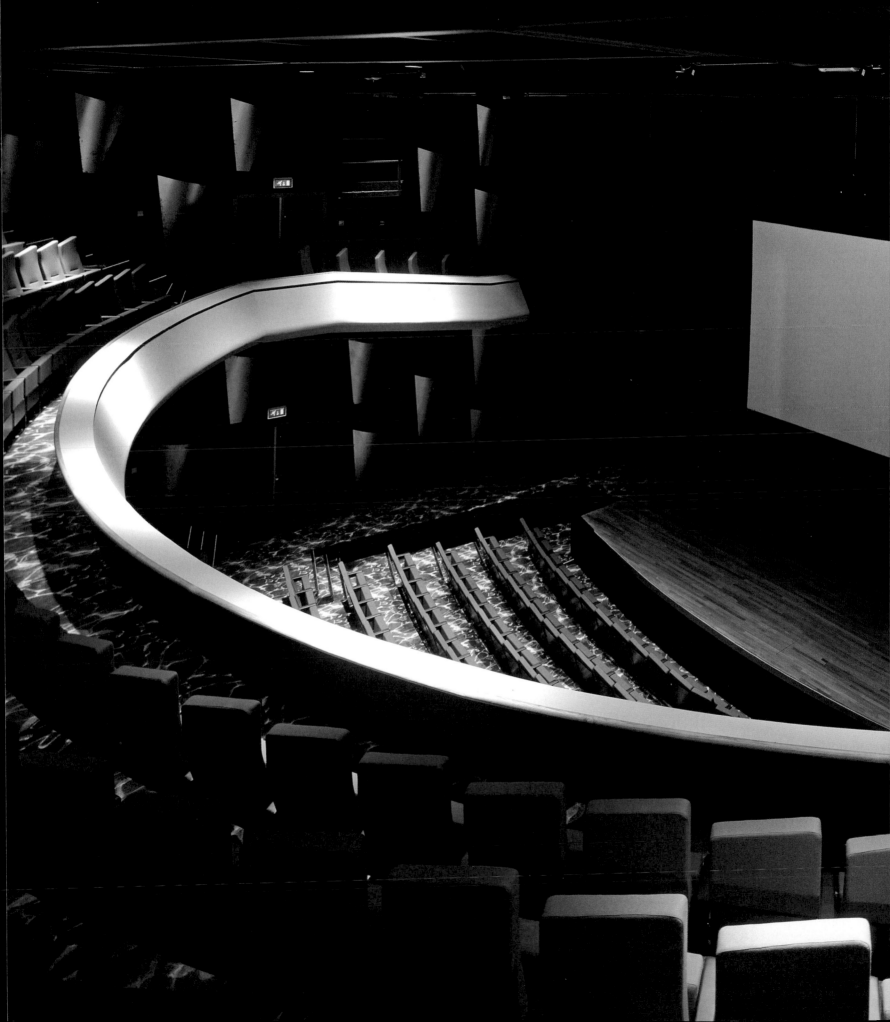

The main façade and the first floor of the building are fully glassed-in to make it possible to view the exterior from inside and vice versa. It also allows natural light to enter and generates shadow patterns thanks to the carpentry work of the windows. Also of note are the staircases which connect the different levels of the theater.

Die Hauptfassade und das Erdgeschoss des Gebäudes sind vollständig verglast, um Ein- und Ausblicke zu ermöglichen. Außerdem ist so der Einfall des Tageslichts gewährleistet, das aufgrund der Fenstergestaltung im Inneren Schattenspiele erzeugt. hervorzuheben sind auch die Treppen, welche die einzelnen Ebenen des Theaters miteinander verbinden.

La façade principale et le rez-de-chaussée du bâtiment sont composés de vitres afin de rendre visible l'extérieur depuis l'intérieur et vice-versa. De plus, elle permet à la lumière naturelle d'entrer et de former des dessins grâce aux ombres créées par la charpente des fenêtres. Les escaliers qui mènent aux différents niveaux du théâtre sont également remarquables.

De hoofdgevel en de eerste verdieping van het gebouw zijn volledig beglaasd, zodat je van buiten naar binnen kunt kijken en vice versa. Bovendien kan er zo daglicht binnenvallen, dat door de raamkozijnen schaduwen werpt. Ook de trappen die de diverse niveaus van het theater met elkaar verbinden, zijn opvallende elementen.

Church in Rijsenhout

Rijsenhout, The Netherlands

ARCHITECT

Claus en Kaan Architecten
www.clausenkaan.com

COLLABORATORS AND OTHERS

Jan Kerkhoff, Stefan Hofschneider, Leo van den Burg,
James Webb, Katharina Sander (team); Schiphol Real
Estate (commissioner)

DIMENSIONS

878 m² / 9 451 sq ft

PHOTO

© Satoshi Asakawa

The old church of the Dutch town of Rijsenhout was demolished because it was located close to the airport. The government decided to extend the airport land, which impacted the building. With this plan of intervention, it was decided to create a new church on the same street as the previous one but in a space not affected by the extension.

The architects chose to create a building with façades clad in concrete and natural stone. The church's monumental nature is produced by the organization of the volumes and the sobriety of the lines. The design conveys modernity and dynamism.

The architectural ensemble comprises the church, the meeting rooms, and a residence interconnected via a large vestibule. A partially paved parking lot was also built, without marks to delimit the parking spots.

Die alte Kirche der niederländischen Stadt Rijsenhout wurde abgerissen, da sie zu nahe am Flughafen lag und dessen geplanter Erweiterung im Wege stand. Die Gemeinde beschloss, die neue Kirche in derselben Straße, aber in größerer Entfernung vom Flugfeld zu erbauen.

Nach dem Entwurf der Architekten entstand ein Bau mit Fassaden aus Beton und Naturstein. Durch die Schlichtheit der Linienführung und die Anordnung der einzelnen Baukörper erlangt die Kirche eine gewisse Monumentalität. Ihre Gestalt vermittelt dem Betrachter Modernität und Dynamik.

Der Gesamtkomplex umfasst das Gotteshaus, einen Versammlungsraum und ein Wohnheim. Alle Räume sind über ein großzügiges Vestibül miteinander verbunden. Außerdem wurde ein nur teilweise gepflasterter Parkplatz ohne Markierung der einzelnen Stellplätze angelegt.

L'ancienne église de ville hollandaise de Rijsenhout a été détruite car elle était située trop près de l'aéroport. Le gouvernement a décidé d'agrandir le terrain de l'aérodrome ce qui a affecté l'église. Il a donc été décidé de créer une nouvelle église dans la même rue, mais à un endroit non affecté par les travaux d'agrandissement.

Les architectes ont décidé d'ériger un édifice avec une façade en béton et en pierre naturelle. Le caractère monumental de l'église réside dans l'organisation des volumes et dans la sobriété des lignes. Le design est moderne et dynamique.

L'ensemble est constitué d'un temple, de salles de réunion et d'une résidence, l'ensemble est connecté par un grand hall. Un parking partiellement pavé et sans délimitation de places a été également construit.

De voormalige kerk van het dorp Rijsenhout werd gesloopt, omdat hij dicht bij Schiphol lag. De regering besloot de luchthaven uit te breiden en dat had gevolgen voor het kerkgebouw. Vanwege dit interventieplan besloot men een nieuwe kerk te bouwen in dezelfde straat als de vorige, maar op een locatie die geen hinder ondervond van de uitbreiding van Schiphol.

De architecten besloten een gebouw te ontwerpen met gevels bekleed met beton en natuursteen. Het monumentale karakter van de kerk vloeit voort uit de rangschikking van de bouwvolumes en de sobere lijnvoering. Het ontwerp straalt moderniteit en dynamiek uit.

Het architectonische complex behelst de kerkzaal, vergaderruimten en een woongedeelte, onderling verbonden door een ruime foyer. Bovendien is een deels bestraat parkeerterrein aangelegd zonder zichtbaar afgescheiden parkeervakken.

One of the most outstanding aspects in the design of this new church is the tall tower. A sculpture by designer Reynold Homan and sculptor Peter Otto was positioned on top. The light penetrates inside via the creation of glassed-in areas on the façade and thanks to the play of volumes that project or retreat.

Der hohe Turm der neuen Kirche ist weithin sichtbar und mit einer Skulptur des Designers Reynold Homan und des Bildhauers Peter Otto bekrönt. Durch die Glasflächen in der Fassade mit ihren Vor- und Rücksprüngen gelangt viel Licht in das Innere des Gebäudes.

L'un des aspects les plus remarquables de ce design est une tour de grande ampleur sur laquelle on a installé une œuvre sculpturale du designer Reynold Homan et du sculpteur Peter Otto. La lumière pénètre à l'intérieur grâce aux zones vitrées de la façade et aux jeux de volumes en saillie ou en recul.

Een van de opvallendste aspecten in het ontwerp van deze nieuwe kerk is de hoge toren. Daarop is een sculptuur geplaatst van ontwerper Reynoud Homan en beeldhouwer Peter Otto. Daglicht valt binnen via in de gevel aangebrachte beglaasde delen en dankzij een spel van verspringende bouwelementen.

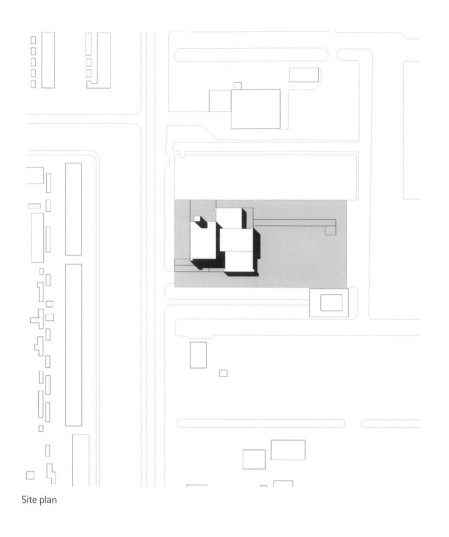

Site plan

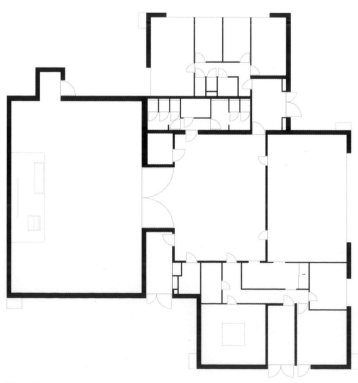

Floor plan

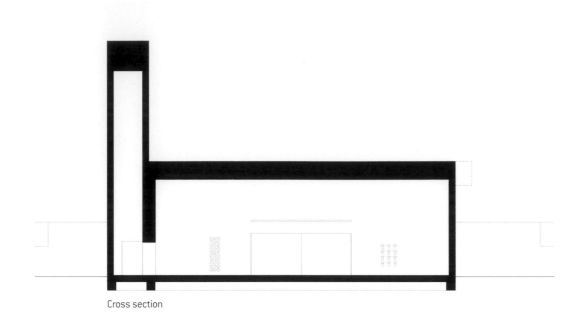

Cross section

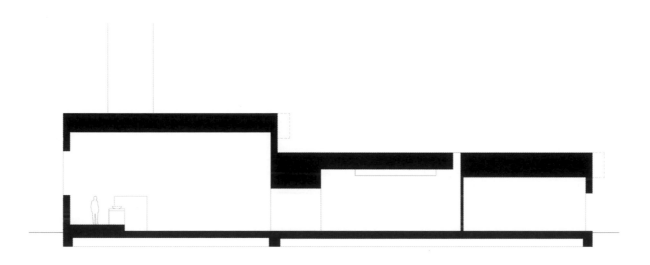

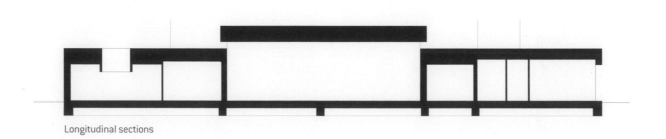

Longitudinal sections

Mahler 4 Office Tower

Amsterdam, The Netherlands

ARCHITECT

Rafael Viñoly Architects
www.rvapc.com

COLLABORATORS AND OTHERS

Jay D Bargmann AIA, Charles Blomberg AIA, Chrysi
Charalampaki, Rob Hearne RIBA, Mariana Kolova,
Takeshi Miyakawa, Christina Seilern, Rafael Viñoly/RVA
(project team); Dewhurst Macfarlane and Partners
(structural engineers)

DIMENSIONS

31 752 m² / 341 779 sq ft

PHOTO

© Raoul Suermondt

The Mahler 4 Office Tower is located in Amsterdam's Zuidas district. The tower block has 25 stories, covers an area of nearly 366,000 sq ft and stands 300 ft high.

From the start the design attempted to break with traditional models of urban design. The building is characterized by a wealth of levels, a grilled structure that covers the frontages and changes their dimensions depending on the design face.

The fire escape becomes the main element that hones the building's upward thrust. Because it is an open staircase it makes it possible to follow a spiral run to the architectural work. This creates exterior spaces that function as small gardens.

The tower has a special lighting system: at night the staircase and the three bodies of the construction are theatrically lit to emphasize the neighboring buildings.

Mahler 4 Office Tower ist ein Bürokomplex im Amsterdamer Viertel Zuidas. Der 91,4 m hohe Turm hat 25 Stockwerke und eine Nutzfläche von 34.000 m².

Von Anfang an ging es dem Architekten darum, mit herkömmlichen städtebaulichen Modellen zu brechen. Das Gebäude zeichnet sich durch eine Vielzahl verschiedener Ebenen aus, durch die Gitterstruktur vor der Fassade und die auf jeder Seite wechselnden Dimensionen.

Die Feuertreppe wurde zum entscheidenden Gestaltungselement: In einer offenen Spirale umläuft sie den gesamten Baukörper, betont dessen aufstrebende Dynamik und lässt an mehreren Stellen Außenräume entstehen, die sich wie kleine Gärten darstellen.

In der Nacht sorgt ein ausgeklügelte Beleuchtungssystem für eine dramatische Wirkung der drei Baukörper und hebt den Komplex aus seiner Umgebung heraus.

La tour de bureaux Mahler 4 Office est située dans le quartier de Zuidas, à Amsterdam. Haute de 25 étages, elle a une superficie de 34 000 m² et une hauteur de 91,4 m.

Depuis le début, le projet avait pour objectif de rompre avec les modèles traditionnels du design urbain local. L'édifice se caractérise par ses multiples niveaux et sa structure en grillage qui recouvre les façades et qui change de dimensions selon le type de projet.

L'escalier de secours accentue le dynamisme ascendant du bâtiment. En plein air, il permet de suivre le parcours en spirale autour de l'œuvre architecturale. Ainsi, les espaces extérieurs prennent l'allure de petits jardinets.

La tour s'illumine de manière particulière. La nuit, l'escalier, ainsi que les trois parties composant la construction, sont éclairés de forme théâtrale afin de mettre en valeur les bâtiments adjacents.

De Mahler 4 Office Tower is een kantoorgebouw aan de Amsterdamse Zuidas. De 91,4 m hoge toren heeft 25 verdiepingen, met een totaal vloeroppervlak van 34.000 m². Het ontwerp beoogde te breken met de traditionele modellen van stedelijk ontwerp. Het gebouw wordt gekenmerkt door een verscheidenheid aan niveaus en een getraliede structuur aan de gevels die de omvang ervan wijzigt afhankelijk van het gezichtspunt.

De brandtrap is het belangrijkste element en versterkt de opgaande lijn van het gebouw. Omdat het een buitentrap is, kan hij zich als het ware om het bouwwerk heen slingeren. Hierdoor zijn buitenruimten gecreëerd die als kleine tuinen fungeren.

De toren wordt op een speciale manier verlicht: 's nachts zijn de trap en de drie componenten van het complex theatraal verlicht, waardoor het geheel meteen opvalt tussen de omringende gebouwen.

The fire escape is the true star of the office block. The architects set it on the outside to create spaces that function as gardens or external additions at each level. Because of its characteristics, the building blends seamlessly into the city's historical quarter.

Die Feuertreppe spielt eine entscheidende Hauptrolle bei diesem Bürogebäude. Die Architekten beschlossen, sie nach außen zu verlegen, sodass auf jedem Geschoss Räume entstehen, die wie kleine Gärten wirken. Das Gebäude befindet sich in einem Stadtteil zwischen der Altstadt und dem Flughafen.

L'escalier de secours est devenu l'élément principal de cet immeuble de bureaux. Les architectes décidèrent de l'installer à l'extérieur afin de créer des espaces fonctionnant comme des jardins ou des annexes extérieures à chaque niveau. Grâce à ses caractéristiques, le bâtiment s'intègre naturellement dans le centre historique de la ville.

De brandtrap is de hoofdrolspeler van de kantoortoren geworden. De architecten besloten de trap aan de buitenkant te plaatsen; zo ontstaan er ruimten die als tuinen fungeren of als uitwendige toevoegingen. Door zijn kenmerken gaat het gebouw een natuurlijke fusie aan met het historisch centrum van de stad.

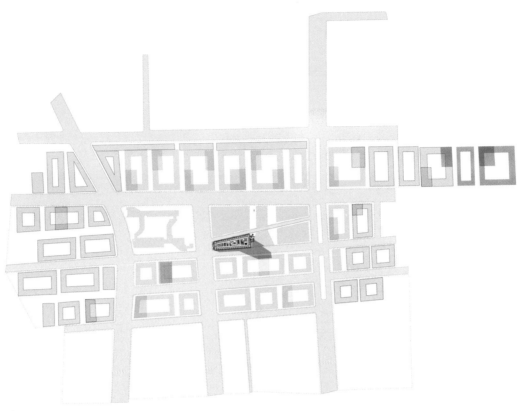

Site plan

VM Houses

Copenhagen, Denmark

ARCHITECT
PLOT = BIG + JDS
www.big.dk

COLLABORATORS AND OTHERS
Hopfner A/S, dansk Olie Kompagni A/S (clients); Moe
Og Brødsgaard structure and mechanicals (engineers)

DIMENSIONS
Site area: 25 000 m² / 269 098 sq ft

PHOTO
© Jasper Carlberg, Tobias Toyberg

The V and M buildings owe their name to their original morphology, clearly appreciable from above. The center of the V block volume was moved north, while building M has a zigzag floor plan. They are located in the Ørestad district of Copenhagen, which is densely populated and has areas of open fields. The residential complex is composed of 240 properties with magnificent views and abundant natural light.

A garden meanders between the two buildings and communicates with the park to the south via the open, aboveground passage under block V. At the western end, the perfect geometry is broken with the construction of a two-story volume adjacent to building M.

In volume V the height gradually falls from 118 ft at the western end to 55 ft on the opposite side. In building M the height descends in a stepped fashion with blocks of eleven, nine, seven, and five stories.

Die Häuser V und M verdanken ihren Namen den originellen Formen der Grundrisse, die aus der Luft erkennbar sind. Der Schwerpunkt des V-Blocks wurde nach Norden verschoben, während der M-Block einen Zick-zack-Grundriss aufweist. Die Gebäude befinden sich in Ørestad, einem dicht besiedelten Stadtteil von Kopenhagen, der aber auch freie Flächen aufweist. Die Wohnanlage umfasst 240 Wohnungen mit herrlicher Aussicht und viel Tageslicht.

Zwischen den Gebäuden wurden ein sich schlängelnder Garten angelegt, der über einen unter Haus V gelegenen erhöhten Durchgang mit dem Park im Süden verbunden ist. Am westlichen Ende der Anlage unterbricht der zweigeschossige Anbau an Haus M die perfekte Geometrie.

Die Höhe von Haus V nimmt von West nach Ost kontinuierlich ab: von 36 m bis 17 m. Die Höhe von Haus M reduziert sich stufenweise von elf auf neun, sieben und schließlich fünf Stockwerke.

Les maisons VM doivent leur nom à leur forme originale, que l'on remarque clairement vue du ciel. Le centre du bloc V a été décalé vers le nord et le bâtiment M présente une base en zigzag. Ils sont situés à Ørestad, un quartier de Copenhague très peuplé et doté d'espaces ouverts. Le complexe résidentiel se compose de 240 logements, ayant une vue magnifique et une lumière naturelle abondante.

Entre les deux bâtiments se trouve un jardin au tracé sinueux qui communique avec le parc situé au sud par une allée ouverte et élevée sous le bloc V. Du côté ouest, la géométrie parfaite est rompue par la construction d'un volume de deux étages adjacent à l'édifice M.

Dans le bâtiment V, la hauteur diminue progressivement, allant des 36 m sur le côté ouest jusqu'aux 17 m de l'autre côté. Pour le bâtiment M, la hauteur s'échelonne avec des blocs de 11, 9, 7 et 5 étages.

De V- en M-gebouwen danken hun naam aan de originele morfologie die vanuit de lucht goed te zien is. Het midden van het V-blok is naar het noorden verplaatst en het M-gebouw heeft een zigzaggend grondplan. Ze liggen in Ørestad, een dichtbevolkt district van Kopenhagen met stukken open veld. Het wooncomplex bestaat uit 240 lichte woningen met een schitterend uitzicht.

Tussen de gebouwen door slingert zich een tuin die met het aan de zuidkant gelegen park is verbonden via een open, verhoogde doorgang onder het V-blok. Aan het westelijke uiteinde wordt de perfecte geometrie doorbroken door een bouwwerk van twee verdiepingen dat aan het M-gebouw grenst.

In de V-component neemt de hoogte geleidelijk af van 36 m aan de westkant tot 17 m aan het andere uiteinde. In het M-gebouw wordt de hoogte trapsgewijs minder, met blokken van elf, negen, zeven en vijf verdiepingen.

All of the apartments in building V are double-height and enjoy panoramic views from the south façade. By contrast, the homes in block M are a reinterpretation of Le Corbusier's *unité d'habitation*, characterized by three basic types: two duplexes and one triplex which fit together like pieces in a three-dimensional jigsaw.

Alle Appartements im Gebäude V sind zweigeschossig und verfügen über einen weiten Ausblick von der Südfassade. Die Wohnungen im Haus M dagegen können als eine Neuinterpretation der „unité d'habitation" von Le Corbusier aufgefasst werden: Maisonnetten mit zwei bzw. drei Ebenen, die wie ein dreidimensionales Puzzle angeordnet sind.

Tous les appartements situés dans le bâtiment V sont de deux étages et ont une vue panoramique sur le versant sud. En revanche, les logements du bloc M sont une adaptation de l'unité d'habitation chère au Corbusier, caractérisée par trois éléments essentiels : deux duplex et un triplex qui s'emboîtent comme les pièces d'un puzzle.

Alle appartementen in het V-complex zijn dubbelhoog en hebben aan de zuidgevel een panoramisch uitzicht. De woningen in het M-blok zijn daarentegen een herinterpretatie van Le Corbusiers *unité d'habitation*, met drie basistypes: twee duplex en een triplex die als driedimensionale puzzelstukken in elkaar passen.

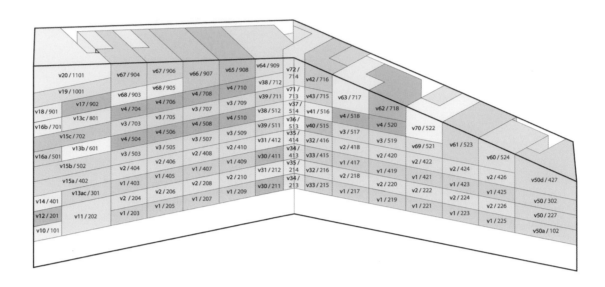

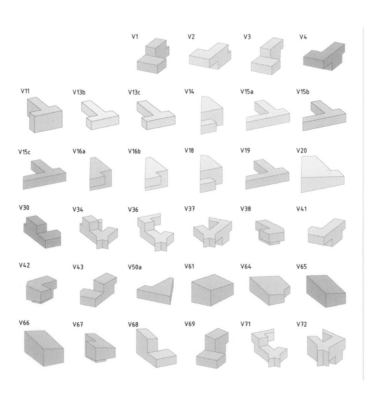

Building V modules

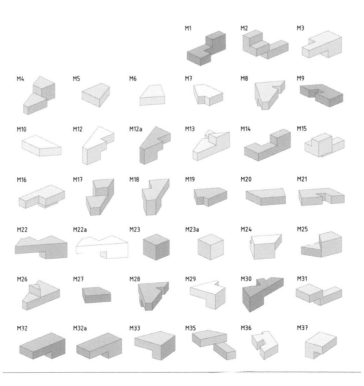

Building M modules

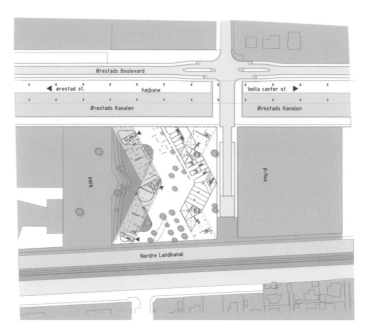

Site plan

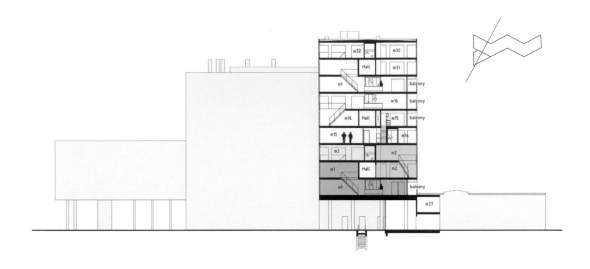

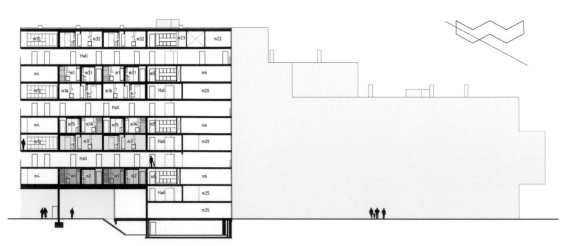

Building M cross sections with module typology

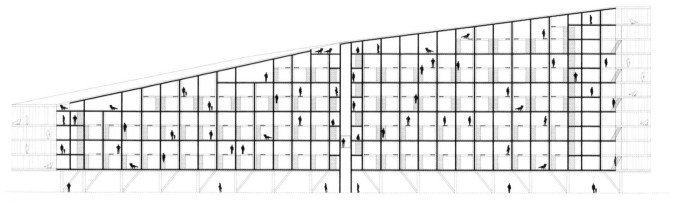

Building V longitudinal section

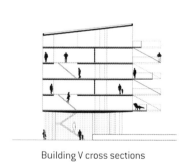

Building V cross sections

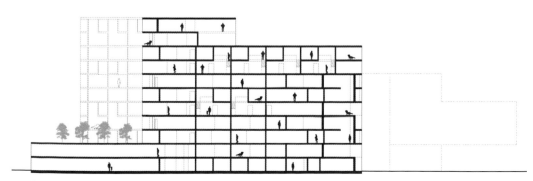

Building M longitudinal section

Viikki Church

Helsinki, Finland

ARCHITECT

Samuli Miettinen/JKMM Architects
www.jkmm.fi

COLLABORATORS AND OTHERS

Päivi Meuronen (interior architect); Janne Järvinen,
Hella Hernberg, Teemu Toivio, Johanna Ojanlatva,
Johanna Rope, Sini Kukkonen (project team); Jyrki
Sinkkilä/Molino Ltd (landscape architect); Jukka Ukko,
Jani Pitkänen/Ylimäki & Tinkanen Ltd (structural
engineering); Tero Aaltonen, Sami Lampinen/Matti
Ollila (prefab wall elements)

DIMENSIONS

Site area: 3 411 m² / 36 716 sq ft
Built-up area: 1 392 m² / 14 983 sq ft

PHOTO

© Jussi Tiainen, Arno de la Chapelle, Kimo Räisänen

A multi-phase urban regeneration plan was rolled out in one of the most important areas of the Finnish capital. The Viikki Church was built on a space between various buildings, a park, and a market.

When it came to establishing the design, the architects opted for the concept of prefabrication. They used prefabricated elements for the construction and shored them up. For example a number of isolating exterior walls were added to the pillars and the ceiling beams were reinforced with panels.

Nature and the Finnish landscape inspired the creation of the exterior design: the Finnish forest gives an image of spirituality in line with the feeling of the architectural ensemble. Inside various types of wood were used with the goal of achieving an atmosphere of reflection and mediation.

Im Rahmen eines phasenweise verwirklichten stadtplanerischen Projekts in einem der wichtigsten Viertel der finnischen Hauptstadt wurde die Viikki-Kirche errichtet. Ihr Standort liegt zwischen einem Park, einem Markt und weiteren Gebäuden.

Schon in der Planungsphase beschlossen die Architekten, mit vorgefertigten Bauteilen zu arbeiten. In der Tat wurde die Kirche dann aus Fertigteilen errichtet, die vor Ort verstärkt wurden. So erhielten die Stützen eine isolierende Ummantelung und die Dachbalken wurden mit Brettern verstärkt.

Der Entwurf zeigt klar den Einfluss der finnischen Landschaft auf die Gestalt des Außenbaus: So kommt die Spiritualität des Waldes in der Verkleidung mit Holzschindeln zum Ausdruck. Im Inneren kamen verschiedene Holzarten zum Einsatz, um eine angenehme Atmosphäre zu schaffen, die zum Nachdenken und Meditieren einlädt.

Dans l'un des quartiers les plus importants de la capitale finlandaise, un projet urbain se développe progressivement qui inclut la construction de l'église Viikki, située près de plusieurs bâtiments, d'un parc et d'un marché.

Les architectes ont décidé d'utiliser le concept du préfabriqué. Ainsi, des pièces de construction préfabriquées ont été utilisées pour renforcer l'édifice. Par exemple, des murs extérieurs isolants ont été ajoutés aux piliers et des panneaux aux poutres du toit.

La nature et le paysage finlandais ont inspiré le design extérieur : l'ensemble architectural est en parfait accord avec la sensation de spiritualité que dégage la forêt finlandaise. À l'intérieur, différents types de bois ont été utilisés afin de renforcer l'atmosphère de réflexion et méditation.

Voor een van de belangrijkste sectoren van de Finse hoofdstad werd besloten tot een gefaseerd project voor stadsherstel. De Viikki-kerk is gebouwd op een locatie gelegen tussen diverse gebouwen, een park en een markt.

Bij het vaststellen van het ontwerp besloten de architecten uit te gaan van systeembouw. Ze gebruikten geprefabriceerde elementen voor de bouw en versterkten die. Tegen de pilaren werden bijvoorbeeld isolerende buitenmuren aangezet en de dakbalken zijn versterkt met panelen. De natuur en het Finse landschap vormden de inspiratiebron voor het ontwerp van het exterieur: het Finse bos heeft een spirituele uitstraling die overeenkomt met het gevoel dat het architectonische complex oproept. Binnen zijn verschillende houtsoorten gebruikt om een beschouwende, meditatieve sfeer te bewerkstelligen.

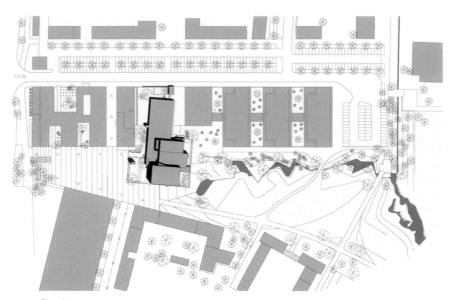

Site plan

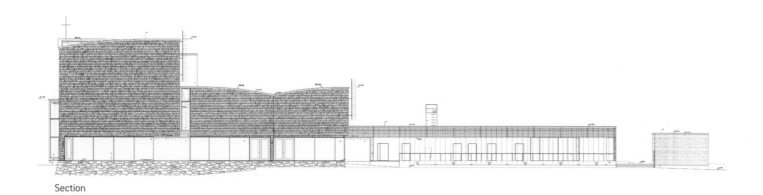

Section

Modernity merges with tradition in the design of this spiritual ensemble. Tradition in the construction of wooden churches has been used in combination with ecological criteria. Different types of wood are used and presented in diverse forms, such as the spruce boards treated with bleach to facilitate cleaning.

Bei der Gestaltung dieses geistlichen Zentrums wurden Moderne und Tradition vereint, indem die traditionelle Holzbauweise mit heutigen ökologischen Kriterien kombiniert wurde. Für unterschiedliche Funktionen wurden jeweils andere Holzarten eingesetzt, wie z.B. gebleichtes, leicht zu reinigendes Fichtenholz.

Le design de cet ensemble spirituel conjugue modernité et tradition. La tradition dans la construction de l'église en bois réunit un ensemble de critères écologiques. On a utilisé différents types de bois de formes variées comme l'épicéa traité à l'eau de Javel afin de faciliter son nettoyage.

Moderniteit en traditie komen samen in het ontwerp van dit spirituele ensemble. Er is sprake van een combinatie van de traditionele houten kerkbouw en ecologische criteria. Er zijn diverse houtsoorten gebruikt in meerdere toepassingen, zoals vurenhout behandeld met loog om het schoonmaken te vergemakkelijken.

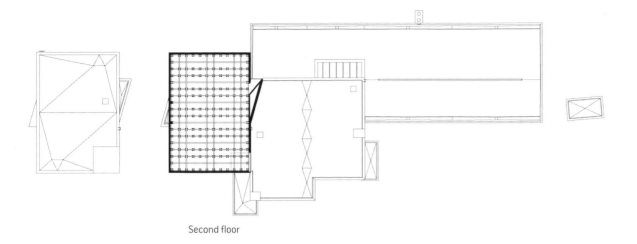

Second floor

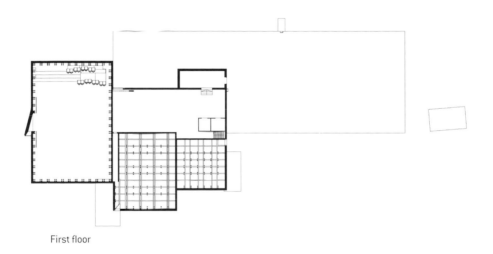

First floor

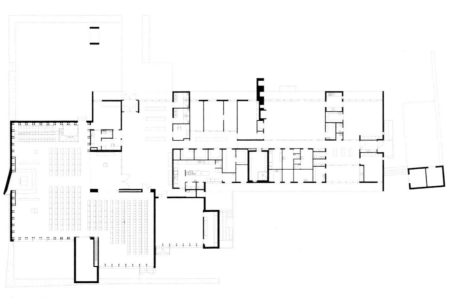

Ground floor

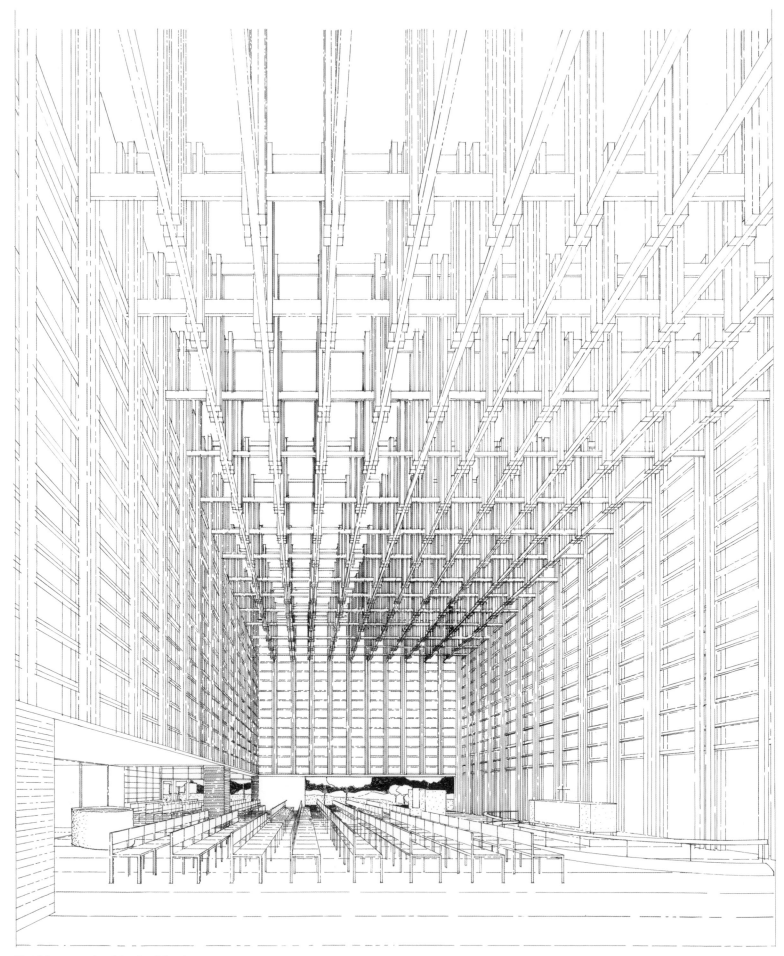

Sketch in perspective of the church interior

The extensive use of wood is not coincidental as the architects decided to use it to give the ensemble a natural and spiritual character. The pews, furniture, and lamps were created by the same architects to satisfy the needs of the parish center.

Die Verwendung von Holz als vorherrschendem Baumaterial entspricht dem ausdrücklichen Wunsch der Architekten, dem religiösen Bauwerk einen natürlichen Charakter zu verleihen. Auch die Bänke, die Möblierung und die Lampen wurden von den Architekten entsprechend den Bedürfnissen der Gemeinde entworfen.

L'utilisation massive du bois n'est pas un hasard : les architectes l'ont choisi afin de donner à l'ensemble un caractère naturel et spirituel. Les bancs, le mobilier et les lampes ont été conçues par les mêmes architectes afin de satisfaire les besoins de la paroisse.

Het overvloedige gebruik van hout is geen toeval, aangezien de architecten het geheel door toepassing ervan een natuurlijk en spiritueel karakter wilden geven. De kerkbanken, het meubilair en de lampen zijn door dezelfde architecten ontworpen om te voorzien in de behoeften van het parochiecentrum.

South elevation

Elevation of the church and parish center from the square

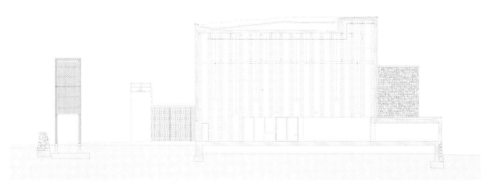

Cross section

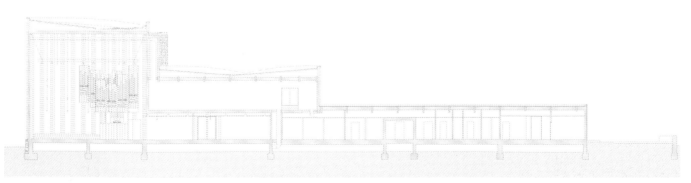

Longitudinal section

New Terminal of the Köln-Bonn Flughafen

Cologne, Germany

ARCHITECT

Murphy / Jahn Architects; Heinle, Wischer und Partner
www.murphyjahn.com
www.heinlewischerpartner.de

COLLABORATORS AND OTHERS

Flughafen Köln-Bonn (client); IH
Ingenieurgemeinschaft Höpfner GmbH (engineering);
Ove Arup & Partners (steel); Werner Sobek Ingenieure
GmbH (structure of the façade); Zimmermann +
Schrage KG (mechanics); Institüt für Fassadentechnik
IFFT (façade); Peter Andres (lighting); ICM Airport
Technics (baggage); Prof. Karlsch (security)

DIMENSIONS

69 000 m² / 742.710 sq ft

PHOTO

© H. G. Esch

As well as increasing the airdrome's capacity, this second terminal of the German airport involved the incorporation of two new parking areas, a two-level connection to join the two terminals and an underground local and interurban train station.

The new structure is vertically organized in different levels, distributed bottom to top in the following fashion: the two lower floors are given over to the underground train station; the next floor up has the arrivals lounge, boarding gates and duty-free stores, followed by the connections to the parking lots, and finally, the top floor has the departures lounge.

The elongated building extends in a U shape from one of the arms of the old terminal. The new building was constructed with steel and prefabricated glass components so that the walls and ceiling are transparent and light.

Die Errichtung des zweiten Abfertigungsgebäudes zur Erweiterung der Kapazität dieses Flughafens umfasste auch zwei neue Parkhäuser, einen zweigeschossigen Verbindungstrakt zwischen den beiden Terminals und einen unterirdischen Bahnhof für Vorort- und Intercityzüge.

Der Neubau ist in unterschiedliche Ebenen gegliedert. Von unten nach oben: In den zwei untersten Geschossen befinden sich die unterirdischen Bahnhöfe, darüber liegen die Eingangshalle des Ankunftsbereichs, die Ausgänge zu den Flugsteigen, die Duty-free-Geschäfte sowie der Übergang zu den Parkhäusern; auf der obersten Ebene schließlich befindet sich die Vorhalle des Abflugbereichs.

Von einem Flügel des alten Abfertigungsgebäude ausgehend bildet der Neubau den verlängerten Arm eines U. Der Terminal 2 wurde vor allem aus Stahl- und Glasfertigteilen errichtet, sodass ein leicht und transparent wirkendes Gebäude entstanden ist.

En plus d'augmenter la capacité de l'aérodrome, ce second terminal de l'aéroport allemand comporte deux nouveaux parkings, une connexion sur deux niveaux reliant les deux terminaux, ainsi qu'une gare souterraine de trains locaux et interurbains.

La nouvelle structure est verticale et s'organise sur plusieurs niveaux de la manière suivante : les deux étages inférieurs sont occupés par la gare ferroviaire souterraine ; l'étage du dessus comporte le hall d'arrivées, les portes d'embarquements et les boutiques *duty free*, suivies de l'accès aux parkings ; le dernier niveau correspond au hall des départs.

Depuis l'une des ailes de l'ancien terminal, le bâtiment se prolonge en forme de U. Le nouvel édifice a été conçu à partir de composants préfabriqués en acier et en verre. De cette manière, les murs et le toit sont légers et transparents.

Naast het vergroten van de vliegcapaciteit voorzag deze tweede terminal van de Duitse luchthaven in de inlijving van twee nieuwe parkeerzones, een verbinding op twee niveaus tussen beide terminals en een ondergronds treinstation voor lokale verbindingen en intercity's.

De nieuwe constructie is verticaal georganiseerd op diverse niveaus, die van beneden naar boven als volgt verdeeld zijn: de twee onderste niveaus worden in beslag genomen door het ondergrondse station, daarboven bevinden zich de aankomsthal, de incheckbalies en de dutyfree-winkels, gevolgd door de doorgang naar de parkeerzones. Op het hoogste niveau is de vertrekhal.

Vanuit een uitloper van de oude terminal strekt zich het langgerekte, U-vormige gebouw uit. De nieuwe bebouwing is opgetrokken uit prefabcomponenten van staal en glas, zodat de wanden en het dak transparant en licht zijn.

The use of glass both on the exterior and interior not only conveys a feeling of lightness but protects against inclement weather, facilitates heat absorption and humidity indoors and out and acts to muffle noise. Light glass and steel are used above all on the façade and in the horizontal and vertical connections.

Der Einsatz von Glas sowohl an der Fassade als auch im Innenausbau vermittelt den Eindruck der Leichtigkeit, dabei wird die wärmende Sonneneinstrahlung genutzt und zugleich ein Schutz vor ungünstigen Witterungsbedingungen und dem Fluglärm erreicht. Stahl und Glas wurden vor allem an der Fassade und bei den vertikalen und horizontalen Verbindungselementen verwendet.

L'utilisation du verre, à l'extérieur comme à l'intérieur, transmet une sensation de légèreté et protège des intempéries tout en facilitant l'absorption de la chaleur et de l'humidité intérieure et extérieure. Le verre agit également comme un filtre acoustique. Le verre fin et l'acier sont utilisés pour la façade, ainsi que pour les accès horizontaux et verticaux.

De toepassing van glas in het exterieur en het interieur zorgt niet alleen voor een lichte uitstraling, maar beschermt ook tegen slecht weer, vergemakkelijkt warmte- en vochtabsorptie binnen en buiten en fungeert als geluidsdemper. Glas en staal zijn vooral toegepast in de voorgevel en in de horizontale en verticale verbindingen.

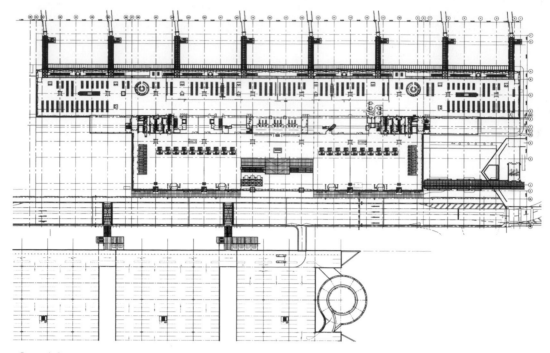

General plan

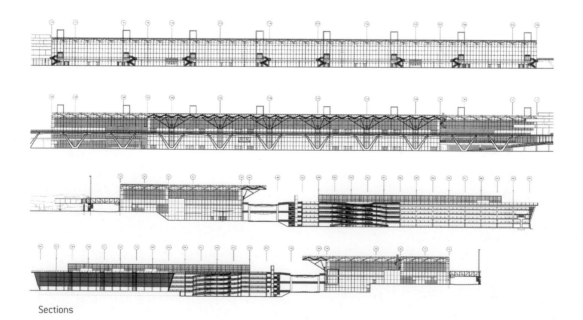

Sections

The building comprises a module with a 98 × 98-ft structural framework. This module supports a continually folded sheet built from panels superimposed on the roof. Prefabricated steel has been used to emphasize the transparency and lightness of these installations.

Das Gebäude besteht aus einem Modul mit einem konstruktiven Strukturraster von 30 × 30 m. Über diesem Modul liegt die stützenlose, gefaltete Dachkonstruktion aus Stahl und Glas. Durch Bauweise und Materialauswahl konnte dem Bau Transparenz und Leichtigkeit vermittelt werden.

Le bâtiment se compose d'une structure de treillis de 30 × 30 m. Cette structure soutient une plaque pliée construite avec des panneaux superposés sur le toit. L'acier préfabriqué met en valeur la transparence et la légèreté des installations.

Het gebouw bestaat uit een structuurmodule van 30 × 30 m. Deze module ondersteunt een voortdurend omgevouwen plaat die een dak vormt van opeenvolgende panelen. Het geprefabriceerde staal is toegepast om de transparantie en lichtheid van deze installaties te benadrukken.

Deutsche Post

Bonn, Germany

ARCHITECT

Murphy / Jahn Architects
www.murphyjahn.com

COLLABORATORS AND OTHERS

Deutsche Post Bauen GmbH (client); Werner Sobek
Ingenieure GmbH, Hock + Reinke (structure);
Transsolar Energietechnik GmbH (energy/comfort);
Brandi Consult GmbH (mechanization); Heinle,
Wischer und Partner (architect on site); Peter Walter
& Partners (landscape architect); Prof. Weiss
& Partner (manager); L-Plan, Michael Rohde (lighting
consultant); AIK Expeditions Lumiere, Yann Kersalé
(artistic lighting); DS-Plan (façade consultant);
Horstmann + Berger (building); BPK (safety
consultant); Jaspeen + Stangier GmbH (elevator
consultant); Jessberg + Partner (solar engineering);
Gottfried Hansjakob, Wolfgang Roth (associated
landscape architects)

DIMENSIONS

73 500 m² / 791 158 sq ft

PHOTO

© Atelier Altenkirch, Andreas Keller, H. G. Esch

The tower faces the Rhine and the German city of Bonn. It stands out on the skyline because of its original oval structure divided in two. The two wedges are not only separated by a distance of 23 ft but are slightly displaced in axis and unaligned. They are linked via a number of gardens that function as small greenhouses and are where the vertical traffic flows. The original floor plan minimizes the negative effects of the wind because of the aerodynamic design.

The façade structure is formed of a double skin with a 12-inch space that permits natural ventilation. The exterior framework is glazed and protects the building from the rain, wind, and noise, as well as optimizing the natural light. The reinforced concrete structure features a comprehensive heating and cooling system.

Das in Bonn stehende Hochhaus ist zum Rhein hin ausgerichtet. Die auffällige Silhouette zeigt die zweigeteilte ovale Struktur. Die beiden Gebäudekeile stehen etwa sieben Meter von einander entfernt und zwar nicht in einer Achse, sondern leicht gegeneinander verschoben. Miteinander verbunden sind sie durch eine Reihe von Gärten, die wie kleine Treibhäuser angelegt sind und der vertikalen Erschließung dienen. Aufgrund des aerodynamischen Designs der Bauten konnten die negativen Auswirkungen des Windes auf ein Minimum reduziert werden.

Die Fassade besteht aus einer Doppelhaut mit einem Zwischenraum von 30 cm, der die Luftzirkulation erlaubt. Die äußere Schicht ist verglast und schützt vor Regen, Wind und Lärm, während das natürliche Licht durchgelassen wird. In der tragenden Struktur aus Stahlbeton wurde ein Kühl- und Heizsystem integriert.

La tour est orientée vers le Rhin et la ville allemande de Bonn. Elle se distingue dans l'horizon grâce à sa structure originale ovale divisée en deux parties. Les deux cônes, éloignés de plus de 7 m l'un de l'autre, sont légèrement désaxés et en retrait. Ils communiquent par divers jardins fonctionnant comme des petites serres dans lesquelles ont été installées les circulations verticales. La forme originale de sa base réduit au minimum les effets négatifs du vent grâce à son design aérodynamique.

La façade double peau, avec un espace de 30 cm entre les deux façades, permet une ventilation naturelle. L'armature extérieure en verre protège l'édifice de la pluie, du vent et du bruit, en plus d'optimiser la lumière du jour. La structure en béton armé comprend un système intégral de chauffage et de climatisation.

De toren kijkt uit op de Rijn en op de stad Bonn. Hij valt in de skyline op door zijn originele structuur: een ovaal in twee delen. De twee wiggen staan niet alleen 7 m van elkaar af, maar zijn ook licht verplaatst langs de hoofdas en op die manier losgekoppeld. Ze zijn met elkaar verbonden via tuinen die als kleine serres fungeren en waar zich de verticale verkeersstroom afspeelt. De originele vorm van het grondplan reduceert de negatieve invloed van de wind tot een minimum dankzij het aerodynamische ontwerp.

De gevel bestaat uit een dubbele laag met 30 cm tussenruimte, die een natuurlijke ventilatie toestaat. Het buitenste skelet is beglaasd en beschermt het gebouw tegen regen, wind en lawaai, en staat daarnaast borg voor een optimale inval van daglicht. Het skelet van gewapend beton herbergt een integraal verwarmings- en koelingssysteem.

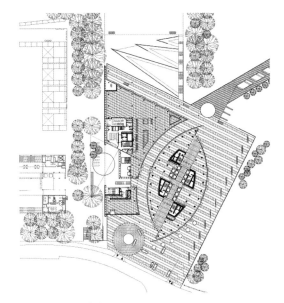

Ground level site plan

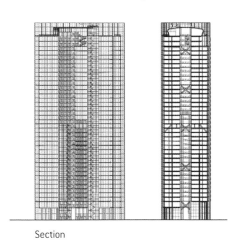

Section

12th floor

40th floor

The close collaboration between the client, architects, and lighting designers resulted in a building where shape, space, lighting, and materials play in perfect harmony. The transparency effect of the building emphasizes the goal of endowing it with a unique look.

Die enge Zusammenarbeit von Bauherrn, Architekten und Beleuchtungsdesignern ließ ein Gebäude entstehen, bei dem die Form, der Raum, die Beleuchtung und die Materialien sich in vollkommenem Einklang befinden. Vor allem der Wunsch nach Transparenz trug dazu bei, dem Bau eine ganz eigene Ästhetik zu verleihen.

L'étroite collaboration entre le client, les architectes et les designers de l'éclairage a permis la construction d'un bâtiment dans lequel la forme, l'espace, la lumière et les matériaux sont en parfaite harmonie. L'effet de transparence met l'accent sur la volonté de doter le bâtiment d'une esthétique propre.

De nauwe samenwerking tussen opdrachtgever, architecten en lichtontwerpers leverde uiteindelijk een gebouw op waarin vorm, ruimte, licht en materiaal in volmaakte harmonie zijn. Het transparante effect van het bouwwerk onderstreept de intentie het gebouw een uniek aanzien te geven.

EXPO Train Stations

Hannover, Germany

ARCHITECT
Despang Architekten
www.despangarchitekten.de

COLLABORATORS AND OTHERS
Transtec Bau Hannover (client); ARUP, Dr. Burmester,
Garbsen Partners (structural engineering); Fahlke
& Dettmer (lighting engineering)

DIMENSIONS
4-9 blocks making up each stop, measuring
3 m × 70 m / 9.8 ft × 230 ft

PHOTO
© Despang Architekten

In 1995, ÜSTRA Hannoversche Verkehrsbetriebe announced a tender to find an optimal solution for the new D-Süd route, a new public transport line that connects with the facilities built for the Expo 2000 Hannover.

The urban development program presented by the winning architecture firm consisted of three stations that communicate the most distant neighborhoods with the Expo pavilions, improve visitor access and create new infrastructures and services.

The station blocks were series-built but are all different at the same time. The block structure comprises a standard steel framework with a seat positioned inside. What makes each block different from the next are the external finishes, made from stone, brick, glass, wood, and metal.

Im Jahre 1995 schrieben die Hannoverschen Verkehrsbetriebe ÜSTRA einen Wettbewerb für die neue Linie D-Süd des öffentlichen Nahverkehrs zur Anbindung der neu zu errichtenden Bauten der Weltausstellung Expo 2000 in Hannover aus.

Das städtebauliche Projekt des Siegerentwurfs sah dreizehn Bahnhöfe vor, um die am weitesten entfernten Stadtteile mit den Ausstellungspavillons zu verbinden, den Zugang der Besucher zu verbessern und neue Infrastrukturmaßnahmen und Dienstleistungsbereiche zu schaffen.

Obwohl die Bahnhöfe in Serie errichtet wurden, unterscheiden sie sich voneinander. Die Grundstruktur der Wartehäuschen besteht aus einem Standardrahmen aus Stahl, in den die Sitze eingebaut werden. Die Bahnhöfe sind vor allem in ihrem äußeren Erscheinungsbild verschieden, das von Naturstein, Backstein, Glas, Holz bzw. Metall bestimmt wird.

En 1995, la ÜSTRA Hannoversche Verkehrsbetriebe a organisé un concours afin de trouver une solution optimale pour la route D-Süd, une nouvelle ligne de transport public qui connecte les installations érigées à l'occasion de l'Exposition Universelle de Hanovre 2000.

Le programme d'urbanisation présenté par le cabinet d'architecture ayant remporté le concours consistait en la création de treize gares reliant les quartiers les plus éloignés aux pavillons de l'Expo, ainsi qu'en l'amélioration de l'accès des visiteurs et la création de nouvelles infrastructures et services.

Construites en série, ces gares sont différentes les unes des autres. La structure des cabines consiste en un châssis standard en acier avec une assise intégrée. Chaque arrêt dispose d'une identité propre, grâce aux finitions extérieures, réalisées en pierre, en brique, en verre et en acier.

In 1995 schreef ÜSTRA Hannoversche Verkehrsbetriebe een wedstrijd uit om een optimale oplossing te vinden voor de nieuwe route D-Süd, een openbaarvervoerlijn die de voor de Expo 2000 in Hannover gebouwde faciliteiten met elkaar verbindt.

Het stedelijk ontwikkelingsplan zoals gepresenteerd door het winnende architectenbureau bestond uit het ontwerp van dertien stations die de meest afgelegen wijken verbinden met de paviljoens van de Expo en de toegankelijkheid voor bezoekers verbeteren en nieuwe infrastructuren en diensten creëren.

De stations werden in serie gebouwd, maar zijn tegelijkertijd allemaal verschillend. De opbouw van de wachthuisjes bestaat uit een standaard stalen frame met daarin een bankje. Wat de ene halte onderscheidt van de andere is de uitwendige afwerking, bestaand uit natuursteen, baksteen, glas, hout en metaal.

The architecture firm selected the materials for the block covers (long-lasting and rust-resistant) in line with the particular nature of the environment where the blocks are located and according to local vandalism figures. For example, stainless steel and copper are used in traditional local houses and integrated in the surrounding landscape.

Das Architekturbüro wählte das Material der Fassadenverkleidung der Bahnhöfe aufgrund des jeweiligen Charakters der Umgebung und der relativen Häufigkeit von Vandalismusschäden aus. Außerdem wurde auf Haltbarkeit und Rostfreiheit geachtet. Edelstahl und Kupfer passen sich an die traditionelle Bauweise der Häuser der Gegend an und fügen sich in die Landschaft ein.

Le cabinet d'architecture a sélectionné des matériaux durables et ne s'oxydant pas facilement pour le revêtement. Un second choix a ensuite été effectué en fonction du style architectural local et de la fréquence des actes de vandalisme. Par exemple, l'acier inoxydable et le cuivre ont été privilégiés car ils sont utilisés dans les maisons traditionnelles de la région et s'intègrent au paysage.

Het architectenbureau selecteerde de bekledingsmaterialen (duurzaam en roestvrij) overeenkomstig het karakter van de omgeving waar de stations liggen en rekening houdend met de plaatselijke vandalismecijfers. Roestvrij staal en koper komen bijvoorbeeld ook voor in de traditionele lokale huizen en gaan goed op in het landschap.

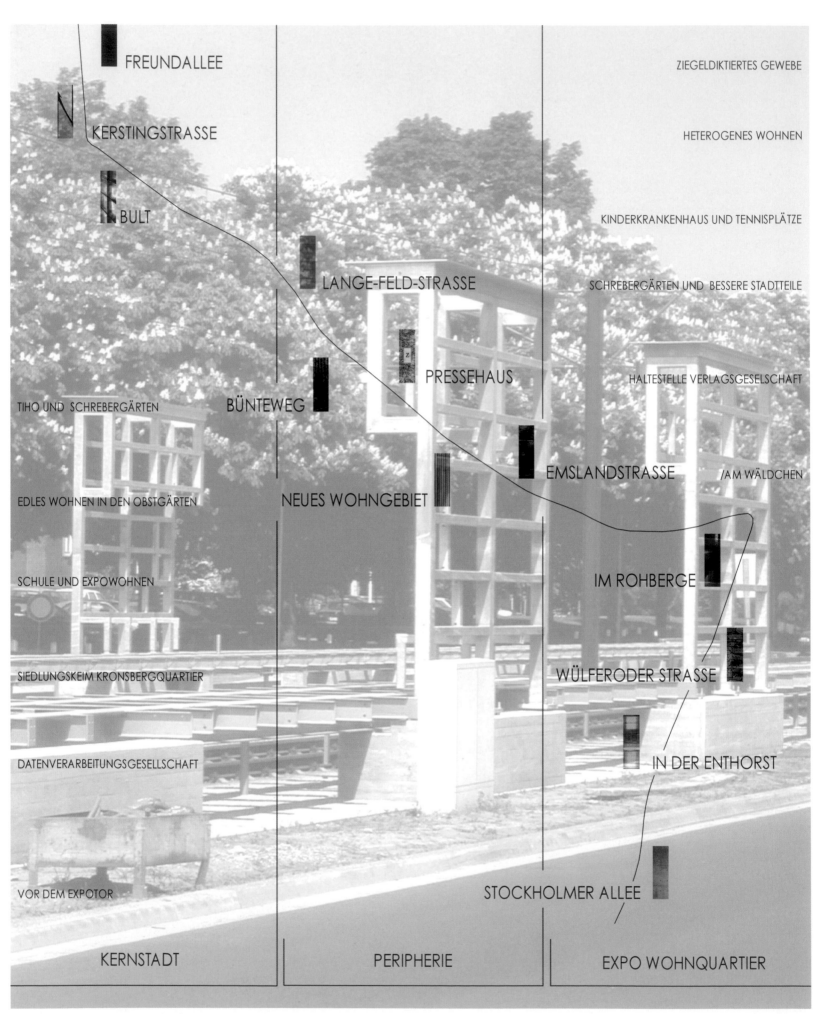

FREUNDALLEE

ZIEGELDIKTIERTES GEWEBE

KERSTINGSTRASSE

HETEROGENES WOHNEN

BULT

KINDERKRANKENHAUS UND TENNISPLÄTZE

LANGE-FELD-STRASSE

SCHREBERGÄRTEN UND BESSERE STADTTEILE

PRESSEHAUS

BÜNTEWEG

HALTESTELLE VERLAGSGESELSCHAFT

TIHO UND SCHREBERGÄRTEN

EMSLANDSTRASSE

/AM WÄLDCHEN

NEUES WOHNGEBIET

EDLES WOHNEN IN DEN OBSTGÄRTEN

IM ROHBERGE

SCHULE UND EXPOWOHNEN

SIEDLUNGSKEIM KRONSBERGQUARTIER

WÜLFERODER STRASSE

DATENVERARBEITUNGSGESELLSCHAFT

IN DER ENTHORST

VOR DEM EXPOTOR

STOCKHOLMER ALLEE

KERNSTADT

PERIPHERIE

EXPO WOHNQUARTIER

Train stations stops diagram

288

The train route is conceived to help users identify the stops. Each station is built with different materials and its simple design does not require high maintenance outlays. A small glass canopy in the waiting blocks protects passengers from inclement weather.

Der Streckenverlauf der Bahnlinie wurde so gestaltet, dass es den Fahrgästen leicht fällt, ihren Haltepunkt zu erkennen. Jeder Bahnhof ist aus anderen Materialien errichtet, wobei die schlichte Gestalt keinen hohen Instandhaltungsaufwand erfordert. Die Wartehäuschen verfügen über ein Glasdach, das die Fahrgäste vor Regen schützt.

Le parcours de la ligne de chemin de fer est conçu de façon à aider les usagers à reconnaître les arrêts. Chaque station est construite avec des matériaux différents. Leur conception est simple et ne requière pas un coût de maintenance élevé. Chaque arrêt comporte un petit abri en verre qui protège les usagers des intempéries.

Het traject is zo ontworpen dat de gebruikers de haltes gemakkelijk kunnen herkennen. Elk station is geconstrueerd met andere materialen en het eenvoudige ontwerp staat in voor lage onderhoudskosten. De wachthuisjes hebben een kleine glazen overkapping die de gebruiker beschutting biedt bij slecht weer.

Leonardo Glass Cube

Bad Driburg, Germany

ARCHITECT

3deluxe
www.3deluxe.com

COLLABORATORS AND OTHERS

Ingenierbüro Steinkemper (construction management,
realisation, statics); Schlaich, Bergermann und Partner
(façade planning); Metallbau Renneke (façade
construction); Laackmann Trockenbau (dry-
construction); Shapers KG (path network); Rosskopf
& Partner AG (genetics, furnishing); Kessler
Innenausbau (furnishing)

DIMENSIONS

1 200 m² / 12 917 sq ft

PHOTO

© Emanuel Raab, 3deluxe

After developing a number of temporary architectures and several virtual architectural concepts, the Leonardo Glass Cube is the first permanent building designed by the firm 3deluxe.
The client commissioned a building that would serve as a corporate symbol of the Leonardo
glass distribution firm. The result is an open floor plan and multifunctional space that contains
showrooms, meeting rooms, work areas, and other service zones.
From the inside, closely interrelated with the environment, the workers have a panoramic view
of the exterior thanks to the glass façade, interrupted only by the creation of organic-looking
fluting which extends toward the grass that surrounds the building. The interior design is characterized by a markedly futuristic and above all minimalist style.

Nachdem das Büro 3deluxe schon eine Reihe von temporären Bauten und mehrere Projekte vir-
tueller Architektur entworfen hatte, konnte es mit dem Leonardo Glass Cube sein erstes dauer-
haftes Gebäude verwirklichen.
Der Auftraggeber wünschte sich einen Bau, der sich als Symbol des Unternehmens darstellt, das
Glas liefert und den Namen Leonardo trägt. Entstanden ist ein Gebäude mit offenem, vielfältig zu
nutzendem Grundriss, in dem ein Ausstellungszentrum, Besprechungsräume, Arbeitsbereiche
und weitere Versorgungseinrichtungen untergebracht sind.
Dank der verglasten Fassade mit ihren organisch wirkenden Streben haben die Beschäftigten
einen weiten Ausblick auf die Umgebung. Diese Streben setzen sich in den Rasenflächen um das
Gebäude herum fort und stellen so eine Verbindung zur Außenwelt dar. Das Innere wurden minimalistisch, um nicht zu sagen futuristisch gestaltet.

Après avoir créé une série d'architectures éphémères et plusieurs projets virtuels, le Leonardo
Glass Cube est le premier bâtiment permanent créé par l'agence d'architecture 3deluxe.
Le client, l'entreprise de distribution de verre Leonardo, a commandé un bâtiment emblématique. Le résultat est un étage ouvert et multifonctionnel, divisé en zones de showroom, salles
de réunion, aires de travail et autres aires de services.
Depuis l'intérieur, étroitement connecté à l'environnement, les employés ont une vision panoramique de l'extérieur grâce à cette façade en verre arborant des motifs végétaux. Ces structures
se prolongent jusqu'à l'étendue de pelouse qui entoure le bâtiment. Le design intérieur se caractérise par un style futuriste et minimaliste.

Na het ontwerpen van een reeks tijdelijke architectuurprojecten en verschillende virtuele projecten was de Leonardo Glass Cube het eerste permanente gebouw dat architectenbureau 3deluxe
ontwierp.
De opdrachtgever wilde een gebouw als symbool voor het glasdistributiebedrijf Leonardo. Het
resultaat was een open, multifunctionele constructie die showrooms, vergaderzalen, werkruim-
ten en andere voorzieningen herbergt.
Het interieur onderhoudt een nauwe relatie met de omgeving en de werknemers hebben een
panoramisch uitzicht dankzij de beglaasde gevel, die slechts wordt onderbroken door een
patroon van organisch uitziende ribben. Deze structuren strekken zich uit tot op het grasveld
rondom het gebouw. Het interieurontwerp kenmerkt zich door een uitgesproken futuristische en
bovenal minimalistische stijl.

The transparency of the frontage permits a panoramic view of the exterior landscape that surrounds the building. The original organic shapes arranged on the façade exterior enable a spectacular play of light and shadows to be created inside, emphasized by the white walls and pillars.

Die Transparenz der Fassade erlaubt den ungehinderten Ausblick auf die umgebende Landschaft. Die außen angebrachten organischen Strukturen schaffen im Inneren ein interessantes Spiel von Licht und Schatten, das an den weiß gehaltenen Wänden und Pfeilern besonders gut zur Geltung kommt.

La transparence de la façade permet une vue panoramique du paysage extérieur. Les motifs végétaux originaux disposés sur la façade permettent de créer un jeu de lumière spectaculaire à l'intérieur, mis en valeur par les parois et les piliers.

Door het transparante karakter van de gevel ontstaat een panoramisch uitzicht op de omgeving van het gebouw. De originele organische vormen aan de buitenzijde zorgen binnen voor een fascinerend spel van licht en schaduw, dat nog wordt versterkt door het wit van de muren en pilaren.

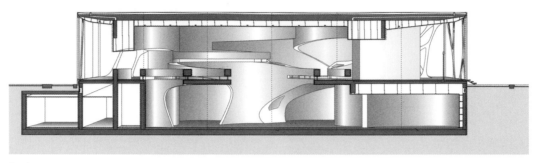

Section

NRGI Headquarters

Aarhus, Denmark

ARCHITECT
Schmidt Hammer Lassen Architects
www.shl.dk

COLLABORATORS AND OTHERS
NRGi a.m.b.a. (client); Hoffmann A/S (contractor);
LB Consult (engineer); Schmidt Hammer Lassen
Architects (landscape architects)

DIMENSIONS
5 065 m² / 54 519 sq ft

PHOTO
© Thomas Mølving

Thanks to its distinctive form featuring a façade built using a triangular geometric pattern of aluminum and glass panels, the new NRGI headquarters has become an architectural landmark on the outskirts of the Danish city of Aarhus. The company commissioned the creation of a building that would link the core values of Denmark's biggest electricity company. This project is considered the first office building constructed in the country in accordance with the new energy-saving regulations.

The design comprises a single metal, luminous volume that forms a significant contrast with the gentle environment in which it is located. The building's orientation makes it possible to maximize natural solar protection and minimize heat radiation. The three floors rise diagonally and create a feeling of movement, while at the same time wrapping around a bright and spacious central atrium.

Dank seiner ausgefallenen Formgebung mit der auf einem Dreiecksraster basierenden Fassade aus Aluminium- und Glaspaneelen ist der neue Firmensitz von NRGI in der Nähe des dänischen Aarhus zu einem architektonischen Meilenstein geworden. Das Unternehmen wünschte sich ein Gebäude, das auch nach außen die Grundwerte dieses größten dänischen Stromlieferanten vermitteln sollte. Der Bau gilt als das erste Bürogebäude des Landes, das gemäß den Richtlinien der neuen Energiespargesetze errichtet wurde.

Entstanden ist ein metallisch glänzender Baukörper, der im auffälligen Kontrast zur ländlichen Umgebung steht. Die Ausrichtung des Gebäudes erlaubt die maximale Nutzung des Sonnenlichts bei minimaler Wärmeeinstrahlung. Die drei Geschosse steigen diagonal an und rufen den Eindruck einer Bewegung hervor. Das Innere wird von einem lichtdurchfluteten Atrium beherrscht.

Grâce à sa forme unique, mise en valeur par une façade construite sur un schéma géométrique triangulaire en aluminium et des panneaux en verre, le nouveau siège de NRGI est devenu un point de repère architectural de la banlieue de la ville danoise de Aarhus. L'entreprise, la plus grande compagnie d'électricité du pays, a commandé la création d'un bâtiment devant transmettre ses valeurs. Ce projet est considéré comme le premier immeuble de bureaux construit dans le pays en suivant les nouvelles réglementations concernant l'économie d'énergie.

Le projet consiste en un seul bloc, métallique et lumineux, contrastant de manière considérable avec l'environnement paisible des alentours. L'orientation du bâtiment permet de maximiser la protection solaire naturelle et de minimiser le rayonnement de la chaleur. Les trois étages s'élèvent en diagonal et transmettent une sensation de mouvement autour d'un hall central, vaste et lumineux.

Dankzij zijn bijzondere vorm en opvallende gevel van driehoekige aluminium en glazen panelen is het nieuwe hoofdkantoor van NRGI beeldbepalend geworden in een buitenwijk van de Deense stad Aarhus. De onderneming liet een gebouw ontwerpen dat de waarden van het grootste elektriciteitsbedrijf van Denemarken zou overbrengen. Dit kantoorgebouw wordt gezien als het eerste van het land dat vervaardigd is conform de nieuwe energiebesparingwetten.

Het ontwerp bestaat uit één enkele metalen en lichtovergoten component die sterk contrasteert met de vriendelijke omgeving waarin het staat. De oriëntatie van het gebouw garandeert optimale bescherming tegen zonlicht en een minimaal verlies van stralingswarmte. De drie verdiepingen verheffen zich diagonaal en creëren een gevoel van beweging terwijl ze tegelijkertijd een lichtovergoten, ruime centrale hal omsluiten.

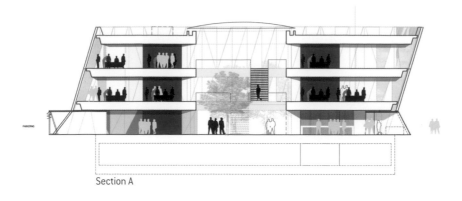

Section A

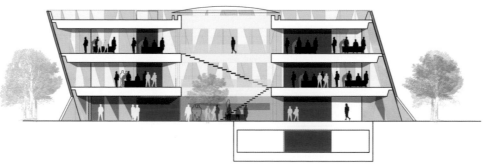

Section B

From the outside, the angular façade is perceived as a house of cards in which metal and glass triangular shapes combine. The dynamic exterior lines are repeated inside. The combination of concrete and wood provides a warm and elegant feel suitable for comfortable work.

Von außen wirkt die kantige Fassade mit ihren dreieckigen Metalle- und Glasformen wie ein Kartenhaus. Auch im Inneren setzt sich das außen vorherrschende Bild der Dynamik fort. Durch die Kombination von Beton und Holz wird eine schlichte, warme Atmosphäre geschaffen, in der es sich gut arbeiten lässt.

Depuis l'extérieur, la façade anguleuse ressemble à un château de cartes associant les formes triangulaires en métal et en verre. L'intérieur reprend l'aspect dynamique de l'extérieur. L'association du béton et du bois crée à une atmosphère chaleureuse et sobre, favorisant des conditions de travail idéales.

Buiten ziet de hoekige gevel eruit als een kaartenhuis waarin driehoeken van metaal en glas gecombineerd zijn. Binnen zie je deze dynamische leidraad van buiten terug. De combinatie van beton en hout schept een warme, sobere sfeer waarin het prettig werken is.

Site plan

305

Mercedes-Benz Museum

Stuttgart, Germany

ARCHITECT

UNStudio

www.unstudio.com

COLLABORATORS AND OTHERS

DaimlerChrysler Inmobilien DCI GmbH (client);
Prof. H. G. Merz. (museum design)

DIMENSIONS

Height: 47.5 m / 156 ft

Floors: 9

Total surface area: 53 000 m² / 570.487 sq ft

Ground plan surface area: 4 800 m² / 51.668 sq ft

Exhibition surface area: 16 500 m² / 177.605 sq ft

Interior space surface area: 210 000 m² / 2 260 421 sq ft

PHOTO

© Brígida González, Christian Richters

The new museum, built to showcase the 120-year history of Mercedes-Benz cars, is located in downtown Stuttgart, in Germany. Inside visitors can contemplate 160 cars and 1,500 unique parts displayed in an elliptical route covering nine floors.

The clients wanted an outstanding and original museum in harmony with the carmaker's core principles. As well as the main building, a number of annex spaces were built, such as the souvenir store, a restaurant, offices, and a reception area.

The wow factor of the main building lies in the futuristic design that evokes the double-spiral form of DNA. The exhibition route starts in a magnificent lobby from which visitors take the elevators to the top floor. Then there are two exhibition routes: a thematic one and one that constitutes a voyage through time.

Das neue Museum dokumentiert 120 Jahre Geschichte des Automobilherstellers Mercedes-Banz in Stuttgart. Die Einrichtung liegt vor den Toren der Stadt und zeigt 160 Kraftfahrzeuge sowie 1500 weitere Ausstellungstücke, die auf einem Rundgang durch die neun elliptischen Geschosse betrachtet werden können.

Die Auftraggeber wünschten sich ein außergewöhnliches Museum, das mit den Prinzipien der Marke im Einklang steht. Der Komplex umfasst außer dem eigentlichen Museum einen Laden, ein Restaurant, Büroräume und den Empfangsbereich.

Der spektakuläre Hauptbau erinnert in seiner doppelten Spirale an die Struktur der DNS. Der Rundgang durch die Ausstellung beginnt in der prächtigen Vorhalle, von der aus die Besucher mit Aufzügen in das oberste Geschoss gelangen. Von dort bieten sich dann zwei Möglichkeiten an: ein thematischer Rundgang oder ein Gang durch die Zeit.

Le nouveau musée, construit pour exposer les 120 ans d'histoire de la marque automobile Mercedes-Benz est situé à l'entrée de la ville de Stuttgart. À l'intérieur, 160 voitures et 1 500 pièces uniques sont exposées sur un parcours elliptique de neuf étages.

Les clients voulaient un musée remarquable et original, en accord avec les principes essentiels de la marque. En plus du bâtiment principal, plusieurs espaces annexes ont été construits, comme la boutique de souvenirs, le restaurant, les bureaux et la réception.

L'aspect spectaculaire du bâtiment principal réside dans le design futuriste évoquant la double spirale d'une molécule ADN. Le parcours de l'exposition commence par un hall grandiose dans lequel les visiteurs prennent les ascenseurs qui les mènent au point culminant du musée. À partir de là, il existe deux trajectoires : un parcours thématique et un voyage dans le temps.

Het nieuwe museum, gebouwd om de 120-jarige geschiedenis van autofabrikant Mercedes-Benz te tonen, ligt aan de invalsweg van het Duitse Stuttgart. Binnen kunnen 160 auto's en 1500 unica worden bekeken, tentoongesteld in een elliptische rondgang van negen niveaus.

De opdrachtgevers wilden een markant en origineel museum, in overeenstemming met de belangrijkste principes van het merk. Naast het hoofdgebouw zijn er diverse bijgebouwen, zoals de museumwinkel, een restaurant, de kantoren en de receptie.

De spectaculaire aanblik van het hoofdgebouw is een gevolg van het futuristische ontwerp, dat doet denken aan de dubbele DNA-spiraal. De routing van de expositie begint in een fantastische lobby waar de bezoekers de lift nemen naar het hoogste niveau. Vanaf dat punt zijn er twee tentoonstellingsroutes: een thematische rondgang en een reis door de tijd.

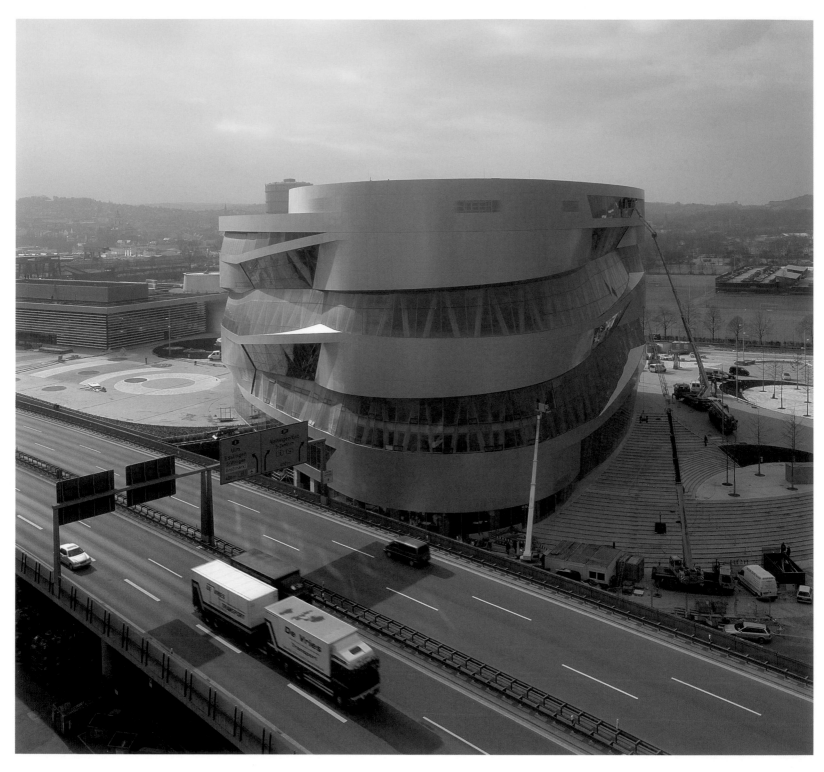

The exterior architectural structure is based on three superimposed circles in the center of which is a lobby. Different-sized triangular steel and glass sheets were used on the façade. These large windows composed of 1,800 panes of glass permit the entry of natural light from outside and provide a view of part of the interior.

Die äußere Form des Baus beruht auf drei sich überlappenden Kreisen, in deren Zentrum sich die Eingangshalle befindet. Für die Fassade wurden Stahlplatten und dreieckige Glasplatten verschiedener Größe verwendet. Die großflächige Verglasung besteht aus 1800 Scheiben und erlaubt den Eintritt des Tageslichts bzw. den Einblick von außen.

La structure architecturale extérieure se compose de trois cercles superposés dont le centre abrite le hall. Pour la façade, des plaques d'acier et de verre triangulaires de tailles différentes ont été utilisées. Ces imposantes baies vitrées composées de 1 800 vitres permettent à la lumière naturelle de pénétrer et laisse une partie de l'intérieur de la structure visible.

De constructie van de buitenzijde is gebaseerd op drie boven elkaar geplaatste cirkels met in het midden een lobby. Voor de gevel zijn stalen platen en driehoekige glaspanelen van verschillende grootte gebruikt. De enorme ramen, samengesteld uit 1800 glaspanelen, laten daglicht binnen en onthullen een deel van het interieur.

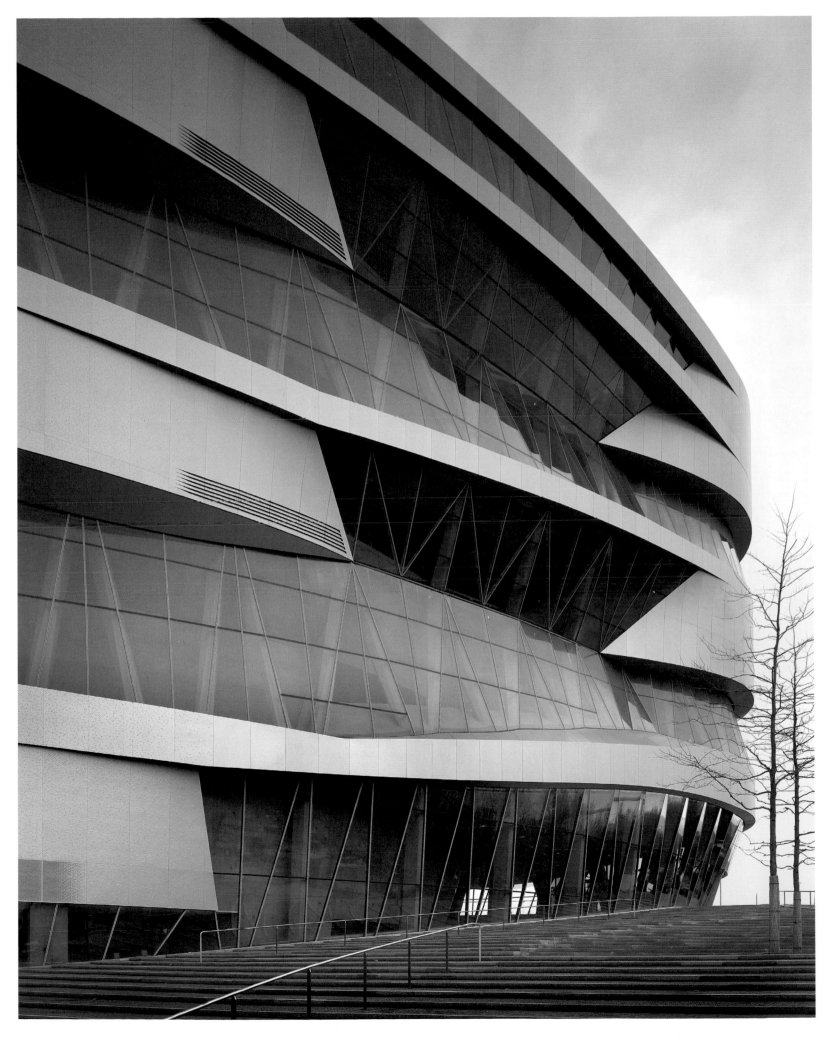

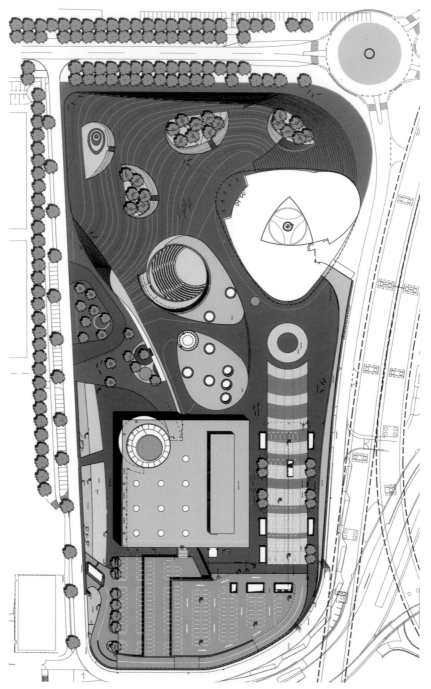

Site plan

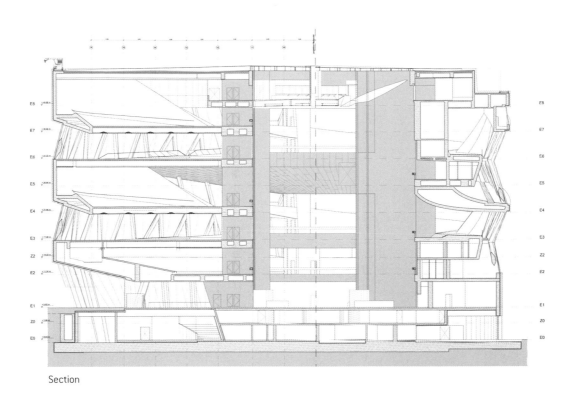

Section

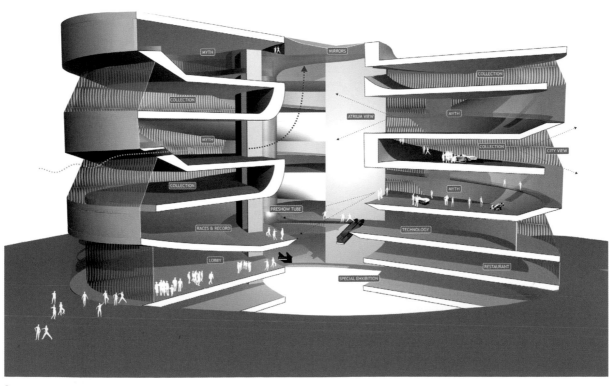

Computer-generated 3D section

The material most used inside is reinforced concrete, giving the architectural ensemble a minimalist look, despite the lavish exhibition. The seven rooms distributed over nine floors are strategically lit as theatrical spaces to emphasize the collection.

Das wichtigste Baumaterial ist Stahlbeton, wodurch das Gebäude trotz der reich ausgestatteten Ausstellung fast minimalistisch wirkt. Die über neun Stockwerke verteilten Ausstellungsräume sind so ausgeleuchtet, dass die Exponate ihre Wirkung wie auf der Bühne eines Theaters optimal entfalten können.

Le matériau d'excellence utilisé à l'intérieur est le béton armé, ce qui confère à l'ensemble architectural un aspect minimaliste, malgré le faste de l'exposition. Les sept salles réparties sur neuf étages sont éclairées de manière stratégique comme des espaces de théâtre, ce qui met en valeur la collection.

Het meest gebruikte materiaal binnen is gewapend beton, wat het complex een minimalistisch aanzien verleent, ondanks de pracht en praal van de expositie. De zeven zalen verdeeld over negen niveaus zijn strategisch verlicht als theatrale ruimten om de nadruk te leggen op de collectie.

München Airport Center (MAC)

Munich, Germany

ARCHITECT

Murphy / Jahn Architects
www.murphyjahn.com

COLLABORATORS AND OTHERS

Flughafen Munchen GmbH, MFG Delta KG and ALBA
GmbH (clients); Hochtief/Bauer Arge (rough
structure); Dobler (façade); Wolf/HEFI (roof); ROM
(mechanical); Siemens, Honeywell (electrical); Stingl
GmbH (plumbing); Sulzer Infra; Thyssen, Schindler
(elevators); Worching, Stegmuller (steel); Kohlhoefer +
Koltz (paving); HL-Technik (mechanical); Ove Arup
& Partners, Grebner GmbH, and Werner Sobek
Ingenieure GmbH (structural); Peter Walker & Partners
and Professor Rainer Schmidt (landscape)

DIMENSIONS

50 000 m² / 538 196 sq ft

PHOTO

© Engelhardt/Sellin

The MAC design was created to project a lively, noteworthy identity of its own. The clients wanted the airport design to be spectacular and at the same time representative of the Bavarian region, the city of Munich, and the airport itself. The main goal was to present a technological and modern city.

These intentions were materialized in the form of the roof, the lobby, the hallways, and the interior spaces. The built structure and the variety of landscapes configure a rich sequence of shapes, spaces, and colors. Particularly of note is the roof, which combines glassed-in diamond shapes with other opaque ones.

This building breaks the traditional divide between interior and exterior space to give way to a gradual transition that shifts from advanced technology to nature.

Das MAC wurde entwickelt, um eine eigene, unverwechselbare Identität zu schaffen. Die Bauherrn wünschten sich ein spektakuläres Design, das zugleich den Freistaat Bayern, die Landeshauptstadt München und den Flughafen repräsentieren sollte. Erklärtes Ziel war die Präsentation einer modernen, technikorientierten Stadt.

Diese Vorgaben kommen besonders in der Form des Daches, in der Eingangshalle, den Eingängen und den Innenräumen zum Ausdruck. Das architektonische Ensemble bietet eine Vielzahl von Räumen, Formen und Farben. Besondere Beachtung verdient das Dach mit seinen matten und durchsichtigen Rhomben.

Bei diesem Gebäudekomplex wird die traditionelle Unterscheidung von Innen- und Außenraum zugunsten eines fließenden Übergangs zwischen Hightech und Natur aufgehoben.

Le design du MAC a été conçu pour projeter une identité vivante et remarquable. Les clients souhaitaient que le design de l'aéroport soit spectaculaire et qu'il représente à la fois la région bavaroise, la grande ville de Munich et l'aéroport en lui-même. L'objectif principal a été de présenter une ville technologique et moderne.

Ceci se matérialisa dans la forme du toit, par le hall, par les portes et par les espaces intérieurs. La structure et la variété des paysages apportent un ensemble riche en formes, en espaces et en couleurs. La toiture est spécialement remarquable puisqu'elle combine des formes rhomboïdes transparentes et d'autres opaques.

Dans ce bâtiment, la séparation traditionnelle entre les espaces intérieurs et extérieurs est brisée afin de donner lieu à une transition graduelle allant de la technologie avancée vers la nature.

Het ontwerp van het MAC moest een eigen, levendige, markante identiteit gaan uitstralen. De opdrachtgevers wilden dat het ontwerp van de luchthaven spectaculair zou zijn, en tegelijkertijd representatief voor de Beierse regio, voor de stad München en voor de luchthaven zelf. Het hoofddoel was een technologische en moderne stad presenteren.

Deze voornemens vertaalden zich in de vorm van het dak, in de hal, in de corridors en in de binnenruimten. De gebouwde constructie en de verscheidenheid aan landschappen leveren samen een rijke opeenvolging van vormen, ruimten en kleuren op. Vooral het dak is markant, dat beglaasde en ondoorzichtige ruitvormen combineert.

Dit gebouw breekt met de traditionele scheiding tussen binnen- en buitenruimte. Daarvoor in de plaats is er een geleidelijke overgang van geavanceerde technologie naar natuur gekomen.

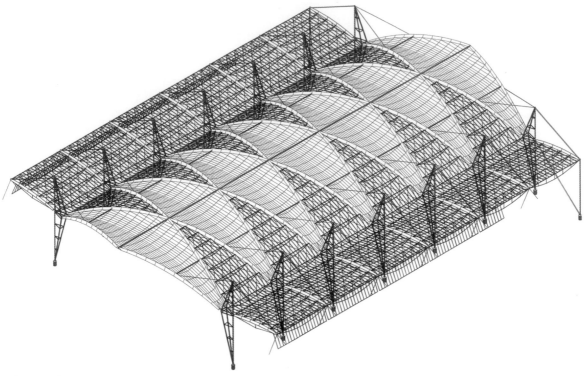

Axonometric

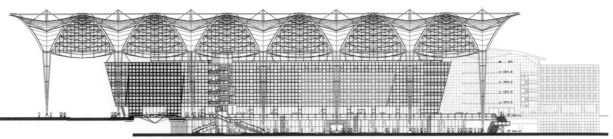

Forum section

The visible symbol from the area around the airport and the access highway is the roof. Its original glass structure defines the spatial orientation of the passenger terminal as well as creating its own order. The design was produced to give the airport personality.

Das Dach des Flughafenzentrums ist aus der Umgebung und vor allem von der Zugangsstraße aus sichtbar. Die originelle gewölbte Glasstruktur entspricht der räumlichen Ausrichtung des Abfertigungsgebäudes und schafft eine eigene Ordnung, indem sie dem Flughafen seinen besonderen Charakter verleiht.

Le symbole visible depuis les alentours et la rue est la toiture de l'aéroport. Sa structure originale en verre définit l'orientation spatiale du terminal des passagers, en plus de créer un ordre propre. Le but de cette conception était donner un certain cachet à l'aéroport.

Het zichtbare symbool vanuit de omgeving en vanaf de weg naar de luchthaven is het dak. De originele beglaasde structuur typeert de ruimtelijke oriëntatie van de reizigersterminal en creëert daarnaast een eigen orde. Het ontwerp is bedacht om de luchthaven een eigen identiteit te verschaffen.

Islamic Forum

Penzberg, Germany

ARCHITECT

Jasarevic Architects
www.b-au.com

COLLABORATORS AND OTHERS

Islamic Community Penzberg (client); Lutzenberger +
Lutzenberger, Mohammed Mandi (artists)

PHOTO

© Alen Jasarevic, Angelika Bardehle, Nursen Ozlukurt

A small Muslim community living in Penzberg, a little town south of Munich, commissioned the construction of a mosque. The architects decided on a thoroughly contemporary design to place on an outlying residential area of the city.

The building stands out for the spectacular entrance door and slender tower. The floor plan is in the shape of an L and contains diverse spaces allocated to a prayer room, common rooms, a library, and an apartment. On the outside, the façades clad in ivory-colored stone and glassed-in areas are of note. The installation of large glass panes permits the entry of light to sketch areas of light and shadow inside. Two concrete slabs are arranged at the entrance to simulate an open door with inscriptions welcoming visitors in Arabic and German, and the main door is built from stainless steel.

Die kleine muslimische Gemeinde in Penzberg, einer kleinen Stadt südlich von München, beauftragte ein Architekturbüro mit der Errichtung einer Moschee. Die Architekten legten einen zeitgenössischen Entwurf für das Gemeindezentrum in einem am Stadtrand gelegenen Wohnviertel vor.

Das Gebäude fällt durch das Eingangstor und den schlanken Turm auf. Der Grundriss in L-Form bietet Platz für den Betsaal, Gemeinschaftsräume, eine Bibliothek und eine Wohnung. Die Fassaden sind mit elfenbeinfarbenem Naturstein verkleidet und verfügen über Flächenfenster. Diese großzügige Verglasung erlaubt die Nutzung des Tageslichts, das Schattenspiele auf die Innenwände zaubert.

Das Eingangstor besteht aus zwei aufrecht stehenden Betonplatten, die eine geöffnete Tür symbolisieren und den Besucher in Inschriften auf Deutsch und Arabisch willkommen heißen. Die eigentliche Tür ist aus Edelstahl.

Une petite communauté musulmane résidente de Penzberg, une localité du sud de Munich, a sollicité la construction d'une mosquée. Les architectes ont opté pour un design très contemporain afin de l'intégrer dans une zone résidentielle autour de la ville.

Le bâtiment se distingue par sa spectaculaire porte d'entrée et sa tour très fine. Le rez-de-chaussée a la forme d'un L dans lesquels se situent une salle de prière, des salles communes, une bibliothèque, ainsi qu'un appartement. À l'extérieur, les façades sont revêtues de pierre de couleur ivoire et de baies vitrées. L'installation de grandes baies vitrées permet à la lumière de pénétrer et de dessiner à l'intérieur des zones d'ombre et de lumière.

Dans l'entrée sont disposées des dalles en béton représentant une porte ouverte avec des inscriptions en arabe et allemand pour accueillir les visiteurs. La porte principale, elle, est construite en acier inoxydable.

Een kleine moslimgemeenschap in Penzberg, een stadje ten zuiden van München, gaf opdracht tot de bouw van een moskee. De architecten besloten tot een hypermodern ontwerp en plaatsten het in een woonwijk aan de rand van het stadje.

Het gebouw valt op door de spectaculaire toegangsdeur en de slanke toren. Het grondplan is L-vormig en herbergt diverse vertrekken, zoals een gebedsruimte, gemeenschappelijke ruimten en een bibliotheek. Aan de buitenzijde vallen de gevels op, die deels bestaan uit glas en deels zijn bekleed met ivoorkleurige steen. Door de grote glaspanelen valt daglicht naar binnen, waardoor binnen een spel van licht en schaduw ontstaat. Bij de entree bevinden zich twee betonnen platen, die een geopende deur voorstellen met inscripties die welkom heten in het Arabisch en het Duits, en de eigenlijke toegangsdeur van roestvrij staal.

Im Namen Gottes,
des Allerbarmers,
des Barmherzigen.
Lob sei Gott dem Herrn
der Welten.
Dem Allerbarmer,
dem Barmherzigen.
Dem Herrscher am Tage
des Gerichtes.
Dir dienen wir und Dich
bitten wir um Hilfe
Führe uns auf den rechten
Weg, den Weg derer,
denen Du gnädig bist,
nicht derer, denen Du
zürnst und nicht der
Irregehenden.
Im Namen Gottes,
des Allerbarmers,
des Barmherzigen.
Ihr Menschen!
Wir haben euch aus
Mann und Frau erschaffen
und haben euch zu
Völkern und Stämmen
werden lassen, damit ihr
euch kennenlernt.
Der Edelste vor Gott ist
der Gerechteste
unter euch
Gott hat das wahre
Wort gesprochen.

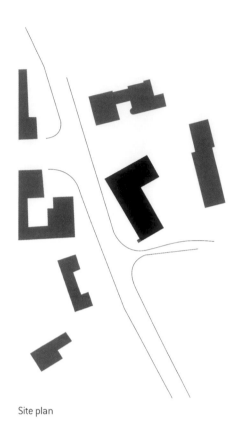

Site plan

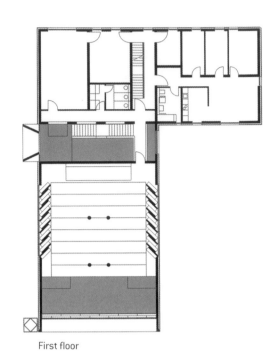

First floor

Ground floor

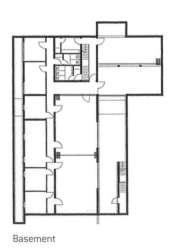

Basement

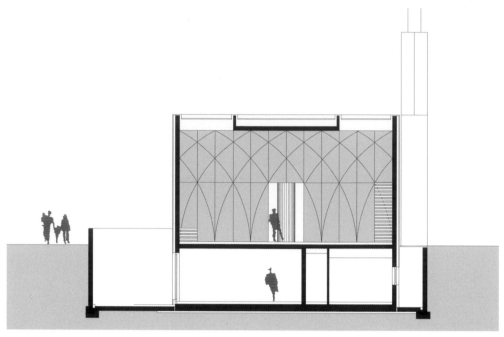

Section

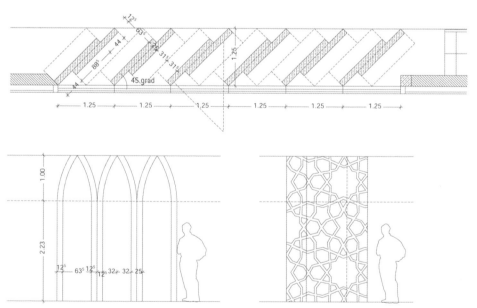

Details of the different architectural and decorative elements

Visitors go through the main door into a large room that functions as a hall with a staircase built at one end. The right-hand side of the space opens onto the prayer room. Sunlight penetrates from one end via the curved concrete slabs.

Nach Durchschreiten der Eingangstür gelangt man in einen großen Raum, der als Empfangssaal fungiert. Am Ende führt eine Treppe in das Untergeschoss. Nach rechts gelangt man in den Betsaal. Durch gebogene Betonstreben fällt das Licht ins Innere der Räume.

Une fois la porte principale franchie, nous entrons dans une grande salle qui sert d'entrée ; un escalier s'érige sur l'un des côtés. À droite de l'entrée se trouve la salle des prières. Sur l'un des côtés, la lumière solaire pénètre entre les dalles de béton inclinées.

Bezoekers komen via de hoofdingang in een grote zaal die als ontvangstruimte dient en waarin in één hoek een trap is gemaakt. De rechterzijde van het vertrek geeft toegang tot de gebedsruimte. Aan een van de uiteinden valt zonlicht binnen door betonnen platen met een gebogen vorm.

One of the interior walls is created with blue glass. This is the *qiblah* and represents the element facing Mecca. The rooms are completed with spaces allocated to prayer and for teaching German and Arabic classes. The *mihrab*, the small niche Muslims face when they pray, is also installed there, along with the *minbar*, the spiral-shaped raised platform from which the Iman addresses the congregation.

Die Quibla, die nach Mekka gerichtete Wand der Moschee, besteht aus blauem Glas, vor ihr wurde der Mihrab, die Gebetsnische als filigranes Element eingestellt. Rechts findet sich der Minbar, die stufenförmige Kanzel. In den Räumen der Moschee wird gemeinsam gebetet, und es finden Deutsch- und Arabischunterricht statt.

L'un des murs intérieurs se compose de verre bleu. Ce mur est appelé la *qibla* et est orienté vers la Mecque, où se trouve le *mihrab*, la petite niche vers laquelle prient les musulmans. À côté, se trouve le *minbar*, le pupitre en forme d'escaliers. Les pièces sont complétées par des espaces destinés à la prière et aux classes d'allemand et d'arabe.

Een van de binnenmuren, de *qiblah*, is opgetrokken uit blauw glas en representeert het naar Mekka gerichte element. De vertrekken worden verder gecompleteerd door gebedsruimten en vertrekken voor Arabische en Duitse les. Hier zijn ook de *mihrab*, de kleine nis die de gebedsrichting aangeeft, en de *minbar,* het spiraalvormige preekgestoelte.

School in Taufkirchen

Taufkirchen, Germany

ARCHITECT

Dietmar Feichtinger Architectes
www.feichtingerarchitectes.com

COLLABORATORS AND OTHERS

Verein zur Förderung der Infrastruktur Taufkirchen an
der Pram & Co KG (client); Rupert Siller (project
manager planning); Torsten Künzler, Michaela Uhlig
(team planning); Bennie Eder, Ruth Pofahl, Simone
Breitkopf, Mathias Neveling (team competition);
Werkraum Wien, ABH Generalplanung, Andorf
(structural consultant)

DIMENSIONS

Site area: 11 575 m^2 / 124 592 sq ft

PHOTO

© Dietmar Feichtinger Architectes, Jo Pesendorfer,
Josef Kurz, Josef Pausch

Bilger Breustedt primary and secondary school was approached as an education center open to nature with bright, sunny, and spacious classrooms. The complex comprises a main building that contains the classrooms, a 50-vehicle parking lot, a waiting area for the school buses, and a large open-air zone, among others. The new construction unites harmoniously with the other existing buildings, forming a complete integration with the environment.

In the interior design, the French-Austrian architects put special effort into ensuring that the spaces maintained a dialogue with the surrounding landscape. To that end, some areas were fully glassed-in from floor to ceiling to boost the entry of light and promote natural ventilation. Of note is the extensive use of the wood in the building skeleton and the flooring.

Die Grund- und Oberschule Bilger Breustedt wurde als ein Lernort konzipiert, der sich mit seinen großen, hellen und sonnigen Klassenräumen zur Natur öffnet. Der gesamte Komplex umfasst das eigentliche Schulgebäude, einen Parkplatz für 50 Wagen, einen Wartebereich für Schulbusse, einen großen Schulhof usw. Der Neubau fügt sich harmonisch in das Ensemble der übrigen schon bestehenden Gebäude ein, sodass ein einheitlicher Gesamteindruck entsteht.

Bei der Gestaltung des Inneren legten die französisch-österreichischen Planer besonderen Wert darauf, dass die verschiedenen Räumlichkeiten in Verbindung mit der umgebenden Landschaft stehen. Deshalb wurden teilweise wandhohe Glasfenster eingesetzt, die das Tageslicht einlassen und das Lüften erleichtern. Sowohl für die Tragekonstruktion als auch für die Fußböden wurde Holz verwendet.

L'école primaire et secondaire Bilger Breustedt a été conçu comme un centre éducatif ouvert sur la nature, avec des salles lumineuses, ensoleillées et spacieuses. L'ensemble se compose d'un bâtiment principal avec, entre autres, des salles de cours, un parking pouvant accueillir 50 véhicules, une zone pour les bus scolaires ainsi qu'une grande cour en plein air. La nouvelle construction s'intègre harmonieusement dans l'environnement ainsi qu'avec l'ensemble de bâtiments existants.

Pour la conception de l'intérieur, les architectes franco-autrichiens ont mis un point d'honneur à ce que les espaces communiquent avec le paysage extérieur. Pour cela, différents espaces sont entièrement vitrés, ce qui permet une ventilation et un éclairage naturels. Le bois est massivement utilisé pour la structure et le revêtement du sol.

De lagere en middelbare school Bilger Breustedt werd benaderd als een educatief centrum dat openstond voor de natuur, met lichte, zonnige, ruime klaslokalen. Het geheel bestaat uit een hoofdgebouw met daarin de lokalen gehuisvest, een parkeervoorziening met 50 plaatsen, een plek waar de schoolbussen kunnen wachten en een groot buitenterrein. De nieuwbouw vormt een harmonieus geheel met de bestaande gebouwen en gaat volkomen op in de omgeving.

Bij het interieurontwerp hebben de Frans-Oostenrijkse architecten er bovenal naar gestreefd om de ruimten een dialoog te laten aangaan met het omringende landschap. Daartoe zijn sommige gedeelten van vloer tot plafond beglaasd, waardoor een grote inval van daglicht en natuurlijke ventilatie gewaarborgd is. Opvallend is de overvloedige toepassing van hout in het skelet van het gebouw en in de vloeren.

The architects' main goal was to give the education center a natural look that would integrate to perfection with the cityscape that surrounds the complex. To achieve this effect they used wood on the ceilings and floors of the main building and created zones planted with grass.

Es war ein besonderes Anliegen der Architekten, den Schulkomplex möglichst naturnah zu gestalten und ihn in die Stadt und die Landschaft der Umgebung einzubinden. Daher wurde für Dächer und Böden des Hauptgebäudes Holz verwendet. Im Außenbereich wurden viele Rasenflächen angelegt.

L'objectif principal des architectes était de donner à l'école un aspect naturel qui s'intègre parfaitement dans le paysage urbain qui entoure l'établissement scolaire. Pour cela, le toit et le sol de l'établissement principal sont en bois et des espaces verts ont été créés.

Het hoofddoel van de architecten was het educatieve complex een natuurlijk aanzien te geven dat perfect zou opgaan in het stadsaanzicht rondom. Om dit effect te bereiken is hout gebruikt in de daken en vloeren van het hoofdgebouw en zijn er gazons aangelegd.

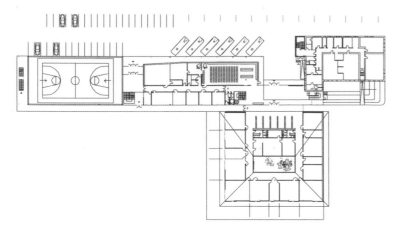

Site plan

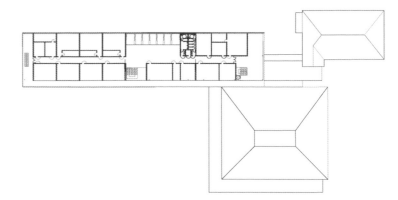

Second floor

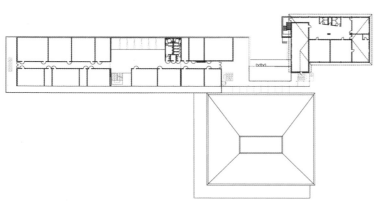

First floor

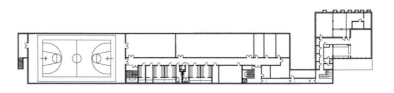

Ground floor

The creation of terraces, eaves and large windows helps prevent the building getting too hot in the summer months and also permits the passive capture of sunlight during cold periods. The heating is installed in the floor and distributed to ensure comfort in all the areas of the school.

Die Terrassen, die vorgezogene Dachtraufe und die großflächigen Fenster tragen einerseits dazu bei, eine Überhitzung des Gebäudes in den Sommermonaten zu verhindern, und erlauben andererseits in den Wintermonaten die Sonnenwärme einzufangen. Die Fußbodenheizung schafft in allen Räumen der Schule eine behagliche Atmosphäre.

La création de terrasses, de préaux et l'installation de grandes fenêtres permettent, d'une part, d'éviter la trop forte chaleur pendant l'été et, d'autre part, de capter les rayons du soleil pendant l'hiver. Le chauffage se fait par le sol et fournit le confort nécessaire à toutes les salles de l'établissement.

Terrassen, overstekken en de plaatsing van grote ramen helpen enerzijds oververhitting van het gebouw in de zomer te voorkomen en staan anderzijds een passieve opvang van zonlicht in de koudere perioden toe. De verwarming is in de vloer aangebracht en zo aangelegd dat het in de hele school behaaglijk is.

LSV Office Building

Landschut, Germany

ARCHITECT
Hascher & Jehle Architektur
www.hascherjehle.de

COLLABORATORS AND OTHERS
LSV Landshut (owner); S. Feigel, K. Huber (project
planning); Brichta, Dillingen (sunscreen); Ferrari,
La Tour du Pin Cedex (fabric)

DIMENSIONS
18 000 m² / 193 750 sq ft

PHOTO
© Svenja Bockhop

The new office building of insurance firm LSV is located on the outskirts of Landshut, in the area
that used to contain a military barracks. The entrance building comprises a convex cube with
large glass panes superimposed on it. The installation of the glass panels protects the building
from noise from the street and gives it an original esthetics due to its striking curve.
For the company it was very important that wood should be the building material used most.
White varnished fir wood and untreated larch wood were used on the inside part of the façade
and on the exterior. Wood was also used on the ceiling beams, in the structure of the main room,
and in the interior design. Other materials such as concrete, steel, parquet flooring, granite, and
glass were treated to create a dynamic and above all natural feel.

Das neue Verwaltungsgebäude der LSV-Versicherungen erhebt sich in der Umgebung von Landshut, in einer Gegend, in der sich früher Kasernen befanden. Der Eingangsbau besteht aus einem
Kubus mit konvexen Fassaden aus überlappten Glasplatten. Die Anbringung dieser Glaspaneele
schützt das Gebäude vor Straßenlärm und verleiht ihm eine äußerst originelle Optik.
Der Firmenleitung lag sehr am Einsatz von Holz als Baumaterial. Weiß lackiertes Tannenholz und
naturbelassenes Ahornholz wurden zur Innen- und Außengestaltung der Fassade verwendet.
Auch bei den Deckenbalken, der tragenden Konstruktion des Hauptsaales und der Einrichtung
der Innenräume wurden diese Materialien eingesetzt. Die anderen Materialien, wie Beton, Stahl,
Granit, Parkett und Glas wurden so behandelt und eingesetzt, dass sie ein sehr dynamisches
und vor allem möglichst natürlich wirkendes Ambiente schaffen.

Les nouveaux bureaux de la compagnie de sécurité LSV sont situés à la périphérie de Landshut.
Le bâtiment d'entrée se compose d'un cube convexe recouvert de grands pans de verre super-
posés. Le verre protège le bâtiment du bruit de la rue et lui confère une esthétique originale
grâce à sa forme courbée.
Pour la compagnie, il était très primordial que le bois soit le matériau principal de la construction.
Le pin vernis blanc et le cèdre naturel ont été utilisés à l'intérieur et à l'extérieur de la façade.
Les poutres du toit dans la structure de salle centrale et dans le design intérieur sont du même
matériau. Le béton, l'acier, le parquet, le granite et le verre ont été utilisés ailleurs, afin de créer
une ambiance dynamique et surtout naturelle.

Het nieuwe kantoorgebouw van verzekeringsmaatschappij LSV ligt aan de rand van Landshut,
daar waar zich vroeger een kazerne bevond. Het entreegebouw bestaat uit een convexe kubus
met een grote hoeveelheid dakpansgewijze geplaatste glazen panelen. De glaspanelen beschermen het gebouw tegen de straatgeluiden en geven het een origineel aanzien dankzij hun spectaculaire kromming.
Voor het bedrijf was het van groot belang dat hout het bouwmateriaal bij uitstek zou worden. Wit
gebeitst vurenhout en onbehandeld larikshout zijn gebruikt voor de gevel binnen en buiten. Ook
in de dakspanten, de constructie van de hoofdruimte en het interieur is hout toegepast. Andere
materialen, zoals beton, staal, parket, graniet en glas, zijn gebruikt om een dynamische en
bovenal natuurlijke uitstraling te bewerkstelligen.

The building was designed as a natural space that would offer a relaxing environment. This was achieved through the use of wood mainly, along with other materials such as glass. The main façades were glassed-in to isolate the building from the noisy setting and to reflect the trees conserved during the construction.

Es sollte ein angenehmer Arbeitsplatz mit natürlicher, entspannender Atmosphäre entstehen. Vor allem deshalb wurde bevorzugt auf Holz als Baumaterial gesetzt. Unter den übrigen Materialien ist Glas zu nennen, welches das Gebäude gegen Lärm isoliert und dabei den erhaltenen Baumbestand der Umgebung widerspiegelt.

Le bois et le verre ont été utilisés afin que le bâtiment soit le plus naturel et relaxant possible. Les façades principales sont en verre afin d'isoler le bâtiment de l'environnement bruyant et de mettre en avant les arbres qui ont été préservés durant la construction.

De plek is ontworpen als een natuurlijke ruimte met een ontspannen sfeer. Dit is bereikt door de toepassing van, voornamelijk, hout en materialen zoals glas. De hoofdgevels zijn beglaasd om het gebouw af te sluiten van de lawaaiige omgeving en om de tijdens de bouw gespaarde bomen te weerspiegelen.

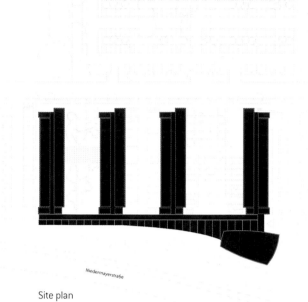

Site plan

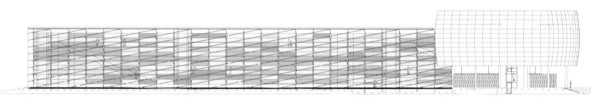

Elevation

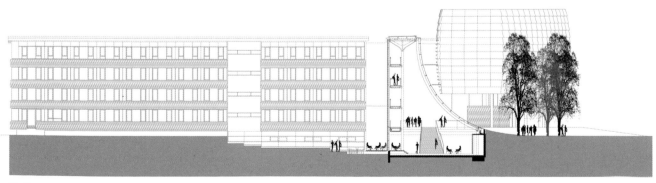

Section

Sony Center 02

Berlin, Germany

ARCHITECT

Murphy / Jahn Architects
www.murphyjahn.com

COLLABORATORS AND OTHERS

Tishman Speyer Gmbh (client)

DIMENSIONS

216 737 m² / 2 332 936 sq ft

PHOTO

© Engelhardt / Sellin, H. G. Esch

This architectural complex was built in response to the work carried out by the government in the reconstruction of the German capital. As well as a building, it is erected as a technical vision and is organized to integrate effortlessly in the city.

The Sony Center stands out particularly for its roof, glass façade and interior, which unite cultural and social interaction in an urban forum. Around it are traditional urban spaces and streets. This spatial dynamism contrasts with a minimalist and technological design in which light is the design essence. The façades and roof function as a material that moderates both artificial and natural light. This original design of transparencies, light permeability, reflections, and refractions produces a constant change of images and effects over the course of the day and night.

Dieser Gebäudekomplex entstand im Rahmen des von der Regierung geförderten Wiederaufbaus der deutschen Hauptstadt. Mehr als nur ein Gebäude stellt der Bau eine technische Vision dar, die sich vollständig in das Stadtbild integriert.

Das Sony-Center besticht durch sein Dach, die verglasten Fassaden und den Innenhof, der als kultureller und sozialer urbaner Treffpunkt fungiert. Im Umfeld wurden die alten Straßenzüge wieder hergestellt. Die räumliche Dynamik des Baus kontrastiert mit seinem minimalistischen High-Tech-Design, bei dem das Licht die wichtigste Rolle spielt. Fassaden und Dach sind wie ein Gewebe, durch welches das Licht dringt, sei es natürlich oder künstlich. Dank dieser originellen, transparenten Gestaltung mit ihrer Lichtdurchlässigkeit, ihren Brechungen und Reflexen wird im Wechsel von Tag und Nacht ein sich ständig wandelndes Bild erzeugt.

La construction de cet ensemble architectural répond aux opérations de rénovation de la capitale allemande engagées par le gouvernement. Ce bâtiment s'élève comme une vision technique et ordonnée parfaitement intégrée dans la ville.

Le Sony Center est remarquable pour sa toiture, sa façade en verre et son intérieur qui concentre une interaction culturelle et sociale dans un forum urbain. Tout autour, se trouvent des espaces urbains ainsi que des rues traditionnelles. Ce dynamisme spatial contraste avec un design minimaliste et technologique où l'éclairage est l'essence de son design. Les façades et la toiture fonctionnent un tissu qui régule la lumière, qu'elle soit artificielle ou naturelle. Grâce à cette conception originale de la transparence, de la perméabilité à la lumière, des reflets et des réfractions, les images et les effets changent constamment durant le jour et la nuit.

De constructie van dit complex is een reactie op het regeringsbeleid bij de wederopbouw van de Duitse hoofdstad. Behalve als gebouw verheft deze constructie zich als een volledig in de stad geïntegreerde visie op techniek en stijl.

Het Sony Center valt vooral op door het dak, door de beglaasde gevel en door het interieur dat culturele en sociale wisselwerking in een stadsforum samenbrengt. Eromheen bevinden zich stedelijke locaties en traditionele straten. Deze ruimtelijke dynamiek contrasteert met een minimalistisch en technologisch ontwerp waarvan licht de essentie is. Gevels en dak fungeren als een weefsel dat zowel het kunst- als het daglicht tempert. Met dit originele ontwerp van transparante elementen, lichtdoorlatendheid, weerspiegeling en refractie ontstaat overdag en 's nachts een voortdurend wisselend spel van beelden en effecten.

Sketch

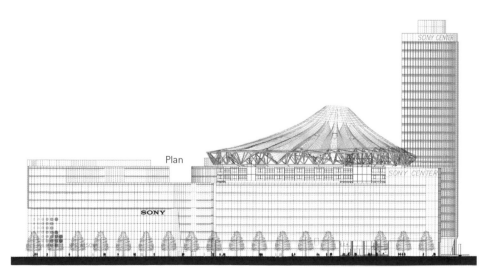

Plan

Elevation

The glass building façade contrasts with the spaces around it, of a traditional design. The Sony Center is a large and covered elliptical square covering 43,000 sq ft and containing offices, amenities, a two floor parking lot and apartments. The main building is a 26-story curved tower.

Die verglaste Fassade des Sony Centers steht im Gegensatz zu den Fassaden der umliegenden Gebäude. Der Komplex mit seinem großen elliptischen Innenhof umfasst 4000 m² Büroräume, Versorgungseinrichtungen, zwei Parkgaragen und Wohnungen. Weithin sichtbar ist der halbrunde Turm mit 26 Stockwerken.

La façade en verre du bâtiment contraste avec les bâtiments situés alentour qui sont, eux, d'un design traditionnel. Le Sony Center comprend une grande place simple avec de 4000 m² de bureaux, d'équipements, de deux étages de parking et de logements. Le bâtiment principal est une tour inclinée de 26 étages.

De beglaasde gevel van het gebouw contrasteert met de omliggende locaties, die een traditioneel ontwerp vertonen. Het Sony Center bestaat uit een groot overdekt ellipsvormig plein van 4000 m² met kantoren, voorzieningen, parkeergarages op twee niveaus en woningen. Het hoofdgebouw is een toren van 26 verdiepingen.

The glass cupola of the Sony Center frames a large square that generates the different spaces housed in the vast architectural complex. It is visible from many points across town, as it is located on the famous Potsdamer Platz and is one of the tallest buildings in downtown Berlin.

Unter dem durchsichtigen Kuppelzelt des Sony Centers liegt ein großer Platz, der alle Einrichtungen des Komplexes zusammenführt. Die auffällige Dachkonstruktion ist zu einem der bekanntesten Wahrzeichen der neuen Bebauung am berühmten Potsdamer Platz in Berlin geworden.

La coupole vitrée du Sony Center abrite une grande place d'où s'élèvent les différents espaces du grand ensemble architectural. Il est visible depuis plusieurs points de la ville, puisqu'il est situé sur la célèbre place Postdamer Platz et qu'il est l'un des bâtiments les plus hauts du centre-ville de Berlin.

De beglaasde koepel van het Sony Center omkadert een groot plein waaruit de diverse, in het grote complex gehuisveste ruimten voortkomen. Gelegen aan de beroemde Postdamer Platz is het – als één van de hoogste gebouwen in het Berlijnse stadscentrum – zichtbaar vanaf veel plekken in de stad.

Financial and Commercial Department of Voestalpine Stahl GmbH

Linz, Austria

ARCHITECT

Dietmar Feichtinger Architectes
www.feichtingerarchitectes.com

COLLABORATORS AND OTHERS

Voestalpine Stahl GmbH (client); Schindelar ZT GmbH
(engineers); Werkraum ZT GmbH (engineers roof
structure BG41); Dopplmair Engineering,
Konstruktionszeichnungen (planning steel structure);
Adenbeck GmbH (HVACR planning); GRUBER
Technisches Büro GmbH (electrical consultant); TAS
Bauphysik GmbH (construction physics); ABH
Generalplanung GmbH (technical description,
structure and façade)

DIMENSIONS

Site area: 36 700 m² / 395 048 sq ft
Built-up area: 23 160 m² / 249 292 sq ft

PHOTO

© Barbara Feichtinger-Felber, Dietmar Feichtinger
Architectes, Jo Feichtinger, Josef Pausch

Voestalpine, the world's leading firm in railway, subway, and tram switch technology, wanted a headquarters for its new offices in Linz. A competition was organized that drew Austria's leading architects. The urban planning concept and the building design were carried out by the winning firm, Dietmar Feichtinger Architectes, one of the most prestigious French-Austrian architects. The architectural ensemble they designed has had a huge impact on the Linz cityscape: three buildings, of which a volume of dynamic curves cut on an angle on one side stands out, as well as a glass-and-steel cantilever, gold-toned façades and an enormous park for visitors and users. The other parts of this major urban-development work are the main entrance and a spacious closed vestibule.

Der Stahlhersteller Voestalpine ist weltweit führend in Weichentechnologie für Eisenbahnen. Um den neuen Firmensitz in Linz zu entwerfen, wurde ein landesweiter Wettbewerb ausgeschrieben, an dem sich die besten österreichischen Architekten beteiligten. Der Siegerentwurf für die Planung der Gesamtanlage und die Gebäude stammt aus dem renommierten französisch-österreichischen Büro Dietmar Feichtinger. Das neu entstandene architektonische Ensemble hatte große Auswirkungen auf die Stadtlandschaft von Linz: drei Gebäude und ein Park für Mitarbeiter und Besucher. Eines der Gebäude fällt durch den weiten Schwung seiner in goldenen Farbtönen gehaltenen Fassade auf. Es wurde an der Vorderseite angeschnitten und hat ein gläsernes Vordach. Unter den weiteren Elementen dieses bedeutenden Bauvorhabens sind der Haupteingang und die geräumige Vorhalle zu erwähnen.

Voestalpine, leader mondial dans le domaine de la technologie de déviations pour trains, métros et tramways, voulait un siège pour ses nouveaux bureaux de Linz. Pour cela, un concours avec la participation des meilleurs architectes autrichiens a été organisé. Le prestigieux bureau Dietmar Feichtinger Architectes a remporté le concours et a développé le concept de planification urbaine des bâtiments et leur design. L'ensemble architectural final a marqué le paysage urbain de Linz : trois bâtiments avec un volume aux courbes dynamiques, coupé en angle sur l'un de ses côtés, une saillie de verre et d'acier, une façade dans les tons dorés ainsi qu'un grand parc pour les visiteurs et employés.
Les autres éléments qui composent cette grande œuvre urbaine sont l'entrée principale et un hall spacieux fermé.

Voestalpine, wereldleider op het gebied van wisselsystemen voor spoorbanen, metro's en trams, wilde een hoofdkantoor voor zijn nieuwe vestigingen in Linz. Daartoe schreef het bedrijf een wedstrijd uit waaraan de beste Oostenrijkse architecten meededen. Het concept voor de stadsplanning en het ontwerp van de gebouwen zijn uitgevoerd door de winnaar, Dietmar Feichtinger Architectes, een van de meest prestigieuze Frans-Oostenrijkse architecten. Het ontworpen complex heeft grote impact gehad op het stadsaanzicht van Linz: het gaat om drie gebouwen, waarvan één dynamische rondingen en een scherp gesneden hoek aan één zijde heeft. Een overstek van glas en staal, goudkleurige gevels en een park voor bezoekers en gebruikers vallen op.
De andere elementen waaruit dit complex van stedelijke ontwikkeling bestaat, zijn de hoofdingang en een gesloten, ruime hal.

The main entrance sits below a cantilever on the northeast side of the new building. The French-Austrian architects demonstrated their control over steel and glass with this spectacular structure. The first floor of the building is allocated to amenities for all of the employees, stores, travel agencies, and the library.

Der Haupteingang liegt unter einem weit auskragenden Vordach am Nordostflügel des Neubaus. Die Architekten stellten mit dieser spektakulären Struktur ihre Meisterschaft im Umgang mit Stahl und Glas unter Beweis. Neben den Dienstleistungseinrichtungen für die Beschäftigten befinden sich im Erdgeschoss Geschäfte, Reisebüros und eine Bibliothek.

L'entrée principale se situe sous une saillie du côté nord-est du nouveau bâtiment. Les architectes franco-autrichiens ont démontré avec ce projet spectaculaire leur grande maîtrise de l'acier et du verre. Le rez-de-chaussée comporte tous les services dédiés aux employés, les boutiques, les agences de voyage et la bibliothèque.

De hoofdingang bevindt zich onder een overstek aan de noordoostpunt van het nieuwe gebouw. De architecten toonden met deze spectaculaire constructie hun superieure controle over staal en glas. De begane grond is bestemd voor voorzieningen voor alle werknemers, voor winkels, reisbureaus en de bibliotheek.

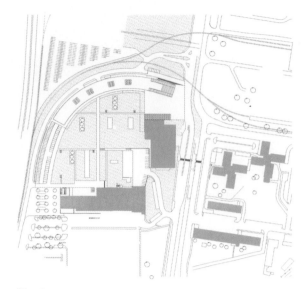

Site plan

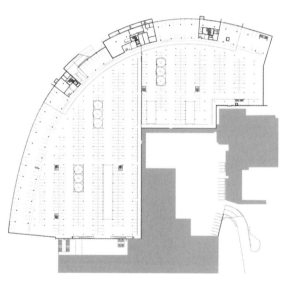

Upper level

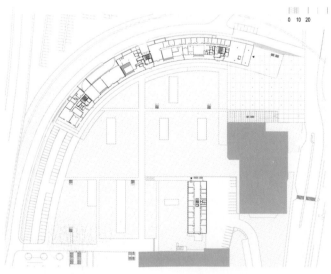

0　10　20

Lower level

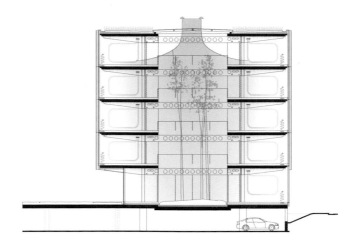

Climatization system of the building

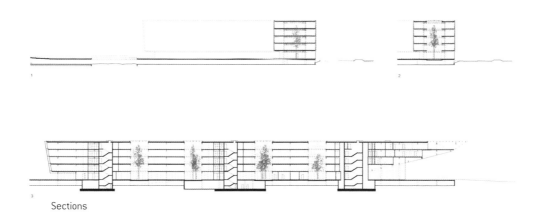

Sections

Elevations

The upper stories contain the conference areas reached directly by an elevator from the vestibule. A large timber deck affords expansive views over the surrounding industrial area. Special importance is given to the glassed-in interior atriums that offer natural light and ventilation.

In den oberen Stockwerken befinden sich die Konferenzräume, die man direkt mit dem Aufzug aus dem Vestibül erreicht. Von einem überdachten Holzsteg aus kann man den Ausblick auf das Gewerbegebiet genießen, das den Komplex umgibt. Besondere Bedeutung kommt den verglasten Lichthöfen zu, die auch der Belüftung dienen.

Aux étages supérieurs se situent les salles de conférences, dont l'accès se fait directement par un ascenseur depuis le hall. Une toiture en bois offre une vue panoramique sur la zone industrielle environnante. Une importance toute particulière a été donnée aux atriums qui offrent lumière naturelle et ventilation.

Op de bovenste etages bevinden zich de conferentieruimten die je vanuit de hal rechtstreeks met een lift bereikt. Een groot houten dek biedt uitzicht over het industriegebied dat het complex omringt. Groot belang wordt gehecht aan de beglaasde atriums die daglicht binnenlaten en voor ventilatie zorgen.

Danube University Krems

Krems an der Donau, Austria

ARCHITECT

Dietmar Feichtinger Architectes
www.feichtingerarchitectes.com

COLLABORATORS AND OTHERS

FAVIA Grundstücksvermietungs GmbH (client);
Kassmannhuber, Feldkirchen (structural consulting);
Peter Holzer (engineering); ARGE Allplan/Vasko, LSMW,
Planquadrat, Effects (others)

DIMENSIONS

Site area: 33 930 m² / 365 219 sq ft
Floor area: 16 975 m² / 182 717 sq ft
Built-up area: 6 973 m² / 75 057 sq ft

PHOTO

© Barbara Feichtinger-Felber, Dietmar Feichtinger
Architectes, Donau Universität

The building plan for the new university campus included constructing a new department of applied science, a cinema, an art gallery, a research study center, student apartments, an auditorium, a library, and new facilities allocated to a cafeteria and restaurant.

The location of the new volumes between an old market building with an industrial look and a property with romantic villas posed a challenge as it involved connecting very heterogeneous contexts. The result of the new building design was the creation of a façade of steel, glass, and aluminum which gives the architectural ensemble a transparent look and harmoniously integrates it with the existing buildings.

The creation of this university campus gave the city of Krems a new architectural landmark on the international stage.

Das Neubauprogramm für den Campus der Donau-Universität in Krems schloss die Errichtung einer neuen Hochschule für Angewandte Wissenschaften ein, einen Kinosaal, eine Kunstgalerie, ein Forschungszentrum, Studentenwohnungen, ein Auditorium, eine Bibliothek sowie Raum für eine Mensa und eine Cafeteria.

Der ausgewählte Standort zwischen einem ehemaligen Industriegebäude und einem romantischen Villenviertel stellte eine besondere Herausforderung dar. Im Zuge der Gestaltung der neu errichteten Bauten mit ihren transparenten Fassaden aus Stahl, Glas und Aluminium konnte hier ein harmonischer Übergang zwischen zwei sehr heterogenen Bereichen geschaffen werden.

Die Einrichtung des Campus von Krems stellt einen entscheidenden architektonischen Wendepunkt in der Stadtgeschichte dar und machte den Ort weltweit bekannt.

Le programme de construction du nouveau campus universitaire comprend une nouvelle faculté de sciences appliquées, un cinéma, une galerie d'art, un centre de recherche, une résidence universitaire, un auditorium, une bibliothèque ainsi que de nouvelles installations destinées à la restauration.

L'emplacement de ces volumes, situés entre un ancien bâtiment de style industriel et une zone pavillonnaire de style romantique, a impliqué de relever le défi de les intégrer dans un environnement très hétérogène. Le résultat de la conception de ces nouveaux bâtiments est la création d'une nouvelle façade en acier, verre et aluminium qui confère à l'ensemble un effet de transparence, ainsi qu'une connexion harmonieuse avec les bâtiments adjacents.

La création de ce campus universitaire a doté la ville de Krems d'un événement architectural international marquant.

Het bouwplan voor de nieuwe universiteitscampus behelsde ook de bouw van een nieuwe faculteit toegepaste wetenschappen, een bioscoop, een kunstgalerie, een studiecentrum, studentenkamers, een auditorium, een bibliotheek en nieuwe faciliteiten voor een cafetaria en een restaurant.

De locatie van de nieuwe gebouwen – tussen een oud pand met een uitgesproken industrieel aanzien en een landgoed met romantische villa's – betekende een grote uitdaging, namelijk zeer heterogene contexten met elkaar verbinden. Het uiteindelijke ontwerp voor de nieuwe gebouwen omvatte de constructie van een nieuwe gevel in staal, glas en aluminium die het complex een transparant aanzien geeft en ervoor zorgt dat het harmonieus samengaat met de bestaande bebouwing.

De bouw van deze campus betekende voor de stad Krems een nieuwe architectonische mijlpaal op het internationale podium.

Site plan

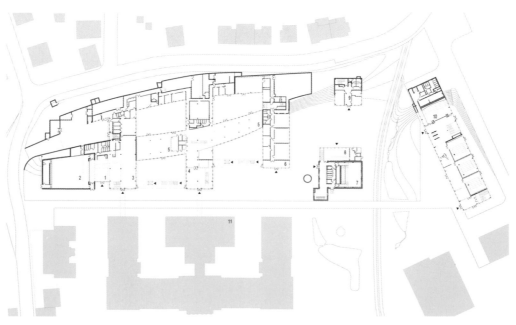

Second floor

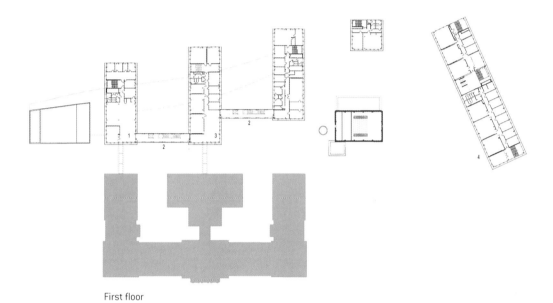

First floor

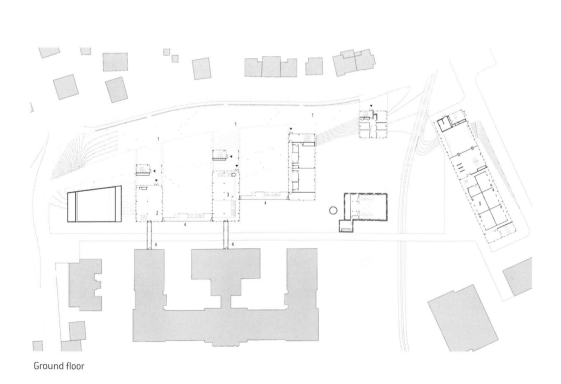

Ground floor

Energy-saving was a concept that played an important role in the design of Krems University. As well as the installation of Persian blinds that can turn 220 degrees and close automatically at night, an efficient cooling and ventilation system was created using pipes integrated in the concrete slabs.

Die Energieeinsparung wurde bei der Bauplanung der Universität Krems groß geschrieben. Die vertikalen Sonnenschutzlamellen sind um 220° drehbar und werden nachts automatisch verschlossen. Weiters wurde ein sehr effektives Kühl- und Ventilationssystem entwickelt, das über in die Betonplatten eingelassene Röhren funktioniert.

L'économie énergétique a joué un rôle prépondérant dans la conception de l'université de Krems. En plus de l'installation de stores pouvant pivoter à 220 degrés et se fermer automatiquement la nuit, un système de climatisation et de ventilation efficace a été créé grâce à des tubes intégrés dans les dalles en béton.

Energiebesparing speelde een grote rol bij het ontwerp van de campus. Er is een zonweringsysteem aangebracht dat 220 graden kan draaien en dat 's nachts automatisch dichtgaat. Verder is er een efficiënt koel- en ventilatiesysteem aangelegd dat werkt met in de betonnen platen geïntegreerde pijpleidingen.

Longitudinal section 1

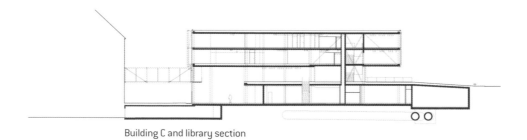

Building C and library section

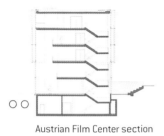

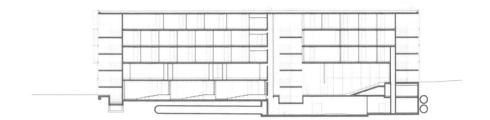

Austrian Film Center section

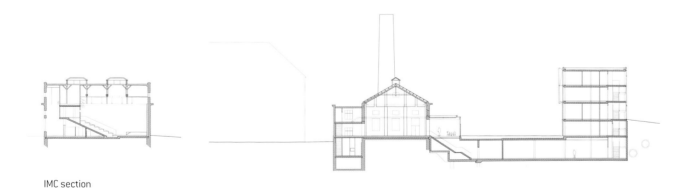

IMC section

Schlachthausgasse

Vienna, Austria

ARCHITECT

Coop Himmelb(l)au
www.coop-himmelblau.at

COLLABORATORS AND OTHERS

GPA-WBV/Kleingasse Projektierung GesmbH (client)

DIMENSIONS

21 605 m² / 232 554 sq ft

PHOTO

© Gerald Zugmann

After winning the design competition, the architecture firm decided to respect and conserve the original location of the trees existing on the land. Two slim buildings were set parallel to the Schlachthausgasse in order to return the main building to its original shape. The rest of the plot comprises a garden that functions to muffle sound and separate the buildings from the busy main street.

The complex boasts 82 apartments, nearly 130,000 sq ft of office space, an underground parking lot for 260 cars, and gardens. The parking lot is integrated in the slope that gives onto the Danube. The 6+1-story building is distinguished for its sculptural character. The building components protrude from the original façade to create an original architectural ensemble. The interior distribution is designed to optimize the space in line with requirements and to make better use of the natural light.

Nachdem sie die Ausschreibung gewonnen hatten, beschlossen die Architekten, die noch auf dem Grundstück stehenden Bäume zu erhalten. An der Schlachthausgasse wurden zwei schmale, hintereinander angeordnete Gebäude errichtet, mit denen es gelang, den historischen Stadtgrundriss wiederherzustellen. Den Rest des Grundstücks nimmt eine Grünanlage mit den erhaltenen Bäumen ein, die zur rückwärtigen Gasse hin orientiert ist.

Der Komplex beherbergt insgesamt 82 Wohneinheiten, 12.000 m² Bürofläche, eine Tiefgarage mit 260 Stellplätzen und die bereits erwähnte Grünanlage.

Die sieben aufgehenden Geschosse zeichnen sich durch vor allem die plastische Gestaltung der Fassade aus. Das Innere ist nach den Erfordernissen der jeweiligen Nutzer eingerichtet, wobei immer besonderer Wert auf die Nutzung des Tageslichts eingeplant wurde.

Après avoir gagné le concours, le cabinet d'architecture a décidé de respecter et de conserver l'emplacement original des arbres plantés sur le terrain. Ils ont construit deux bâtiments étroits et parallèles à la Schlachthausgasse afin de redonner au bloc principal sa forme originelle. Le reste du terrain est occupé par un jardin qui sert d'isolant acoustique et sépare les bâtiments de la rue principale très fréquentée.

L'ensemble architectural est composé de 82 logements, de 12 000 m² de bureaux, d'un parking souterrain de 260 places et de plusieurs jardins. Le parking est intégré dans le versant qui donne sur le Danube. Le terrain supérieur est composé de 6 + 1 étages et se distingue par son caractère sculptural. Les éléments de construction ressortent de la façade originale, créant un ensemble architectural original. L'aménagement intérieur est conçu afin d'optimiser l'espace selon les besoins et d'exploiter au mieux la lumière naturelle.

Nadat ze de wedstrijd in hun voordeel hadden beslist, besloot de architecten de oorspronkelijke plek van de bomen op het terrein te respecteren en te handhaven. Er zijn twee smalle gebouwen neergezet, parallel aan de Schlachthausgasse, met als doel het hoofdgebouw zijn originele vorm terug te geven. De rest van de kavel wordt ingenomen door een tuin die als geluidsdemper fungeert en die de gebouwen scheidt van de drukke hoofdstraat.

Het complex herbergt 82 woningen, 12.000 m² aan kantoren, een ondergrondse parkeergarage voor 260 auto's en tuinen. De parkeergarage is geïntegreerd in de helling die naar de rivier de Donau leidt. Het bovenste deel bestaat uit 6+1 verdiepingen en onderscheidt zich door zijn sculpturale karakter. De bouwelementen springen naar voren uit de oorspronkelijke gevel en zorgen voor een origineel architectonisch geheel. Het interieurontwerp is zodanig dat de ruimte afhankelijk van de behoeften optimaal ingedeeld kan worden en dat het daglicht zo goed mogelijk benut wordt.

The architectural design, built in the 3rd district of Vienna, stands out for its bold shapes and small color contrasts. Metal, concrete, and glass are the materials featured throughout. The architects took particular care in ensuring an efficient use of sunlight.

Der Neubau steht im dritten Bezirk Wiens und fällt im Stadtbild durch seine gewagte Formgebung und die sparsam eingesetzten farbigen Elemente auf. Die Architekten legten im Rahmen der Entwurfsplanung des Komplexes besonderen Wert auf die optimale Nutzung des Sonnenlichts.

Le projet, construit dans le troisième arrondissement de Vienne se distingue par ses formes audacieuses et ses petits contrastes chromatiques. L'acier, le béton et le verre sont les éléments les plus présents. Les architectes ont particulièrement tenu à tirer profit de la lumière du soleil de manière efficace.

Het architectonische project, gebouwd in het 3e district van Wenen, onderscheidt zich door zijn gedurfde vormen en subtiele kleurcontrasten. Metaal, beton en glas zijn de belangrijkste materialen. De architecten hebben vooral hun best gedaan het zonlicht op een efficiënte manier te gebruiken.

Schiebel Building

Vienna, Austria

ARCHITECT

Project A01 Architects
www.schmitzer.com

COLLABORATORS AND OTHERS

Schiebel Elektronische Geräte GmbH (client); Femacon
Bauconsult GmbH (building technician); Gritsch
(engineering); Strabag AG (construction company)

DIMENSIONS

13 000 m² / 139 930 sq ft

PHOTO

© www.schmitzer.com

International aviation firm Schiebel Elektronische Geräte GmbH ran a competition in 2004 to design an office building integrated with a production hall that would represent the firm's identity. The site chosen was the well-known Wiener Neustadt area, as its proximity to a testing ground and an airfield made it an ideal location. The winning bid, by Project A01 Architects, also covered the interior design.

The building comprises two well-differentiated parts: the office unit is arranged lengthwise facing the street and the production hall faces the runway to facilitate access. Of note is the space allocated to the meeting room, which leads to a generous deck for visitors and is used to watch air shows.

Das internationale Luftfahrtunternehmen Schiebel Elektronische Geräte GmbH schrieb 2004 einen Wettbewerb zur Errichtung eines integrierten Produktions- und Verwaltungsgebäudes aus, das zugleich repräsentativ für das Unternehmen und seine Produkte sein sollte. Als Standort wurde Wiener Neustadt ausgewählt, weil sich in der Nähe ein Versuchsfeld und ein Flugplatz befinden. Der siegreiche Entwurf von Project A01 Architects umfasste auch die Gestaltung der Innenräume des Neubaus.

Das Gebäude ist in zwei von einander differenzierte Teile gegliedert: den Verwaltungstrakt entlang der Straße und den Produktionsbereich, der zum Flugfeld hin ausgerichtet ist und der auch den Zugang umfasst. Besonders erwähnenswert ist der Besprechungsraum, von dem man aus zu einem großzügigen Aussichtspunkt zur Beobachtung des Himmels gelangt.

En 2004, la compagnie d'aviation internationale Schiebel Elektronische Gerätem a organisé un concours pour la construction d'un immeuble de bureaux intégrés dans un hall de production qui représenterait l'identité de l'entreprise. La région de Wiener Neustadt a été choisie, le terrain se trouve à proximité d'une zone d'essais et d'un champ d'aviation. L'agence Project A01 Architects a remporté le concours, et s'occupe aussi du design intérieur.

Le bâtiment se compose de deux parties bien distinctes : la zone où se situent les bureaux est disposée de manière longitudinale par rapport à la rue et la salle de production est orientée vers la piste d'atterrissage, à côté de laquelle se trouve le bâtiment afin de faciliter l'accès. L'espace dédié à la salle de réunion conduit à un grand mirador installé sur un toit afin de pouvoir contempler le ciel.

De internationale vliegtuigfabrikant Schiebel Elektronische Geräte GMBH schreef in 2004 een wedstrijd uit voor het ontwerpen van een gebouw waarin kantoren en een productiehal geïntegreerd waren en dat representatief zou zijn voor de bedrijfsidentiteit. De plek die werd uitgekozen, was de bekende zone Wiener Neustadt, vanwege de nabijheid van een testgebied en een vliegveld. Het winnende ontwerp van Project A01 Architects omvatte ook het interieurontwerp.

Het gebouw bestaat uit twee duidelijk te onderscheiden gedeelten: het deel waar de kantoren gehuisvest zijn, ligt in zijn volle lengte aan de straat, de productiehal ligt met de voorzijde naar de landingsbaan, om de toegang vanuit het gebouw te vergemakkelijken. Opmerkelijk is de vergaderruimte die uitkomt op een vorstelijk platform met goed zicht op het luchtruim.

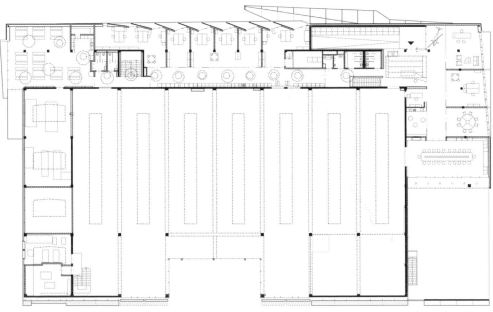

Upper level

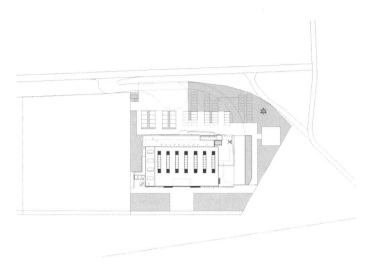

Site plan

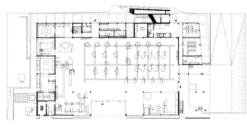

Lower level

The architects designed a building featuring longitudinal shapes to evoke the runways of the nearby airfield. The compact office unit is clad in concrete and rests on glass walls to create the feeling that the office is floating.

In ihrem Entwurf ließ sich die Architekten von den Landebahnen des nahen Flugfeldes inspirieren und schufen einen Bau, der sich durch seine langgestreckten Formen auszeichnet. Der kompakte Büroblock ist mit Beton verkleidet und erhebt sich über verspiegelten Glasflächen. So entsteht der Eindruck, die Büros schwebten in der Luft.

Les architectes ont conçu un bâtiment dans lequel les formes longitudinales sont prédominantes afin d'évoquer les pistes d'atterrissage du champ d'aviation adjacent. Le bloc compact de bureaux est recouvert de béton et entouré de murs en miroir, ce qui donne l'impression que le bâtiment flotte dans les airs.

De architecten ontwierpen een gebouw met opmerkelijk langgerekte vormen, als verwijzing naar de landingsbanen van het nabijgelegen vliegveld. Het compacte kantoorgebouw is bekleed met beton en rust op een aantal wanden van spiegelglas, waardoor het kantoor lijkt te drijven.

The new Schiebel headquarters is composed of a building with two well-differentiated parts: the office area and the production hall. The office unit houses the main administrative functions involving production, marketing, research, and education. The minimalist look of the design is noticeable, as any decorative element was dispensed with.

Der neue Firmensitz von Schiebel ist in zwei deutlich abgegrenzte Bereiche gegliedert: die Verwaltungsabteilung und den Fabrikbereich. In den Büros sind die wichtigsten Verwaltungsaufgaben von Herstellung, Vertrieb, Entwicklung und Weiterbildung untergebracht. Das schmucklose Design kann minimalistisch genannt werden.

Le nouveau siège de Schiebel consiste en un bâtiment avec deux parties bien distinctes : la zone de bureaux et la salle de production. Dans la première, les principales fonctions administratives de production, commercialisation, recherche et formation sont centralisées. Le design est minimaliste, dépourvu de tout élément décoratif.

Het nieuwe hoofdkantoor bestaat uit een gebouw met twee duidelijk te onderscheiden delen: het kantoor en de fabriekshal. Het kantoorgedeelte huisvest de belangrijkste administratieve afdelingen voor productie, marketing, onderzoek en educatie. Het ontwerp is minimalistisch, zonder decoratieve opsmuk.

Southern Europe

Tenerife Auditorium

Tenerife, Spain

ARCHITECT
Santiago Calatrava
www.calatrava.com

COLLABORATORS AND OTHERS
Cabildo Insular de Tenerife (client); temporary joint
venture between Acciona and Dragados, Ingeniería
Aguilera (builders); Alfonso García Sanchermes and
BBM Müller (acoustics); CHEMTROL (stage); CYMI
(electrical installations)

DIMENSIONS
General surface area: 15 000 m² / 161 459 sqft
Ground plan surface area: 18 000 m² / 193 750 sq ft
Site: 13 200 m² / 142 084 sq ft

PHOTO
© Auditorio de Tenerife, José Ramón Oller

The construction of the Tenerife Auditorium was a reference urban landmark on this Canary island. The architect, loyal to his characteristic style, left his stamp to contrast the white of his most contemporary design with the colors of the island's typical architecture.

If the building is viewed from above, the architectural ensemble resembles the shape of an eye: the auditorium would be the pupil and the surrounding spaces the eyeball.

The avant-garde, futuristic design stands out for the expressive form of the roofs. The most spectacular is El Ala, a large piece of free-standing concrete built like a cover with a triangular floor plan and which starts from the back of the auditorium. This structure is supported on a vertex to reach a height of 190 ft, as its breadth and edge get smaller.

Der Bau des Auditorium von Teneriffa stellte einen städtebaulichen Höhepunkt auf dieser Kanareninsel dar. Der Architekt blieb seinem charakteristischen Stil treu und stellte das Weiß seines Entwurfs in bewussten Kontrast zur Farbigkeit der ortstypischen Bauweise.

Wenn man das Gebäude aus der Luft betrachtet ähnelt der Komplex einem Auge: Das Auditorium wäre die Pupille und die es umgebenden Bauteile der Augapfel.

Das avantgardistische, futuristische Design zeichnet sich vor allem durch die expressiven Formen der Dachkonstruktionen aus. Am auffälligsten ist der so genannte „Flügel" aus Beton, der als scheinbar frei schwebende Überdachung über dreieckigem Grundriss angelegt ist und vom hinteren Teil des Gebäudes ausgeht. El Ala liegt auf dem Scheitelpunkt des Daches auf, erreicht eine maximale Höhe von 58 m und verjüngt sich zur Spitze hin.

La construction de l'Auditorium de Ténérife a constitué un événement urbain important pour l'île des Canaries. L'architecte, fidèle à son style, a laissé son empreinte en créant un contraste entre le blanc de son design et les couleurs de l'architecture typique des lieux.

Vu du ciel, le bâtiment a la forme d'un œil : l'auditorium serait la pupille et les espaces qui l'entourent, le globe oculaire.

Le design avant-gardiste et futuriste de cet ensemble est mis en avant par la forme expressive de la toiture. La plus spectaculaire est El Ala, un élément immense en béton, construit comme un toit triangulaire qui part de la partie postérieure de l'auditorium. Cette structure repose en trois points sur le corps principal et atteint une hauteur de 58 mètres. La toiture s'affine et se rétrécit pour se terminer en pointe de lance.

De bouw van het Tenerife Auditorium betekende een stedelijk beeldmerk van belang op dit Canarische eiland. De architect, trouw aan zijn karakteristieke stijl, gaf zijn visitekaartje af door het wit van zijn zeer eigentijdse ontwerp te contrasteren met de kleuren van de kenmerkende plaatselijke architectuur.

Vanuit de lucht gezien heeft het architectonische complex de vorm van een oog; het auditorium zou dan de pupil zijn en de ruimten eromheen de oogbol.

Het avant-gardistische, futuristische ontwerp valt vooral op door de expressieve vorm van de daken. De spectaculairste is El Ala (de vleugel), een groot stuk losstaand beton gebouwd als driehoekige overkoepeling dat vanachter het auditorium oprijst. Deze constructie steunt op een hoekpunt en bereikt een hoogte van 58 m, terwijl hij spits toeloopt.

The structure known as El Ala (The Wing) appears to challenge the laws of physics with its bold shape and colossal dimensions. There are also three cylindrical sheets of concrete in the form of lateral arches which frame the building's access points, on which two large side shells are supported that resemble sails protecting the cone-shaped structure.

Die als El Ala („der Flügel") bekannte Struktur scheint mit ihren gewagten Formen und gewaltigen Ausmaßen die Gesetze der Physik herauszufordern. Die Zugänge liegen unter weit ausladenden, flachen seitlichen Bögen. Darüber erheben sich die Seitenteile wie große Segel und flankieren den mittleren, konischen Baukörper.

La structure El Ala semble défier les lois de la physique avec sa forme audacieuse et ses dimensions colossales. Il existe également trois couches cylindriques de béton en forme d'arcs latéraux qui entourent les accès au bâtiment. Sur ces arcs reposent deux grandes coquilles similaires à des voiles qui enrobent la structure de forme conique.

De constructie bekend als El Ala lijkt de natuurkundige wetten te tarten met zijn gedurfde vorm en kolossale afmetingen. Er zijn ook drie cilindervormige betonnen platen in de vorm van zijwaartse bogen die de toegangen omlijsten en waarop twee grote zeilachtige eierschalen rusten die de conische constructie beschermen.

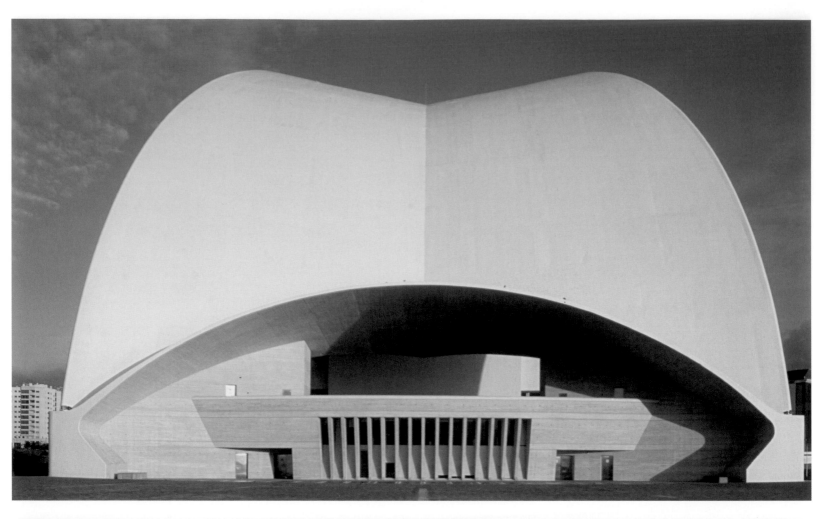

Madrid-Barajas International Airport's New Terminal

Barajas, Spain

ARCHITECT

Estudio Lamela Arquitectos; Richard Rogers
Partnership
www.lamela.com
www.richardrogers.co.uk

COLLABORATORS AND OTHERS

AENA (client and builders); TPS + INITEC (engineering)

DIMENSIONS

1 200 000 m² / 12 916 692 sq ft

PHOTO

© Manuel Renau

Known as the T4, this terminal is considered the largest work constructed in Europe in recent years. The project design is based mainly on principles of ecology and sustainability, as well as adopting functional and esthetic criteria, and covers the possibility of later changes and extensions.

The materials used, such as bamboo for the construction of the parasols, glass for the large skylights and double-sleeve aluminum for the outside of the roof, reduce the environmental impact. Intelligent use of light is another outstanding feature of this major project.

The architectural ensemble is arranged in three buildings: a 9,000-vehicle parking lot; the terminal which stands out because of its undulated roof of bamboo strips and spotlights and, finally, the satellite building allocated for aircraft and international flights from outside the EU.

Das als T4 bekannte Abfertigungsgebäude gilt als eines der größten Bauvorhaben der letzten Zeit in Europa. Bei der Entwurfsplanung standen Umweltverträglichkeit und Nachhaltigkeit im Vordergrund, dazu kamen funktionale und ästhetische Kriterien sowie die Möglichkeit zukünftiger Umbauten oder Erweiterungen.

Mithilfe der verwendeten Materialien konnte die Umweltverträglichkeit erhöht werden: Bambuslamellen als Sonnenschutz, Glas für die großflächigen Oberlichter und Aluminium für die doppelte Außenhaut. Die durchdachte Nutzung des Lichts ist ein weiteres Merkmal dieses großartigen Projekts.

Die Gesamtanlage umfasst drei Teile: ein Parkhaus mit 9000 Stellplätzen, den eigentlichen Terminal mit seinem gewellten Dach mit Lamellen aus Bambus und den runden Oberlichtern und schließlich das Satellitengebäude für Flüge in bzw. aus Nicht-EU-Staaten.

Connu sous le nom de T4, ce terminal est considéré comme la principale œuvre édifiée récemment en Europe. La conception du projet se fonde notamment sur des principes écologiques, de développement durable et sur des critères de fonctionnalité et d'esthétisme. Il prend également en compte la possibilité d'effectuer des changements et des agrandissements.

L'utilisation de matériaux tels que le bambou pour la construction des parasols, le verre pour les larges baies vitrées et l'aluminium pour la toiture, ont considérablement réduit l'impact sur l'environnement. Utiliser la lumière de façon intelligente est un autre élément important de ce grand projet.

Cet ensemble architectural comprend trois espaces : le parking pouvant accueillir 9 000 véhicules, le terminal avec sa toiture de bambou en forme de vague et ses canyons (grands patios baignés de lumière) et, enfin, le bâtiment satellite destiné aux aéronefs et aux vols internationaux hors UE.

Deze terminal, bekend als de T4, wordt beschouwd als het belangrijkste recente bouwwerk van Europa. Het ontwerp is gebaseerd op ecologische en duurzame principes, hanteert verder functionele en esthetische criteria en houdt rekening met eventuele toekomstige wijzigingen en uitbreidingen.

De toegepaste materialen, zoals bamboe voor de constructie van de parasols, glas voor de grote bovenlichten en dubbele aluminiumprofielen voor de buitenzijde van het dak, verminderen het negatieve milieueffect. Intelligent gebruik van licht is nog een opmerkelijk element bij dit grootse project.

Het complex bestaat uit drie gebouwen: een parkeervoorziening voor 9000 auto's, de terminal die opvalt door zijn golvende plafond van bamboelatten en grote lichtschachten en, tot slot, het satellietgebouw bestemd voor vliegtuigen en internationale vluchten van buiten de EU.

The undulated roof built with bamboo strips is a symbolic representation of the silhouette of the birds that live outside. The large openings act as spotlights and provide natural lighting for the interior, saving on energy and enabling self-provision.

Das gewellte Dach mit seinen filigranen Bambuslamellen erinnert an die Silhouetten fliegender Vögel. Über die großzügig bemessenen Oberlichter gelangt das natürliche Licht direkt in das Innere des Abfertigungsgebäudes, wodurch eine erhebliche Energieeinsparung erzielt werden kann.

Son toit ondulé construit avec des lames de bambou représente de manière symbolique la silhouette des oiseaux. Les grandes fentes laissent pénétrer la lumière et fournissent un éclairage naturel à l'intérieur du bâtiment, ce qui permet une économie d'énergie et une autosuffisance énergétique.

Het golvende plafond, geconstrueerd met bamboelatten, is een symbolische weergave van het silhouet van de vogels die buiten leven. De grote openingen fungeren als lichtschachten en zorgen voor een natuurlijke verlichting van het interieur, waardoor energie wordt bespaard en zelfvoorziening wordt bereikt.

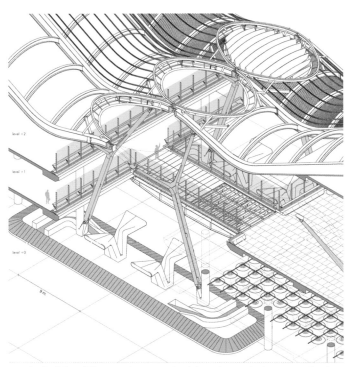

Terminal building. "D" canyon between check-in and controls. Luggage collection at level 0 and horizontal circulations.

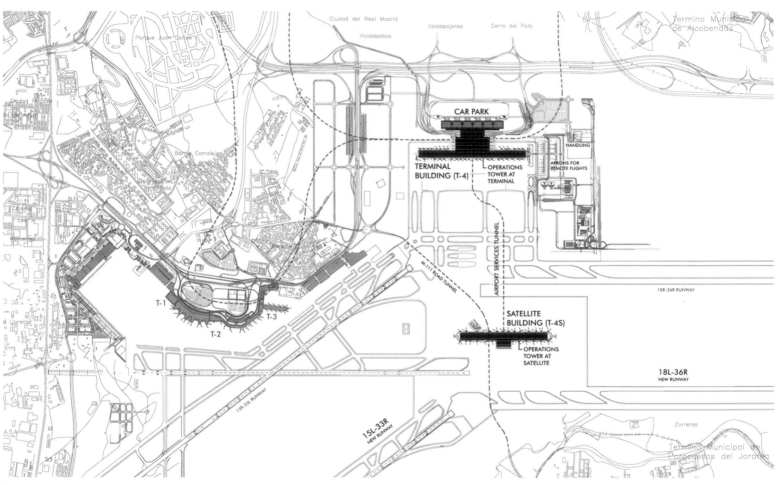

Site plan

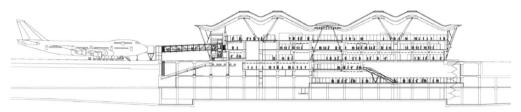

Car park and terminal buildings. South elevation

Car park and terminal buildings. Cross section

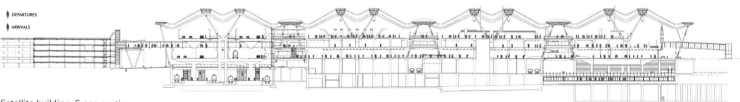

Satellite building. Cross section

A system of metal beams supports the "green" airport roof. These structures rest on a reinforced-concrete platform that lets the skeleton of the building be seen. The Y-shaped pillars are the support points for the ends of the main beams.

Ein ausgeklügeltes System metallener Stützen trägt das „ökologische" Dach des Terminals. Die tragende Struktur steht auf einer Stahlbetonplatte und bleibt als Skelett des Gebäudes für die Nutzer sichtbar. Das wichtigste tragende Element der Streben der Dachkonstruktion sind die Stützen in Y-Form.

Un système de poutres en acier soutient la toiture écologique de l'aéroport. Ces structures reposent sur une dalle en béton armé. L'ossature du bâtiment reste ainsi visible. Les piliers en forme de Y constituent les points d'appui des poutres principales.

Een systeem van metalen balken draagt het zogenaamde ecologische dak van de luchthaven. Deze constructies rusten op een platform van gewapend beton, dat het skelet van het gebouw zichtbaar laat. De Y-vormige pilaren zijn de steunpunten voor de uiteinden van de centrale balken.

Guggenheim Bilbao

Bilbao, Spain

ARCHITECT

Frank O. Gehry
www.foga.com

COLLABORATORS AND OTHERS

Solomon R. Guggenheim Fundation (administrator)

DIMENSIONS

24 000 m² / 258 334 sq ft

PHOTO

© Eugeni Pons

The Guggenheim building in Bilbao is considered one of the masterworks of 20th-century architecture for its spectacular design, use of cutting-edge materials and because it has become the key symbol of the Spanish city.

As well as nearly 120,000 sq ft allocated to exhibition rooms, the museum comprises a large auditorium, bookstore, restaurant, offices, and extensive areas around the building open to the public.

If Frank O. Gehry's designs are characterized by recreating the physical and cultural features of the sites where they are built, in this case the Guggenheim Bilbao uses stone, metal, and water to evoke the Basque Country's strength, independence, and industrial tradition.

The building comprises of a series of interconnected volumes: the orthogonal ones are covered in limestone and the twisted ones in titanium.

Das Guggenheim-Museum in Bilbao gilt aufgrund seines spektakulären Designs und der neuartigen Materialien als eines der architektonischen Meisterwerke des 20. Jahrhunderts. Der Bau ist schnell zum Wahrzeichen der baskischen Stadt geworden.

Das Museum umfasst 11.000 m² Ausstellungsfläche, einen großen Mehrzwecksaal, einen Buchladen, ein Restaurant, Büros und ein großzügiges, öffentlich zugängliches Freigelände. In der Regel zeichnen sich die Entwürfe von Frank O. Gehry dadurch aus, dass er ortstypische Merkmale in die Planung einfließen lässt. In diesem Fall wurden Stein, Metall und Wasser bei der Gestaltung eingesetzt: Sie erinnern an die Kraft, die Unabhängigkeit und die industrielle Tradition des spanischen Baskenlandes.

Das Gebäude setzt sich aus mehreren, miteinander verbundenen Baukörpern zusammen: Die rechtwinkligen sind mit Kalkstein, die geschwungenen mit Titanplatten verkleidet.

Le Guggenheim de Bilbao est considéré comme l'une des œuvres maîtresses de l'architecture du XXᵉ siècle par son design spectaculaire et l'utilisation de matériaux innovants. Désormais, cet édifice est devenu le symbole la ville espagnole.

Le musée, outre ses 11 000 m² de salles d'expositions, se compose d'un grand auditorium, d'une librairie, d'un restaurant, de plusieurs bureaux ainsi que de grands espaces autour du bâtiment ouverts au public.

Les designs créés par Frank O. Gehry se caractérisent par la reproduction des caractéristiques physiques et culturelles du lieu d'implantation ; pour cette raison, le Guggenheim de Bilbao se compose de la pierre, d'acier et d'eau, en référence à la force, l'autonomie et la tradition du Pays basque.

Le bâtiment se divise en une série de volumes interconnectés : les volumes de forme orthogonale sont recouverts de pierre calcaire alors que ceux de forme alambiquée sont recouverts de titane.

Het Guggenheim wordt vanwege het spectaculaire ontwerp en het gebruik van innovatieve materialen beschouwd als een architectonisch meesterwerk van de 20e eeuw en is uitgegroeid tot hét symbool van de Spaanse stad.

Het museum bestaat uit 11.000 m² aan expositiezalen en bevat verder een groot auditorium, een boekwinkel, een restaurant, kantoren en weidse, voor het publiek opengestelde gedeelten rondom het gebouw.

Waar Frank O. Gehry's ontwerpen zich doorgaans kenmerken door het herscheppen van de fysieke en culturele eigenschappen van de bouwplek, zijn in het Guggenheim in Bilbao steen, metaal en water toegepast om de kracht, onafhankelijkheid en industriële traditie van Baskenland op te roepen. Het gebouw bestaat uit een reeks onderling verbonden bouwvolumes: de rechthoekige zijn afgewerkt met kalksteen en de grillig gevormde met titanium.

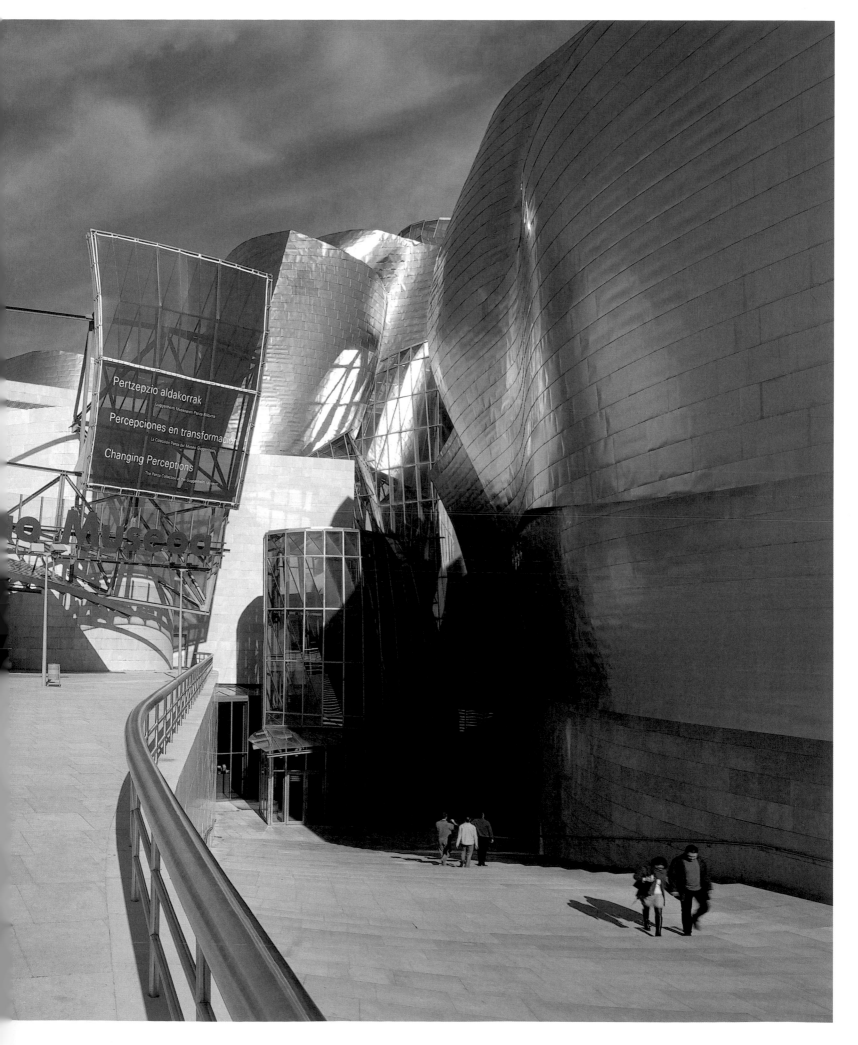

Glass curtain walls were created to make the interior transparent and light. They were especially designed and treated to ensure the natural light does not damage the works. The metal panels are 0.02 inches thick and were arranged like "fish scales" in tribute to the Nervion River.

Durch die vorgehängten Glaswände gelangt das Tageslicht in das Innere des Museums. Die Scheiben wurden so behandelt, dass das Licht den Kunstwerken nicht schaden kann. Die Titanplatten sind nur einen halben Millimeter dünn und wurden wie Fischschuppen angeordnet – eine Hommage an den Fluss Nervión.

Les baies vitrées apportent transparence et lumière à l'intérieur. Elles ont été spécialement conçues et traitées afin que la lumière naturelle ne nuise pas aux œuvres exposées. Les plaques en acier, d'un demi-millimètre d'épaisseur, ont été disposées comme s'il s'agissait des écailles d'un poisson en hommage à la rivière Nervion.

Er werden vliesgevels vervaardigd die het interieur transparantie en licht verschaffen. Ze zijn speciaal ontworpen en behandeld om de kunstwerken te beschermen tegen het daglicht. De metalen panelen zijn 0,5 mm dik en schubvormig, als eerbetoon aan de rivier de Nervión.

The architect knew how to integrate the building in the framework of the city within the urban regeneration plan promoted by the Basque Country. Inside the building is articulated around a central atrium, from which emerge curved walkways, elevators and stair towers that connect with the 19 exhibition galleries.

Es gelang dem Architekten, das Gebäude im Rahmen der von der baskischen Regierung geförderten Stadterneuerung Bilbaos in das städtische Umfeld einzugliedern. Das Innere erschließt sich ausgehend von einem Atrium: Über Aufzüge, Treppen und kurvige Stege gelangen die Besucher in die 19 Ausstellungsräume.

L'architecte a su intégrer l'édifice dans la ville, au sein du programme de rénovation urbaine promu par le Pays basque. L'intérieur du musée s'articule autour d'un hall central, d'où partent des passerelles courbes, des ascenseurs et des escaliers qui mènent aux dix-neuf galeries d'exposition.

De architect is erin geslaagd het gebouw te integreren in het raamwerk van het stadsherstelprogramma dat in Baskenland ontwikkeld is. Binnen is het gebouw georganiseerd rondom een centraal atrium, vanwaaruit loopbruggetjes met gebogen vormen, liften en traptorens naar de 19 expositiegalerijen leiden.

Agbar Tower

Barcelona, Spain

ARCHITECT

Ateliers Jean Nouvel; Fermín Vázquez/b720
Arquitectos
www.jeannouvel.fr
www.b720.com

COLLABORATORS AND OTHERS

Grup Agbar (client); UTE Dragados, EMTE,
Permasteelisa (builders); Layetana Inmuebles S. L.
(developer); R. Brufau & A. Obiol (structure); Gepro
(installations); Xavier Ferrés/Biosca & Botey (façade
builder); Gerardo García Ventosa/García Ventosa
arquitectura (interior design); Argos Management
(project manager)

DIMENSIONS

Building height: 142 m / 466 ft
Floors: 39
Total surface area: 47 500 m² / 511 286 sq ft

PHOTO

© Òscar García

The construction of this colossal office block caused a change in Barcelona's new urban profile. The architect decided to present a building that would emulate a continuous pressure jet of water in direct reference to the corporate headquarters of a water company. The inspiration draws directly on two factors: Gaudí's architectural legacy and the characteristic forms of the nearby mountains of Montserrat.

Concrete, steel, and glass made it possible to create a building structure that starts from two non-concentric oval-shaped cylinders crowned by a cupola. The vertical circulation of the building's 34 floors is located in the interior cylinder made from concrete. The exterior cylinder is concrete through to the 26th floor, where a metal structure rises to form a glass cupola.

Der Bau dieses mächtigen Büroturms hat die Skyline von Barcelona verändert. Der Architekt dachte bei seinem Entwurf an einen Springbrunnen mit gleich bleibender Wassersäule, um eine direkte Beziehung zum Auftraggeber zu schaffen, den Wasserwerken der Stadt Barcelona. Die Form des Hochhauses erinnert auch an die Bauwerke Antoni Gaudis und an die Felsformationen des Montserratmassivs.

Beton, Stahl und Glas als Baumaterialien machten die konstruktive Struktur aus zwei nicht konzentrischen, ovalen Zylindern mit abschließender Kuppel möglich. Der innere Zylinder besteht aus Beton und dient der Erschließung und Versorgung des Gebäudes mit seinen 34 Stockwerken. Der äußere Zylinder ist nur bis zum 26. Stockwerk aus Beton. Dort setzt eine sich nach oben verjüngende Metallstruktur an, die sich schließlich zu einer verglasten Kuppel schließt.

La construction de cet immeuble de bureaux colossal a changé le profil de la ville de Barcelone. L'architecte a choisi de présenter un bâtiment qui imite un jet d'eau, en référence au siège social d'une entreprise d'eau. La source d'inspiration est double : elle provient d'une part de l'héritage architectural de Gaudí, et d'autre part des formes caractéristiques des proches montagnes Montserrat.

Le béton, l'acier et le verre ont permis de construire une structure partant de deux cylindres ovales non concentriques et couronnés d'une coupole. Les 34 étages du bâtiment se situent dans le cylindre intérieur, construit en béton. Le cylindre extérieur, lui, est en béton jusqu'au 26ᵉ étage d'où part une structure métallique qui forme la coupole en verre.

De bouw van deze kolossale kantoortoren veranderde het silhouet van Barcelona. De architect besloot een gebouw te ontwerpen dat een constante waterstraal moest evenaren, als directe verwijzing naar het hoofdkantoor van het erin gevestigde waterleidingbedrijf. De inspiratie komt rechtstreeks uit twee bronnen: uit de architectonische nalatenschap van Gaudí en uit de karakteristieke vormen van de nabijgelegen bergtoppen van Montserrat.

Beton, staal en glas maakten het mogelijk een constructie te vervaardigen die vertrekt vanuit twee niet-concentrische ellipsvormige cilinders, bekroond door een koepel. In de binnenste cilinder, gemaakt van beton, bevindt zich de verticale omloop van de 34 verdiepingen die het gebouw telt. De buitenste cilinder is tot de 26e verdieping van beton. Daarop is een metalen skelet bevestigd om een glazen koepel te vormen.

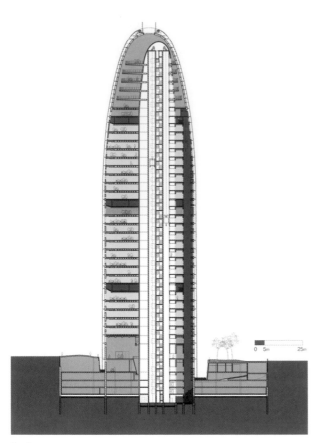

Section

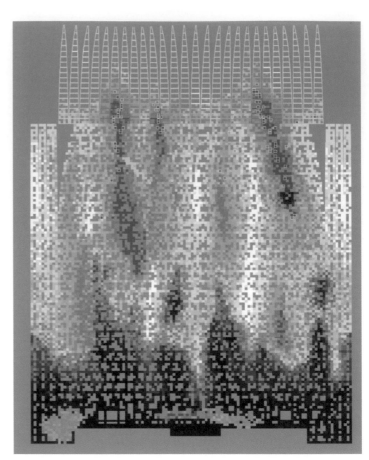

Color diagram of the exterior cladding

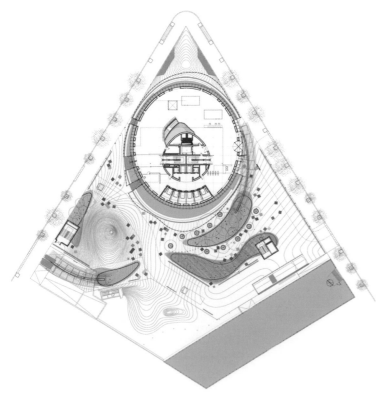

General plan

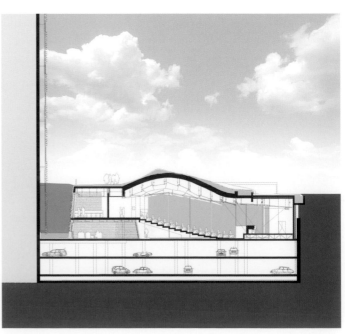

Section

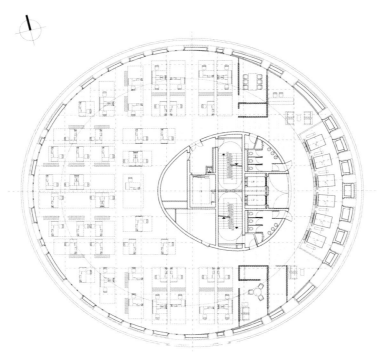

Typical office plan

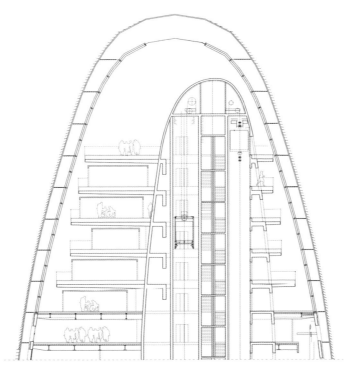

Section of the dome

The building rests on a pit that surrounds the base of the building; this feature made it possible to obtain a number of basement floors. The auditorium, which seats 350 people and stands out for its undulated topography, was built on the first basement level. The interior design follows the range of red colors that appears on the exterior to simulate the earthy colors of the ground.

Das Gebäude ist von einem Graben umgeben, um mehrere Untergeschosse zu möglich zu machen. Im ersten Untergeschoss wurde das Auditorium mit 350 Sitzplätzen eingerichtet, das sich durch seine geschwungene Struktur auszeichnet. Die Innengestaltung nimmt in den Erdtönen des Bodens die rote Farbpalette der Fassade wieder auf.

Le bâtiment est cosntruit sur un fossé qui entoure la base de la tour, ce qui permet d'obtenir plusieurs étages en sous-sol. Au premier niveau du sous-sol se trouve l'auditorium, d'une capacité d'accueil de 350 personnes, qui attire l'attention par sa structure ondulée. Le design intérieur suit la gamme chromatique des rouges qui font référence à la couleur de la terre.

Het gebouw staat in een rechthoekige kuil, waardoor diverse kelderverdiepingen gerealiseerd konden worden. Op de bovenste kelderverdieping kwam het auditorium, dat plaats biedt aan 350 mensen en opvalt door zijn golvende topografie. Het interieur bevat dezelfde roodtinten als het exterieur, als imitatie van de aardse bodemtinten.

The concrete wall was clad in a lacquered aluminum sheet of earth colors, blues, greens, and grays. The red tones that simulate the earthy colors of the land were used at the base, followed by green in reference to vegetation, and finally the blues that allude to the sky.

Die Betonmauer ist mit Aluminiumblech verkleidet, das in Blau-, Grün-, Grau- und Erdtönen lackiert wurde. Unten wurden rötliche Farbtöne verwendet, die an die erdigen Farben des Bodens erinnern, dann folgt Grün als Hinweis auf die Vegetation und schließlich Blau als die Farbe des Himmels.

Le mur en béton est recouvert d'une plaque en aluminium laquée dans les tons marron-rouge, de bleu, vert et de gris. À la base du bâtiment, des tons rouges faisant référence aux couleurs de la terre ont été utilisés, puis du vert pour représenter la végétation et enfin du bleu pour le ciel.

De betonnen muur is bedekt met een aluminium laag, gelakt in aardkleuren, blauw-, groen- en grijstinten. Onderaan werden de roodtinten gebruikt die de kleuren van de bodem imiteren, daarboven kwam het groen dat verwijst naar de vegetatie en tot slot kwamen de blauwtinten die zinspelen op de lucht.

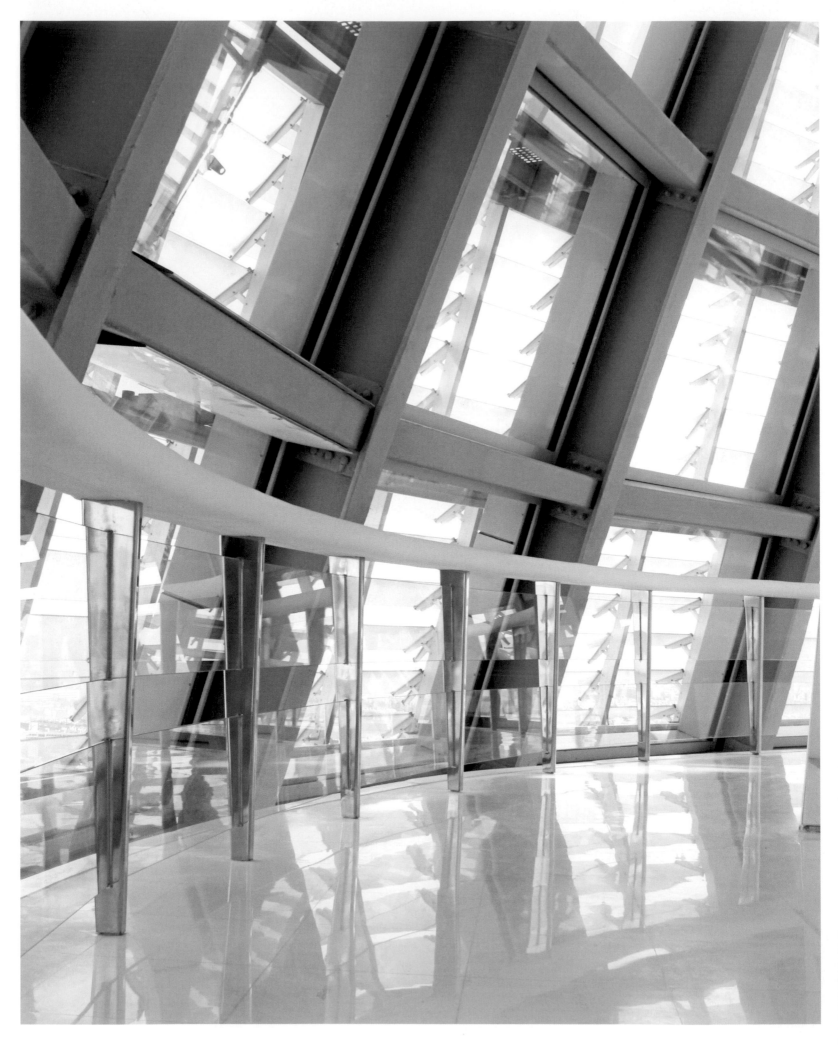

5 Sentidos Lounge Bar

Empuriabrava, Spain

ARCHITECT

Jordi Fernández, Eduardo Gutiérrez/ON-A
www.on-a.es

COLLABORATORS AND OTHERS

Evaristo Gallego/Gallego World (client); Xavier Badia
(technical architect); Javier Escribano/Professional
Assistant (installations engineer); Guillermo Beluzo,
Marcelo Cortez (mock-up); Construccions Joan Fusté
(builder); Laser Goded, Cmtpsl (metal); Cricursa,
Vidres Gracia (glass); Aiterm (air conditioning); Talyali
(painting); Quimipres (flooring); Fusteria Gironella
(carpentry); Ramon Pujades (upholstery); Fredterm,
Ergodec, Euromoble (fittings); CA2L (lighting); Josep
Ponsatí (installation); Complas (acrylic glass);
Retolam (vinyl); Pentamusic (acoustics)

DIMENSIONS

215 m² / 2 314 sq ft

PHOTO

© Lluís Ros

The bar occupies the first floor of a two-story building in a residential area in the province of Girona. The client wanted an original and exclusive design that would showcase the venue's clear and singular identity.

The architects' and designers' solution was to represent a distinctive icon for the client and above all offer comfort to future users. The result was the creation of 1,500 sq ft allocated to interior spaces and the rest given over to a terrace. The inside was developed on the basis of an entry area designed for general use. The distribution is completed with spaces reserved for groups, the bar area and various side rooms for greater privacy.

The name 5 Sentidos (Five Senses) mainly came about from the original architectural structure and the use of changing lighting which teases the clientele's sensory perceptions.

Die Bar liegt im Erdgeschoss eines zweigeschossigen Gebäudes in Empuriabrava, nahe Girona (Katalonien). Der Auftraggeber wünschte sich einen exklusiven, originellen Entwurf, um die Einzigartigkeit seines Etablissement herauszustreichen.

Architekten und Designer entwickelten eine unverwechselbare Erlebniswelt, die ihren Besuchern alle erdenklichen Annehmlichkeiten bietet. Der Innenraum umfasst 140 m², wobei man zunächst die allgemein zugänglichen Eingangszone betritt. Dann gibt es Räume für Gruppen, den Barbereich sowie einige abgetrennte Abteilungen mit größerer Privatsphäre. Ergänzt werden diese Räume durch eine Terrasse.

Der Name „5 Sinne" geht vor allem auf die ungewöhnliche architektonische Struktur und den Einsatz wechselnder Beleuchtung zurück, welche die Sinneswahrnehmung der Besucher anregen.

Le bar occupe le rez-de-chaussée d'un immeuble à deux étages dans une zone résidentielle de la province de Girone. Le client souhaitait un design original et exclusif qui mette en avant l'identité claire et singulière du local.

La solution des architectes et designers a été de créer un style différent et surtout, d'offrir du confort aux futurs clients. Ils ont donc créé un espace intérieur de 140 m² avec une terrasse. Il débute par une entrée prévue pour un usage général. L'intérieur est composé d'espaces réservés aux groupes, d'un bar et de petites salles offrant une plus grande intimité.

Le nom du bar, 5 Sentidos (« 5 sens »), provient de l'originalité de la structure architecturale et d'un éclairage changeant qui réveille chez le client des perceptions sensorielles.

De bar beslaat de begane grond van een gebouw van twee verdiepingen in een woonwijk in de provincie Girona. De opdrachtgever wilde een origineel en exclusief ontwerp waarin de eigenzinnige identiteit van de plek tot uiting zou komen.

De oplossing van de architecten en ontwerpers was een onderscheidende icoon voor de opdrachtgever te verbeelden en, bovenal, comfort te bieden aan de toekomstige gebruikers. Het resultaat was 140 m² aan binnenruimten en een terras. Het interieur werd ontwikkeld rond een entree voor algemeen gebruik. De indeling wordt gecompleteerd met groepsruimten, het bargedeelte en diverse besloten ruimten voor meer privacy.

De naam "5 sentidos" (5 zintuigen) komt voort uit de originele architectonische structuur en uit de toepassing van een steeds wisselende verlichting die de zintuiglijke waarneming van de klant prikkelt.

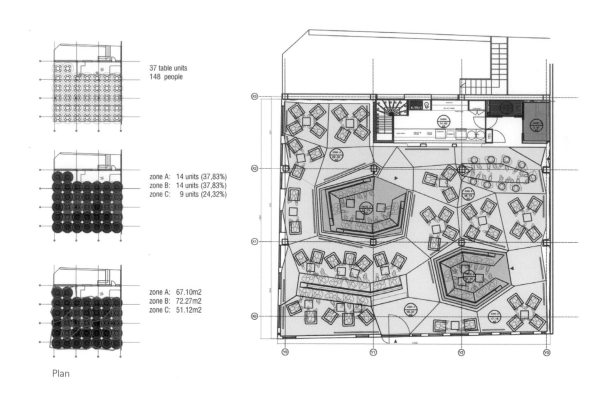

37 table units
148 people

zone A: 14 units (37,83%)
zone B: 14 units (37,83%)
zone C: 9 units (24,32%)

zone A: 67.10m2
zone B: 72.27m2
zone C: 51.12m2

Plan

A bone cell was the source of inspiration for the construction of the architectural structure and its spatial distribution. Steel made it possible to create multiple cavities that compose an irregular-shaped elongated 3D mesh of 400 0.1-inch-thick pieces. An RGB fluorescent lighting system allows the projection of any color that can change in line with suitability and the time of the year.

Für das Gitternetz der Raumgestaltung ließen sich die Innenarchitekten von der Struktur einer Knochenzelle anregen. Die vielfältigen Formen des lang gestreckten, unregelmäßigen Gitternetzes bestehen aus 400 Elementen 3 mm starken Stahls. Mittels eines Rot-Grün-Blau-Fluoreszenzsystems können je nach Bedarf und Jahreszeit alle erdenklichen Farben auf das Gitter projiziert werden.

La construction de la structure ainsi que l'aménagement de l'espace s'inspirent d'une cellule osseuse. L'acier a permis de créer plusieurs cavités qui composent une maille tridimensionnelle élargie et de forme irrégulière de 400 pièces de 3 mm d'épaisseur. Un système d'éclairage fluorescent RGB permet la projection de couleurs changeantes suivant la convenance et la saison.

Een botcel was de inspiratiebron voor de constructie en zijn ruimtelijke indeling. Met staal konden heel veel holten worden gecreëerd om een driedimensionaal, langgerekt en onregelmatig raamwerk te vormen van 400 onderdelen van 3 mm dik. Een RGB-kleursysteem staat de projectie van elke willekeurige kleur toe.

Santo Volto Church

Turin, Italy

ARCHITECT

Mario Botta
www.botta.ch

COLLABORATORS AND OTHERS

S. Damasso/Studio O. Siniscalco (project management); G. N. Siniscalco, L. Chiabrando/Studio O. Siniscalco (structures); S. Berno, R. Zorzi/Engineering Service Srl (electrical engineering); R. Vaudano, C. Zanovello/Impro Srl (mechanical engineering); G. Amaro/Studio Progress Srl (fire prevention and security); G. Geppetti/Modulo Uno Srl (acoustics); C. La Montagna (coordination for specialistic activities); U. Siniscalco/Studio O. Siniscalco (security coordination); Itinera SpA (building firm)

DIMENSIONS

26 300 m² / 283 091 sq ft

PHOTO

© Enrico Cano

The new policy of urban regeneration carried out by Turin City Council consisted of transforming and changing the urban fabric of under-used areas. In this context it was decided to build a liturgical and community center on Via Borgaro, one of the Italian city's leading streets.

The Archbishop of Turin commissioned the construction of a church dedicated to the Holy Shroud. The design responds to a monumental form of architecture, with a heptagonal floor plan and surrounded by seven towers connected to chapels. A number of skylights that permit the entry of natural light were installed at the top of the towers. As well as the church, towers, and chapels, the parish center includes a congress room, various offices, a variety of apartments, a chapel for daily service, and living quarters for the priest.

Die Stadtverwaltung von Turin bemüht sich mit ihrem Stadterneuerungsprogramm wenig genutzte Bereiche umzuwandeln und zu beleben. In diesem Zusammenhang wurde auch beschlossen, ein neues kirchliches Gemeindezentrum in der Via Borgaro zu errichten, einer der wichtigsten Straßen der Stadt.

Der Erzbischof von Turin vergab den Auftrag zum Bau einer Kirche, die dem Leichentuch Christi geweiht sein sollte. Der Entwurf sah ein monumentales Bauwerk auf siebeneckigem Grundriss vor, mit sieben Türmen und einigen Kapellen. Im oberen Teil der Türme wurden Oberlichter eingesetzt, die den Einfall des Tageslichts erlauben. Außer der Kirche mit ihren Türmen und Kapellen umfasst das Gemeindezentrum einen Konferenzsaal, Verwaltungsräume, mehrere Wohnungen, eine Kapelle für die tägliche Messe und die Pfarrwohnung.

La nouvelle politique de rénovation urbaine mise en place par la mairie de Turin consistait à transformer et changer le tissu urbain des zones sous-exploitées. Dans ce contexte, il a été décidé d'édifier un centre liturgique et communautaire dans la rue Borgado, une des plus importantes de la ville italienne.

L'archevêque de Turin a sollicité la construction d'une église dédiée au Saint Suaire. Le projet présente une architecture monumentale de forme heptagonale, avec sept tours connectées à des chapelles. Dans la partie supérieure des tours, des lucarnes ont été installées pour laisser entrer la lumière naturelle.

En plus de l'église, des tours et des chapelles, la paroisse inclut une salle de conférences, des bureaux, plusieurs appartements, une chapelle pour les services quotidiens et un logement pour le curé.

Het nieuwe beleid op het gebied van stadsherstel zoals gevoerd door het gemeentebestuur van Turijn, komt neer op het omvormen en veranderen van het stedelijk weefsel van weinig gebruikte stadsdelen. In dit verband werd besloten tot de bouw van een liturgisch centrum aan de Via Borgaro, een van de belangrijkste straten van de Italiaanse stad.

De aartsbisschop van Turijn gaf opdracht tot de bouw van een kerk gewijd aan de Lijkwade. Het project volgt een monumentale architectuur, met een heptagonaal grondplan en zeven torens die zijn verbonden met kapelletjes. Boven in de torens zijn daklichten aangebracht waardoor daglicht kan binnenvallen. Naast de kerk, de torens en de kapelletjes herbergt het parochiecentrum een congreszaal, diverse kantoren, een aantal appartementen, een kapel voor de dagelijkse eredienst en een woning voor de parochiepriester.

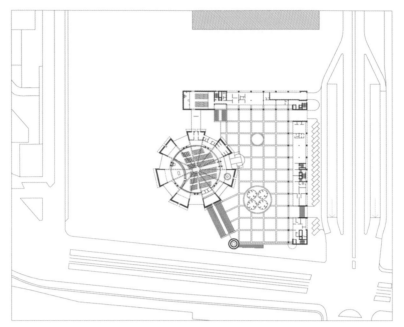

Floor plan

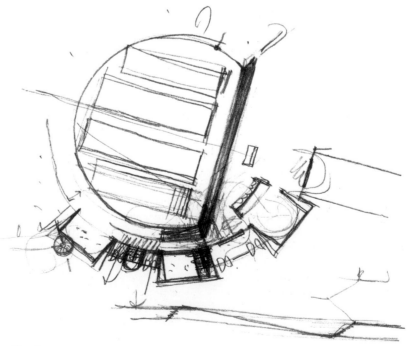

Sketch

Within the context of urban regeneration, an old chimney was integrated into the new parish center as a testament to the area's industrial past. The use of earthy-looking stones is another feature related to the industrial heritage. The architects decided on a heptagonal floor plan because of its strong symbolic and religious significance.

Im Zuge der Stadterneuerung blieb ein ehemaliger Fabrikschornstein als Symbol des industriellen Erbes der Gegend erhalten und wurde in die Planung miteinbezogen. Auch die rote Farbe der Fassade erinnert an die industrielle Vergangenheit. Der siebenstrahlige Grundriss ergibt sich aus der religiösen Symbolik.

Dans le programme de rénovation de la ville, une ancienne cheminée a été intégrée à l'édifice en souvenir du passé industriel de la région. Dans la même optique, les architectes ont choisi d'utiliser des pierres à l'aspect terreux. La forme heptagonale a été retenue pour sa forte signification symbolique et religieuse.

In de context van stadsherstel is een oude schoorsteen als getuige van het industriële verleden van het stadsdeel geïntegreerd in het parochiecentrum. De aardachtige stenen verwijzen ook naar dat verleden. De architecten kozen voor een heptagonaal grondplan vanwege de sterke symbolische en religieuze betekenis ervan.

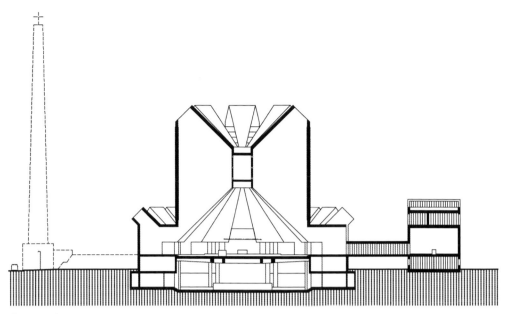

Cross section

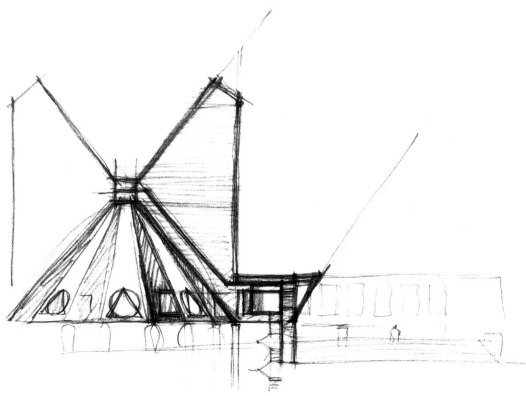

Sketch

Sketch

A binary image formed of pixels in clear reference to the Holy Shroud was created in the altar. The black and white pixels recreate the face on the Shroud. They were reproduced with small red marble bricks positioned so the face of Christ would appear when the light fell on them.

An der Wand über dem Altar wurde mit einem Rasterbild ein direkter Bezug zum Leichentuch Christi geschaffen: Die hellen und dunklen Felder zeichnen das Antlitz Jesu nach. Sie bestehen aus kleinen Marmorziegeln, die so angeordnet wurden, dass sie bei Lichteinfall ein Bild ergeben.

Sur l'autel, une image binaire formée de pixels a été conçue, en hommage au Saint Suaire. Les pixels blancs et noirs recréent le visage du suaire. Ces pixels ont été reproduits avec de petits carreaux de marbre rouge, collés de telle manière que lorsque la lumière est projetée dessus, le visage du Christ apparaît.

Op het altaar is een binaire beeltenis van pixels aangebracht, als verwijzing naar de Lijkwade van Turijn. De witte en zwarte pixels herscheppen het gezicht op de lijkwade. De pixels werden gereproduceerd met kleine steentjes van rood marmer die zo zijn aangebracht dat het gezicht van Christus verschijnt als het licht erop valt.

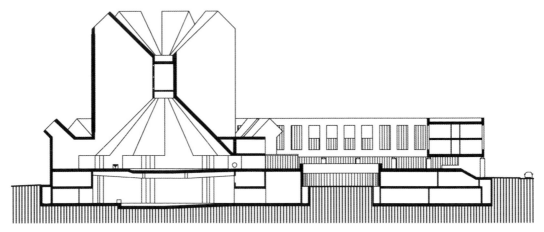

Longitudinal section

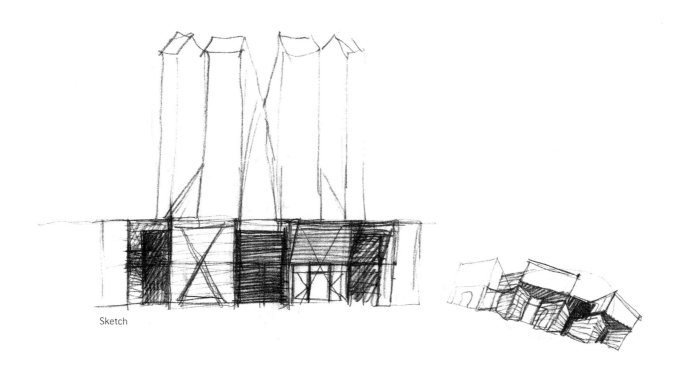

Sketch

Church in Seveso

Baruccana di Seveso, Italy

ARCHITECT

Gregotti Associati
www.gregottiassociati.it

COLLABORATORS AND OTHERS

Beata Vergine Immacolata Parish (commissioner);
Diocesan Curia of Milan (project coordination); Augusto
Cagnardi, Vittorio Gregotti, Michele Reginaldi/Gregotti
Associati International (design team); Giovanni Porta/
Gregotti Associati International (artistic director);
Michele Ronzoni (structural engineering); Danilo
Campagna (structural engineering consultant); Energy
Project (fit-out); Pollice Iluminazione (lighting)

PHOTO

© Donato di Bello

A large parish center was built in the city of Baruccana di Seveso, in the Milan metropolitan area. This architectural ensemble is formed of a church, a multi-purpose room, an oratory, various apartments for the priest and coadjutor, and a gym. The nearby buildings and sports ground are connected to this religious ensemble via a path that leads to the large courtyard at the entrance of the church.

The courtyard becomes the distribution element of the different volumes that surround it. This original layout of the various components of the spiritual ensemble gives it the look of a small village. The most exceptional building is the church made of concrete and created via a parallelepiped volume crowned by an oblong structure and a belfry.

In der südlich von Mailand gelegenen Stadt Baruccana di Seveso wurde ein großzügiges Gemeindezentrum gebaut. Die Anlage umfasst eine Kirche, einen Mehrzwecksaal, einen Gebetsraum, eine Turnhalle und Wohnungen für den Pfarrer und den Küster. Die umliegenden Gebäude und der Sportplatz sind mit dem religiösen Zentrum über einen Weg verbunden, der auf den großen Hof am Eingang der Kirche führt.

Dieser Hof, um den die einzelnen Gebäude angeordnet sind, dient als zentraler Erschließungspunkt des geistlichen Komplexes, der durch diese originelle Anlage wie ein kleines Dorf wirkt. Das beherrschende Gebäude ist die Kirche aus Beton, die sich aus einem zentralen Baukörper über rechteckigem Grundriss mit einem länglichen Aufsatz als Oberlicht auf dem Dach und einem fast frei stehenden Glockenturm zusammensetzt.

Dans la municipalité de Baruccana di Seveso, située dans la région de Milan, un grand ensemble religieux a été construit. Il se compose d'une église, d'une salle polyvalente, d'un oratoire, d'appartements pour le curé et le coadjuteur, ainsi que d'un gymnase. Un chemin relie les bâtiments et le stade à la grande cour située à l'entrée de l'église.

La cour est l'élément unit les volumes. La répartition originale des différents espaces lui confère l'aspect d'un petit village. Le bâtiment le plus remarquable est l'église en béton, un parallélépipède couronné d'une structure de forme allongée et d'un clocher.

In de stad Baraccuna di Seveso, gelegen in het stedelijk gebied van Milaan, is een groot parochiecentrum gebouwd. Dit architectonische geheel bestaat uit een kerk, een multifunctionele zaal, een kapel, appartementen voor de parochiepriester en de kapelaan en een sportzaal. De omliggende gebouwen en sportvelden zijn met dit religieuze complex verbonden door een pad dat naar het grote plein voor de kerk leidt.

Het plein heeft een distribuerende functie voor de omringende bouwwerken. Door de originele rangschikking van de verschillende componenten van het spirituele complex krijgt het geheel het aanzien van een dorpje. Het markantste bouwwerk is de betonnen kerk, die is opgebouwd uit een parallellepipedumvolume, bekroond door een langwerpige opbouw en een klokkentoren.

The parish ensemble comprises different volumes that contain diverse spaces, such as the parish church, a number of atriums, the apartments for the priest and his assistant, and vestibules. Reinforced concrete is the main material used in the design, as well as the glass that covers the opening pierced in the façades.

Das Gemeindezentrum besteht aus verschiedenen Gebäuden, die unterschiedliche Einrichtungen aufnehmen, darunter die Kirche, mehrere Atrien, die Wohnungen für den Pfarrer und den Küster und Empfangsräume. Für den Bau wurde vor allem verstärkter Beton verwendet, dazu viel Glas für die Öffnungen in den Fassaden.

Cet ensemble paroissial est composé de différents volumes comprenant plusieurs espaces, comme l'église paroissiale, de nombreux vestibules et salles ainsi que les appartements du curé et de l'assistant. Le béton armé est le matériau le plus utilisé pour ce projet, en plus du verre pour les ouvertures sur les façades.

Het parochiecentrum bestaat uit meerdere componenten die diverse ruimten herbergen, zoals de parochiekerk, atriums, de appartementen van de parochiepriester en zijn assistent en vestibules. Gewapend beton is het meest toegepaste materiaal, en daarnaast glas, dat de in de gevel uitgespaarde openingen afsluit.

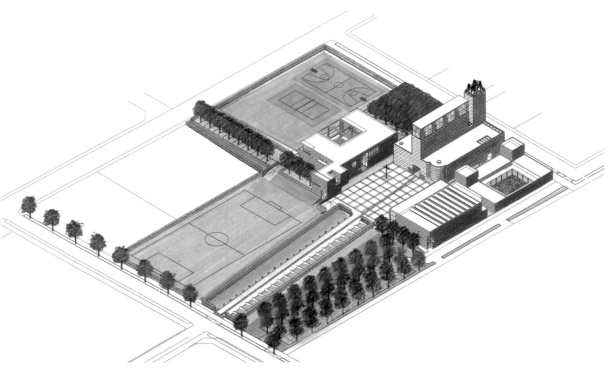

Sketches

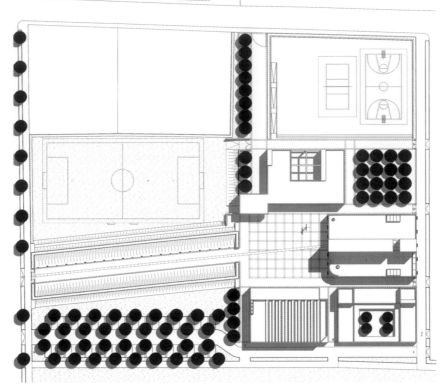

Parish buildings floor plan

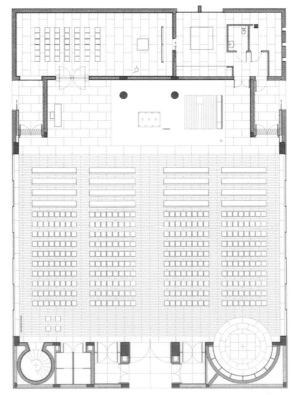

Church floor plan

The most outstanding element of the church is the oblong volume above the main nave. V-shaped wooden beams are visible from inside and out. Openings were made in the structure to allow the light in and a metal platform surrounds the beams.

Das auffälligste Merkmal der Kirche ist das längliche Gebilde auf dem Dach des Hauptschiffs. Die V-förmigen Holzbalken sind von innen und außen sichtbar. Sie sind von einer umlaufenden Plattform aus Metall umgeben. Über die großzügige Öffnungen in diesem Baukörper gelangt das Licht in den Kirchenraum.

L'élément le plus remarquable de l'édifice est le volume de forme allongée situé sur le toit de la nef principale. Les poutres en bois en forme de V sont visibles de l'intérieur comme de l'extérieur. Dans la structure, des ouvertures laissent entrer la lumière et les poutres sont entourée par une plate-forme métallique.

Het opvallendste element van de kerk is de langwerpige component boven het middenschip. De V-vormige houten balken zijn zowel buiten als binnen zichtbaar. In de structuur zijn openingen uitgespaard, zodat daglicht kan binnenvallen, en rond de balken ligt een metalen platform.

D&G Headquarters

Milan, Italy

ARCHITECT

Piuarch
www.piuarch.it

COLLABORATORS AND OTHERS

Dolce & Gabbana S.p.A. (client); Francesco Fresa,
Germán Fuenmayor, Gino Garbellini, Monica Tricario,
Miguel Pallarés, Luca Lazzerotti, Fortuna Parente,
Magali Roig Liverato (team); Ron Arad Associates
(reception's furniture design); FV Progetti S.n.c.
(structural design); M&E Design

DIMENSIONS

5 000 m² / 53 820 sq ft

PHOTO

© Ruy Teixeira

D&G commissioned the Italian firm of architects and designers to create a new headquarters in Milan. Two buildings dating back to the 1920s and 1960s respectively were connected and the interior reorganized. The buildings face three main streets and combine to form an architectural complex of five floors above ground and two basement levels.

The new building comprises various exhibition rooms for the collections, the clothing brand's offices, a restaurant for staff and visitors, and finally a series of image spaces.

Special emphasis in the design conception was put on showcasing a perfect conjunction between classic and contemporary, e.g., the 1920s and 1960s esthetics with a contemporary glass façade that covers the three sides of the complex.

D&G beauftragte das italienische Architektur- und Designstudio damit, den neuen Firmensitz in Mailand zu entwerfen. Dabei sollten zwei 1920 bzw. 1960 erbaute Gebäude umgestaltet und miteinbezogen werden. Diese beiden Bauten stehen an drei Hauptverkehrsstraßen und sind nun über fünf oberirdische und zwei unterirdische Geschosse miteinander zu einem Ensemble verbunden.

Der Neubau umfasst mehrere Ausstellungsräume für die Kollektionen, die Büroräume des Konfektionsunternehmens, eine Kantine für Mitarbeiter und Kunden sowie eine Reihe von Räumen für die Imagepflege.

Bei der Entwurfsplanung wurde besonders auf die Verbindung von Klassik und Moderne geachtet, in diesem Fall also die Kombination der Ästhetik eines Stadtpalais vom Anfang des 20. Jhs. mit einem Gebäude der 60er Jahre und einer zeitgenössischen Glasfassade, die den Komplex auf drei Seiten umgibt.

D&G a commandé au studio italien d'architecture et de design la construction d'un nouveau siège social à Milan. Deux bâtiments, l'un des années 1920 et l'autre des années 1970, ont été reliés et réorganisés à l'intérieur. Ils se situent sur un terrain donnant sur trois rues principales et forment un ensemble architectural composé de cinq étages et de deux sous-sols.

Le nouvel immeuble comprend plusieurs salles d'expositions pour les collections, les bureaux de la marque, un restaurant pour les employés et les visiteurs et une série d'espaces d'images.

Pour le design, l'accent a été mis sur une parfaite harmonie des styles classique et contemporain comme, par exemple, entre l'esthétique d'un palais début XIXᵉ siècle et un bâtiment années 1960, avec une façade contemporaine en verre recouvrant trois côtés du complexe.

D&G gaf het Italiaanse architecten- en ontwerpbureau opdracht een nieuw hoofdkantoor in Milaan te ontwerpen. Er zijn twee panden — gebouwd in respectievelijk de jaren twintig en zestig van de 19e eeuw — met elkaar verbonden en het interieur is vernieuwd. De panden liggen tegenover drie hoofdstraten en vormen samen een architectonisch complex van vijf bovengrondse en twee kelderverdiepingen.

Het nieuwe gebouw bestaat uit diverse toonzalen voor de collecties, de kantoren, een restaurant voor personeel en bezoekers, en ten slotte een reeks ontwerpstudio's.

Bij het ontwerpconcept is vooral de nadruk gelegd op een volmaakt samengaan van het klassieke en het moderne, zoals de esthetiek van een vroeg-20e-eeuws paleis en van een jarenzestiggebouw met een moderne glazen gevel die de drie zijden van het complex bekleedt.

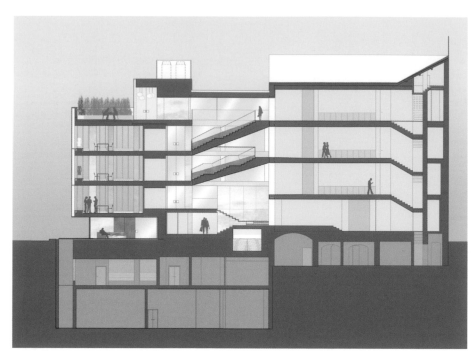

Section

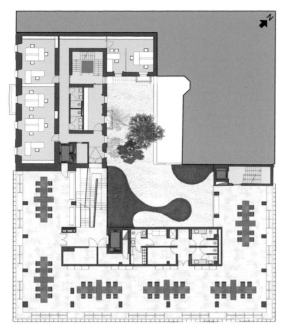

Second floor

First floor

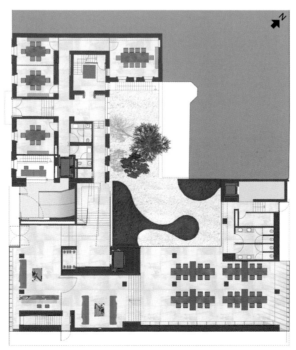

Ground floor

The use of natural materials such as white Namibia stone, glass and unfinished steel sheet exemplifies the architects' intention of establishing a synergy between classic and contemporary. The reception area was created with the aid of the famous designer Ron Arad.

Das Bestreben der Architekten nach der Schaffung einer synergetischen Verbindung zwischen alt und neu kommt auch im Einsatz schlichter Materialien zum Ausdruck: weißer Naturstein aus Namibia, Glas und unbehandeltes Stahlblech. Der Empfangsbereich wurde von dem bekannten Designer Ron Ara gestaltet.

L'utilisation de matériaux naturels tels que la pierre blanche de Namibie, le verre et les plaques d'acier non traité montre clairement la volonté des architectes de créer une synergie entre le classique et le contemporain. La réception a été conçue avec l'aide du célèbre designer Ron Arad.

Het gebruik van natuurlijke materialen als witte Namibia-steen, glas en onbehandeld plaatstaal illustreert de intentie van de architecten een synergie tot stand te brengen tussen het klassieke en het moderne. De receptie is ontworpen met medewerking van de beroemde ontwerper Ron Arad.

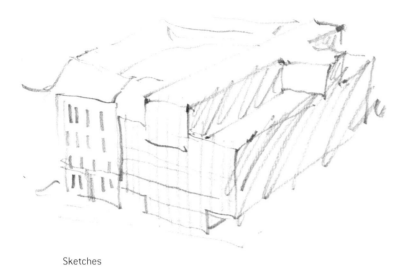

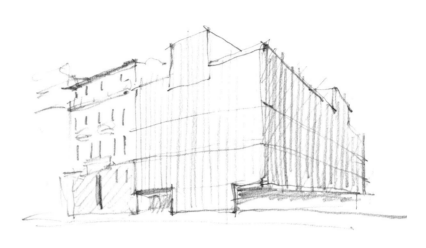

Sketches

Multiplex Cinecity-Limena

Limena, Italy

ARCHITECT

Andrea Viviani/Viviani Architetti

www.andreaviviani.it

COLLABORATORS AND OTHERS

Furlan Cinema e Teatri (client); Marco Roboni (general supervisor); Martina Benetti, Alessandro Corrò, Andrea Manganaro, Giulia Tagliapietra (collaborators); In.Pro Srl (structure); Fiel Srl (electricity); Studio Vescovi (plumbing and heating); Flaviano Favero (safety); CPM Srl, Vitadello Intercantieri Spa (contractors); Arredamenti Moretti & Sons Srl (fittings); Coges Srl (metal); VenetaPav Srl, Dorpetti Srl (designs); Cogeme Srl (special plastering)

DIMENSIONS

9 200 m² / 99 028 sq ft

PHOTO

© Emil Bosco

The job of this multiplex cinema fell to Andrea Viviani because of the experience he had accumulated in the design of similar projects. The architect had previously done another two similar complexes in Trieste and Pradamano. In this case the project was built on an industrial estate in Limena, in a suburban area close to Padua. This special location conditioned the design, as the idea was to attain an image that would set the complex apart from the surrounding industrial buildings. Viviani used a strategic combination of materials, colors, and textures to achieve it. Small aluminum panels, large opaque windows, and meticulously planned vegetation were incorporated into the building structure made from stone. The interior is divided into two floors housing 14 cinemas, two restaurants and a children's play area.

Der Auftrag für diesen Kinokomplex ging an Andrea Viviani, der schon über einschlägige Erfahrungen auf dem Gebiet der Kinosäle verfügte, unter anderem mit zwei ähnlichen Komplexen in Triest und Pradamano. Im vorliegenden Fall wurde der Bau im Gewerbegebiet von Limena, einem Vorort von Padua errichtet. Die Lage in einem Industrieviertel bestimmte die Entwurfsgestaltung, denn man wollte sich bewusst von den umlegenden Gewerbebauten absetzen. Viviani griff dazu auf eine geglückte Kombination verschiedenster Materialien, Formen und Oberflächentexturen zurück.

Die Verkleidung der Fassade mit Steinplatten wird durch kleine Aluminiumpaneele, große matte Fenster und teilweise Begrünung ergänzt. Das Innere weist zwei Geschosse auf, in denen 14 Kinosäle, zwei Restaurants und ein Spielbereich für Kinder Platz finden.

Andrea Viviani a été choisi pour concevoir ce complexe cinématographique en raison de sa grande expérience dans ce genre de projet. Par le passé, l'architecte avait réalisé d'autres édifices similaires dans les villes de Triestre et Pradamano. Ici, le bâtiment a été construit dans la zone industrielle de Limena, dans la banlieue proche de Padoue. Cet emplacement particulier a conditionné le design du bâtiment, l'objectif étant de créer un style en rupture avec celui des constructions industrielles des environs. Pour cela, la stratégie de Viviani a consisté à mélanger les matériaux, les couleurs et les textures.

Au bâtiment de pierre ont été ajoutés de petits panneaux en aluminium, de larges baies vitrées opaques et une végétation soignée. L'intérieur se compose de deux étages qui abritent 14 salles de projection, 2 restaurants et un parc pour enfants.

Andrea Viviani kreeg de opdracht voor dit bioscoopcomplex vanwege zijn ervaring met dit soort projecten. Eerder had hij twee vergelijkbare complexen gerealiseerd in Triëst en Pradamano. In dit geval werd het project gebouwd op een industrieterrein in Limena, in het voorstedelijk gebied vlak bij Padua. Deze ongebruikelijke locatie was bepalend voor het ontwerp, want men was op zoek naar een uiterlijk dat zich duidelijk onderscheidde van de omliggende industriële gebouwen. Hiertoe maakte Viviani gebruik van een strategische combinatie van materialen, kleuren en texturen.

Kleine aluminium panelen, grote matglazen ramen en zorgvuldig gekozen begroeiing werden opgenomen in de stenen constructie. Het interieur is verdeeld in twee niveaus die 14 bioscoopzalen, twee restaurants en een kinderspeelplaats herbergen.

The side façades of the multiplex boast the stairs that lead to the parking lot from the cinemas. Three different materials are combined on these façades: the stone sheets of the main structure, the different-colored plastic panels and the aluminum on the stairs.

An den Seitenfassaden des Kinocenters befinden sich die Treppen, die aus den Kinosälen zu den Parkplätzen führen. Die Fassaden bestehen aus der Kombination dreier Materialien: den Steinplatten der Verkleidung der Grundstruktur, den Kunststoffpaneelen in verschiedenen Farben und dem Aluminium der Treppen.

Sur les façades latérales du complexe cinématographique se trouvent des escaliers qui mènent au parking depuis les salles de cinéma. Ces façades sont composées de trois matériaux différents : de la pierre pour la structure principale, des panneaux de plastique de différentes couleurs et de l'aluminium pour les escaliers.

In de zijgevels van het bioscoopcomplex bevinden zich de trappen die vanuit de bioscoopzalen naar het parkeerterrein leiden. In deze gevels zijn drie soorten materiaal gecombineerd: de stenen platen van de hoofdconstructie, de verschillend gekleurde kunststof panelen en het aluminium van de trappen.

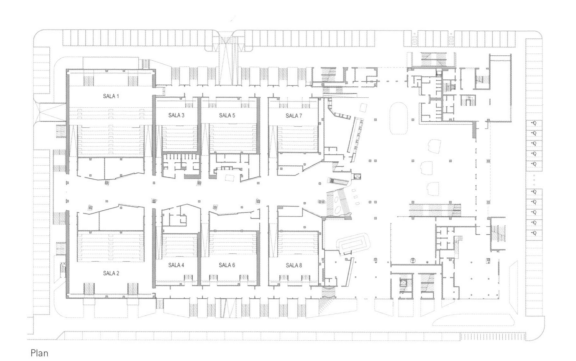

Plan

Inside the idea was again to not reflect any element related with the industrial zone in which the complex is built. Red, black, and green tones were used to impact visitors to the establishment. The artificial lights and small details in timber and stone bring warmth to the complex.

Auch im Inneren sollte nichts an die Industriebauten der Umgebung erinnern. Die Farben rot, schwarz und grün wurden gezielt eingesetzt, um die Besucher dieses Kinocenters zu beeindrucken. Das künstliche Licht und die kleinen Details aus Holz und Stein verleihen den Räumen eine gewisse Wärme.

À l'intérieur, l'architecte a cherché à éviter les références industrielles de la zone où a été construit le complexe. Le rouge, le noir et le vert sont les tons qui dominent. Les éclairages artificiels et les petits éléments de décoration réalisés en bois et en pierre donnent du cachet à l'ensemble.

Ook binnen wilde men op geen enkele wijze refereren aan de industriële zone waar het complex gebouwd is. Rode, zwarte en groene tinten werden toegepast om de bezoekers te imponeren. Het kunstlicht en de kleine, in hout en steen uitgevoerde details geven het geheel een warme uitstraling.

Nardini Center

Bassano del Grappa, Italy

ARCHITECT

Massimiliano Fuksas
www.fuksas.it

COLLABORATORS AND OTHERS

Nardini Grappa (client); Doriana O. Mandrelli, Michal
Shaffer (collaborators); Gianluca Brancaleone, Andi
Divizia, Andrea Fornello, Gilles Burst (model makers);
Davide Stolfi (project leader); Yan Wadham, Defne
Dilber (project); Gilberto Sarti (structure); Jonny
Sandonà (project director)

PHOTO

© Maurizio Marcato

The stunning nature of this design lies in the original ellipsoidal forms the architectural ensemble comprises. These peculiar shapes evoke the tanks of the well-known Nardini distillery.
The bubbles were built with a metal and glass frame that makes it possible to see what is going on inside. They house a 100-seat auditorium and the laboratories of the celebrated brand's new research center.
The two platforms were built on an angle and create a unique stage for holding events. They were clad with a double skin, one part translucent and the other transparent, and favor the 360° views over Mount Grappa. Access is via stairs that start from small ramps built on a little stainless-steel lake where the lighting is installed.

Der besondere Reiz dieses Projekts besteht in den originellen elliptischen Formen des Baukomplexes, die an die Retorten der berühmten Grappabrennerei Nardini erinnern.
Die blasenförmigen gläsernen Kapseln wurden über einer Metallstruktur geformt und lassen den Blick ins Innere zu. In einer Kapsel befindet sich ein Auditorium mit 100 Plätzen und in der anderen die Versuchslabors des neuen Forschungszentrums der bekannten Marke.
Die beiden schräg angelegten Plattformen bilden eine einzigartige Bühne für Veranstaltungen aller Art. Sie wurden mit einer doppelten Außenhaut verkleidet, einer durchsichtigen und einer durchscheinenden, sodass man von Innen den Rundblick auf die Berglandschaft des Montegrappa genießen kann. Man erreicht die Kapseln über Treppen, die von Rampen an einem kleinen Teich aus Edelstahl ausgehen, der nachts beleuchtet wird.

L'aspect spectaculaire de ce projet réside dans l'originalité des formes ellipsoïdales qui composent l'ensemble architectural, évoquant les cuves de la célèbre distillerie Nardini.
Les bulles ont été construites avec une armature métallique et du verre permettant aux visiteurs de voir ce qui se passe à l'intérieur. On y trouve un auditorium de 100 places et les laboratoires du nouveau centre de recherche de la célèbre marque.
Les deux plates-formes sont inclinées et créent une scène unique et parfaite pour accueillir des événements. Elles sont revêtues d'une double couche, avec une partie translucide et une autre transparente, favorisant la vue panoramique à 360° du paysage montagneux de Montegrappa. L'accès se fait par des escaliers partant de petites rampes construites sur le plan d'eau, en acier inoxydable et bénéficiant d'un système d'éclairage.

Het spectaculaire van dit project zit hem in de originele ellipsoïde vormen waaruit het complex is opgeboued. Deze vormen verwijzen naar de tanks van de fameuze distilleerderij Nardini.
De bellen zijn gemaakt van een metalen frame en glas, waardoor te zien is wat er binnen gebeurt. Ze herbergen een auditorium met 100 zitplaatsen en de laboratoria van het nieuwe onderzoekscentrum van het bekende merk.
De twee platforms lopen schuin af en vormen een uniek en perfect podium voor het houden van evenementen. De bellen zijn dubbel beglaasd, voor een deel met doorschijnend en voor een deel met helder glas, waardoor je een panoramisch uitzicht van 360° op het massief van Grappa hebt. Toegang wordt verleend via kleine, schuin oplopende plateaus die uitmonden in trappen, gebouwd boven een meertje van roestvrij staal waarin verlichting is geïnstalleerd.

The other characteristic element of the ensemble is the construction of a small sheet of water 2-inches wide and various feet long. This installation plays with and emphasizes the building's unusual elliptical forms, making it a very moving experience for visitors.

Neben den beiden Kapseln ist die wenige Meter lange, 5 cm tiefe Wasserfläche ein weiteres charakteristisches Element des Entwurfs. Das Wasser spiegelt die ausgefallenen elliptischen Formen des Baus wider und trägt mit dazu bei, bei allen Besuchern einen unvergesslichen Eindruck zu hinterlassen.

L'autre élément caractéristique de l'ensemble est la construction d'une petite étendue d'eau de 5 cm de profondeur et de quelques mètres de longueur. Cette installation met en valeur les formes elliptiques du bâtiment afin de créer une expérience sensitive pour le visiteur.

Het andere karakteristieke element van het complex is de constructie van een bassin van een paar meter lang met daarin een laagje water van 5 cm diep. Deze installatie speelt met en benadrukt de origincle ellipsvormen van het gebouw en ontroert de bezoeker.

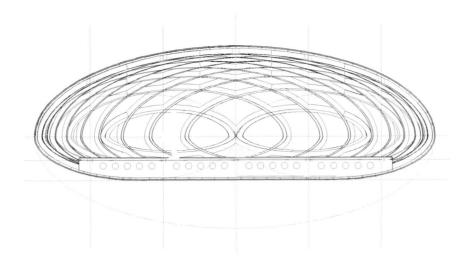

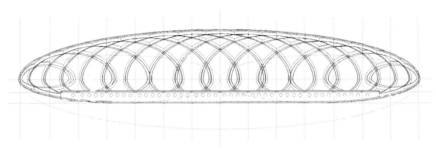

Elevations

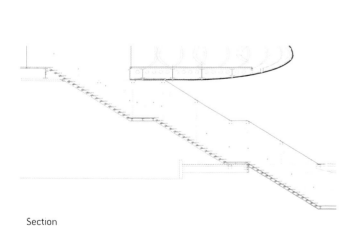

Section

Stair details

Ex Arena Braga

Teramo, Italy

ARCHITECT

Giovanni Vaccarini

www.giovannivaccarini.it

COLLABORATORS AND OTHERS

Di Ferdinando Costruzioni (client);

Michele Di Ferdinando (contractor)

DIMENSIONS

Site area: 450 m² / 4 844 sq ft

Built-up area: 1 100 m² / 11 840 sq ft

PHOTO

© Alessandro Ciampi

The project is located in an urban agglomeration that runs along the Adriatic coast. It is built behind one of the oldest and most emblematic buildings in the city of Giulianova, i.e., the Kursaal, close to the esplanade. The site is rectangular and runs on an east-west axis.

The building was conceived to be a place for summer vacation apartments and its siting took various factors in mind, such as the length and rough geometry of the site, which impacted the resulting shape of the construction. The use allocated for the first floors, i.e., cinema amenities and film equipment storage space, required a completely free connection to the ground.

One outstanding façade element is the creation of a translucent glass skin which wraps the building and turns it into a giant magic lantern.

In einem städtischen Siedlungsgebiet entlang der Küste der Adria befindet sich dieses Gebäude, das in der Nähe der Strandpromenade hinter einem der ältesten und bekanntesten Bauwerke der Stadt Giulianova errichtet wurde, dem Kursaal.

Das Grundstück ist rechteckig und erstreckt sich in Ost-West-Richtung. Die Länge des Grundstücks und die Unregelmäßigkeit des Baugrunds führten dazu, dass bei der Entwurfsplanung dieses Komplexes mit Ferienwohnungen eine ganze Reihe von Aspekten beachtete werden musste. Da das Erdgeschoss für die notwendigen Versorgungseinrichtungen und als Lager für Filmausrüstungen zur Verfügung stehen sollte, musste ein unabhängiger Zugang in die Obergeschosse geschaffen werden.

Für die Fassade wurde eine durchscheinende Glashaut erdacht, die das Gebäude umfängt und es nachts in eine Art riesige Laterne verwandelt.

Le projet a été construit dans une ville se situant le long de la côte Adriatique. Il se situe derrière l'un des bâtiments les plus anciens et emblématiques de la ville de Teramo, le Kursaal, et tout près du bord de mer. Le terrain à bâtir est rectangulaire et s'étend sur un axe est-ouest.

Le bâtiment est conçu comme un bloc de résidences d'été et tient compte de divers facteurs tels que la longitude et la géométrie accidentée du site. L'utilisation du rez-de-chaussée (services et stockage d'équipements de cinéma) nécessitait une connexion au sol complètement libre.

La création sur la façade d'une double peau en verre translucide enveloppe le bâtiment et transforme ainsi la construction en une lanterne magique géante.

Het project is uitgevoerd in een stadsagglomeratie die zich uitstrekt langs de Adriatische kust. Het is gebouwd achter een van de oudste en meest karakteristieke gebouwen van de stad Giulianova, namelijk de Kursaal, en vlak bij de boulevard. Het perceel is rechthoekig en oost-west georiënteerd.

Het gebouw is bestemd voor vakantieappartementen en bij het ontwerp is rekening gehouden met diverse factoren. De lengte en geaccidenteerde geometrie van het terrein waren bijvoorbeeld van invloed op de uiteindelijke vorm van de constructie. Het gebruik van de begane grond als bioscoop met bijbehorende technische ruimten noopte tot een vrije doorgang op dit niveau. Opmerkelijk is de transparante glazen huid die het gebouw omhult en die van de architectonische constructie een gigantische toverlantaarn maakt.

The building's location close to a construction that projects a long shadow forced the architecture firm to create a highly transparent design. They decided to create an open and completely empty first floor which connects to the ground via a long wall of translucent glass.

Aufgrund der Lage in unmittelbarer Nähe eines Gebäudes, das einen großen Schatten wirft, musste der Neubau möglichst viel Licht von außen aufnehmen. Daher wurde beschlossen, das Erdgeschoss aufzulösen und ganz frei zu lassen. Der Bau scheint nur über eine lange gläserne Wand mit dem Erdboden verbunden zu sein.

L'emplacement de la construction près d'un bâtiment créant une large zone d'ombre a obligé les architectes à concevoir un projet ayant le plus de transparence possible. Ils ont donc décidé de créer un rez-de-chaussée dématérialisé et totalement vide, relié au sol par un grand mur en verre translucide.

De ligging van het bouwwerk vlak bij een pand dat een lange schaduw werpt, dwong het architectenbureau een uitzonderlijk transparant ontwerp te maken. Daarom werd besloten tot een onstoffelijke, geheel lege begane grond, die door een lange muur van doorzichtig glas geaard is.

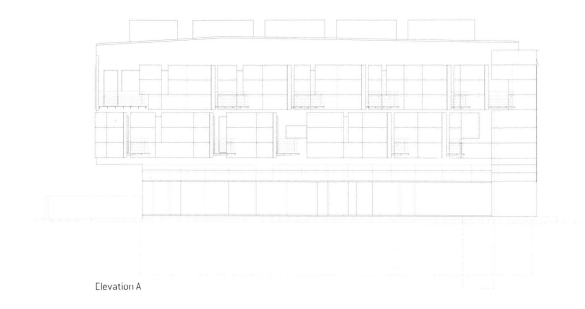

Elevation A

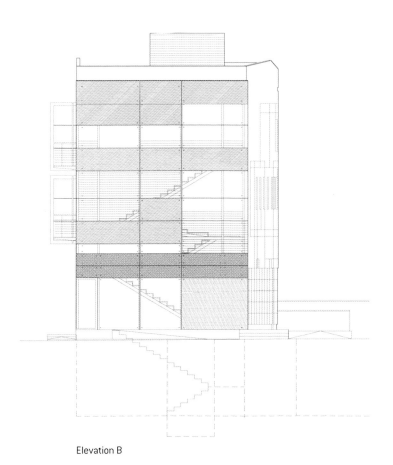

Elevation B

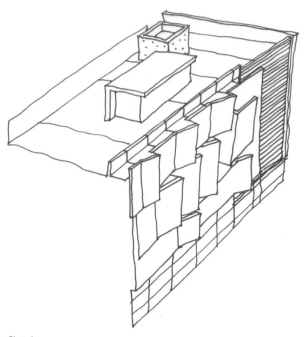

Sketch

Memorial Pedestrian Bridge

Rijeka, Croatia

ARCHITECT
Studio 3LHD
www.studio3lhd.hr

COLLABORATORS AND OTHERS
Rijeka City Council (client); GP Krk, Shipyard 3.Maj,
Almes, Ribaric (builders); CES doo Rijeka-Jean Wolf,
Zoran Novacki, Dusan Srejic, UPI-2M doo Zagreb-
Berislav Medic (engineering)

DIMENSIONS
Total: 47 m / 154.2 ft
Length: 35.7 m/ 117.1 ft
Width: 5.4 m / 17.7 ft
Thickness: 65 cm / 2.1 ft
Height: 9 m / 29.5 ft

PHOTO
© Aljosa Brajdic, 3LHD Archive

The City of Rijeka decided to commission the construction of a commemorative memorial to pay tribute to the Croatian soldiers who fought in the Balkans War. Over the years this bridge has become a significant architectural element and feature of the Croatian city.

As well as its function as a transit element and union of the two banks, the bridge has a markedly monumental character determined by its peculiar architecture. The verticality of the bridge at one end forms a harmonious contrast with the horizontality characteristic of these types of constructions, forming an L.

The material used in a large part of the bridge is steel. Aluminum, magnesium alloy, glass, and treated timber are other materials employed in the construction.

Die Stadt Rijeka beschloss die Errichtung eines Denkmals zur Erinnerung an die kroatischen Soldaten, die im Balkankrieg gefallen waren. Im Laufe der Jahre wurde die so entstandene Brücke zu einem herausragenden architektonischen Element und einem Wahrzeichen der Hafenstadt an der Adria.

Neben ihrem praktischen Nutzen als Verkehrsbauwerk und Verbindung der beiden Flussufer zeichnet sich die Brücke durch ihre Monumentalität aus, die sich aus der eigenwilligen Bauweise ergibt. Die ausgeprägt vertikale Komponente des einen Brückkopfes steht in lebhaftem und doch harmonischem Kontrast zu der gewohnten horizontalen Ausrichtung dieser Art von Bauwerken und führt zur charakteristischen L-Form des Bauwerks.

Hauptmaterial der Brücke ist Stahl. Daneben kamen Aluminium, Magnesiumlegierungen, Glas und behandeltes Holz beim Bau zum Einsatz.

La municipalité de Rijeka a décidé de faire construire un monument commémoratif pour rendre hommage aux soldats croates qui ont participé à la guerre des Balkans. Au fil des ans, ce pont remarquable s'est imposé comme un élément symbolique essentiel de la ville croate.

Le caractère monumental de ce pont provient de son architecture singulière. Sa verticalité à l'une de ses extrémités contraste de manière harmonieuse avec l'horizontalité caractéristique de ce type de construction en forme de L.

Le principal matériau utilisé est l'acier. L'aluminium, un alliage de magnésium, le verre et le bois traité sont également employés pour cette construction.

Het stadsbestuur van Rijeka besloot opdracht te geven tot de bouw van een herdenkingsmonument ter ere van de Kroatische soldaten die vochten in de Balkanoorlog. In de loop van de jaren is deze brug uitgegroeid tot een markant architectonisch element en herkenningspunt van de Kroatische stad.

De brug fungeert niet alleen als verkeerselement en oeververbinding, maar heeft ook een opvallend monumentaal karakter vanweg zijn eigenaardige architectuur. De verticale vorm van de brug aan een van de uiteinden contrasteert op harmonieuze wijze met de karakteristieke horizontale vorm van dit soort constructies en leidt tot een L-vorm.

Het voor deze brug veruit meest gebruikte materiaal is staal. Andere materialen die voor deze constructie zijn gebruikt, zijn aluminium, een magnesiumlegering, glas en geïmpregneerd hout.

Exploded axonometric of the guardrail

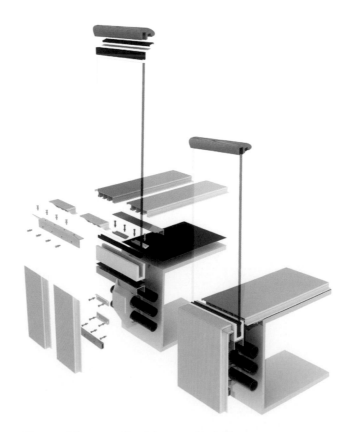

Diagram of the compositional elements of the bridge

The parts used to build the commemorative bridge were industrially manufactured and mounted and assembled on-site. The bridge is lit thanks to the installation of LED lights which reflect off the water of the river to create a spectacular visual effect.

Die zur Errichtung der Erinnerungsbrücke erforderlichen Bauteile wurden industriell vorgefertigt und dann vor Ort montiert. Die Brücke wird mit LED-Leuchten angestrahlt und spiegelt sich im Wasser des Flusses, sodass ein eindruckvolles Gesamtbild entsteht.

Les éléments utilisés pour la construction du pont commémoratif sont de fabrication industrielle et ont été montés et assemblés sur place. Le pont est éclairé par des lumières LED qui se reflètent dans l'eau, créant un effet spectaculaire.

De onderdelen die zijn gebruikt voor de constructie van de herdenkingsbrug werden industrieel vervaardigd en ter plekke in elkaar gezet en geassembleerd. De brug wordt verlicht met een installatie van ledlampen, die weerspiegelen in het water van de rivier, wat een spectaculair visueel effect geeft.

A purpose-built barge was used to move the structures via the various existing bridges. A major work of engineering and coordination was performed to maneuver the 150 tons of material. The result was a tremendous 154-ft-long L-shaped bridge.

Mithilfe einer eigens dazu gebauten Barkasse konnten die Bauelemente unter den bestehenden Brücken hindurch transportiert werden. Die Bewegung der über 150 Tonnen Baumaterial kann als eine hervorragende, gut koordinierte Ingenieurleistung gelten. Im Ergebnis entstand diese 47 m lange Brücke in L-Form.

Grâce à une péniche adaptée, les structures ont pu être transportées sur la rivière jusqu'au lieu d'assemblage. Un grand travail d'ingénierie et de coordination a été mis en place afin de pouvoir manœuvrer les 150 tonnes de matériaux. Le résultat est un pont monumental en forme de L et de 47 m de long.

Met een speciaal voor dit doel gebouwde ponton konden de constructies langs de verschillende bestaande bruggen getransporteerd worden. Zowel constructief als logistiek was het een enorme klus om met de 150 ton materiaal te manoeuvreren. Het resultaat is een monumentale, L-vormige brug van 47 m lang.

Eurasia

New Mariinsky Theater

St. Petersburg, Russia

ARCHITECT
Dominique Perrault Architect
www.dillerscofidio.com

COLLABORATORS AND OTHERS
Russian Federation Ministry of Culture, Federal Agency
for Culture and Film, North-East Directorate for the
Construction, Reconstruction, and Restoration of St.
Petersburg, Mariinsky Theater State Academy (clients);
DPA Russie (associate architects); Joseph Clark
(consultant); Perrault Projects (architectural
engineering); Georeconstructizia-Foundamentproekt
(surface engineering); Nagata Acoustic (main hall
acoustics); Jean-Paul Lamoureux (acoustics);
Bollinger und Grohmann (Goleen Sell structure and
façades); Setec-Bâtiment (technical engineering); HL-
Technik (environmental studies); Changement à Vue
(scenography)

DIMENSIONS
Built area: 60 000 m² / 645 836 sq ft

PHOTO
© Perrault Projects

The association formed by the Russian Ministry of Culture and the State Academy of the Mariinsky Theatre announced an international competition whose winning design had to present a modern structure which at the same time would speak to the theater's origins and turn it into a worldwide artistic icon for the city of St. Petersburg. This future theater is located in the center of a complex network of neoclassical buildings close to the original theater and the Krukov Canal. The building will house a principal lobby, an audition room, an alternative room, the stage, the dressing rooms, workshops, rehearsal rooms, study rooms, technical spaces, a restaurant, and various stores.
The most noteworthy architectural aspect of the design is a golden mesh the inside of which is glassed-in to allow a view of the exterior.

Ein Konsortium des russischen Kulturministeriums und der Staatlichen Akademie des Mariinsky-Theaters schrieb einen internationalen Wettbewerb zur Erweiterung des Bauwerks aus, bei der ein modernes Gebäude entstehen sollte, das die Tradition der Einrichtung hochhalten und zugleich zu einer weltweit bekannten Ikone der Stadt Sankt Petersburg werden sollte.
Der Neubau liegt inmitten eines Ensembles klassizistischer Bauwerke in der Nähe des alten Theatergebäudes, jenseits des Krukow-Kanals. Er umfasst eine Eingangshalle, den Opernsaal und einen weiteren Vorführungsraum, das Bühnenhaus, Garderoben, Werkstätten, Probensäle, technische Einrichtungen, ein Restaurant und mehrere Geschäfte.
Das auffälligste Merkmal des Neubaus ist zweifellos seine goldene Außenhaut, die von innen verglast ist, sodass man hinaus sehen kann.

Le ministère de la culture russe et l'Académie nationale du Théâtre Mariinsky ont organisé un concours international visant à créer une structure qui soit à la fois moderne et qui fasse référence aux origines du théâtre, pour devenir le symbole artistique de la ville de Saint-Pétersbourg.
Ce théâtre se situera au centre d'un réseau complexe de constructions néoclassiques proches du théâtre original et du canal Krukof. Le bâtiment sera composé d'un hall principal, d'une salle d'audition, d'une salle alternative, d'une scène, de vestiaires, d'ateliers, de salles de classe, d'espaces techniques, d'un restaurant et de plusieurs boutiques.
L'élément le plus marquant de ce projet est le maillage doré servant de support à la structure en verre, qui permet de voir à l'intérieur.

Het Russische ministerie van Cultuur en de Rijksacademie Theater Mariinsky schreven een internationale wedstrijd uit waarvan het winnende ontwerp een modern bouwwerk moest presenteren dat zou verwijzen naar de oorsprong van het theater en het tegelijkertijd tot een mondiaal artistiek icoon van Sint Petersburg zou maken.
Dit toekomstige theater is gepland in het hart van een complex netwerk van neoklassieke gebouwen vlak bij het oorspronkelijke theater en het Kryukov-kanaal. Het gebouw zal een hoofdvestibule herbergen, een gehoorzaal, een kleinere zaal, het toneel, kleedkamers, ruimten voor workshops, repetitielokalen, studio's, technische ruimten, een restaurant en verscheidene winkels.
Het meest opvallende aspect van het ontwerp is een verguld maaswerk dat vanbinnen bekleed is met glas, waardoor je overal uitzicht hebt op buiten.

The new theater comprises an enveloping volume of black marble covered by a translucent glass cupola. The cupola in turn is surrounded in a bright golden structure visible from any point, as it stands out from among the neoclassical buildings that surround the theater.

Der Neubau besteht aus einem mit schwarzem Marmor verkleideten Block, über dem sich eine durchsichtige Glaskuppel erhebt. Dieser gesamte Komplex wird von einer glänzenden, vergoldeten Gitterstruktur eingehüllt, die zwischen den klassizistischen Gebäuden der Altstadt weithin sichtbar ist.

Le nouveau théâtre se compose d'un volume enveloppant de marbre noir recouvert d'une coupole en verre translucide. Ladite coupole se compose d'une structure dorée brillante et visible de toute part ; elle se distingue des bâtiments de style néoclassique qui entourent le théâtre.

Het nieuwe theater bestaat uit een ruimte bekleed met zwart marmer en afgedekt met een doorzichtige glazen koepel. Deze koepel wordt op zijn beurt bedekt door een structuur van glanzend goud die vanuit elke hoek zichtbaar is, omdat hij opvalt tussen de neoklassieke gebouwen die het theater omringen.

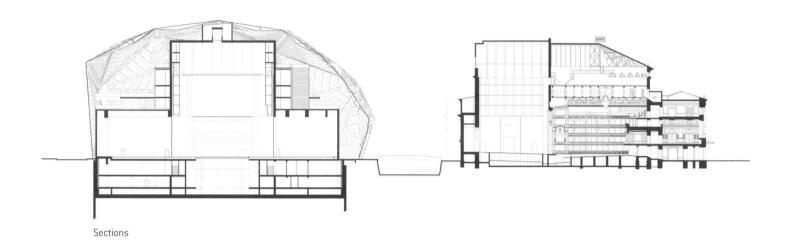

Sections

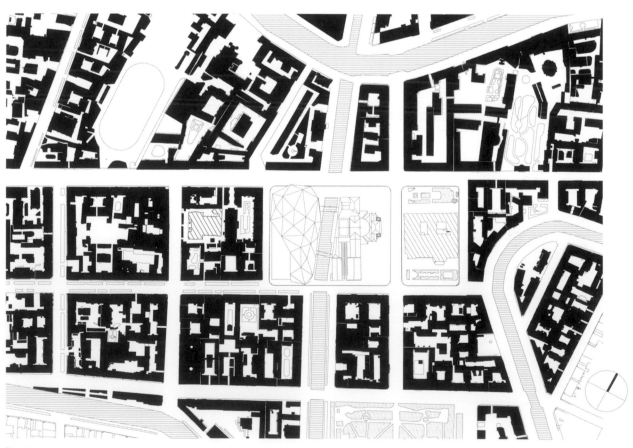

Site plan

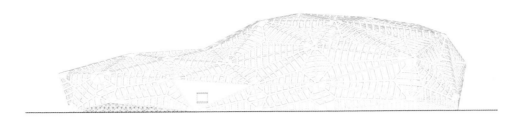

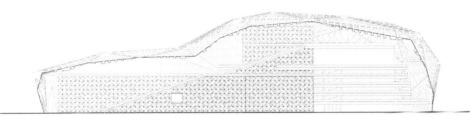

Elevations

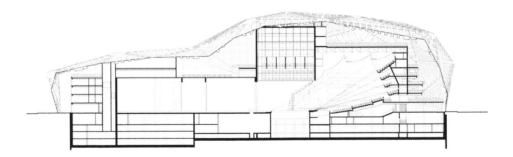

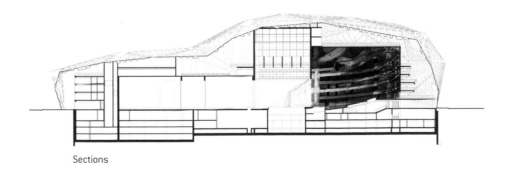

Sections

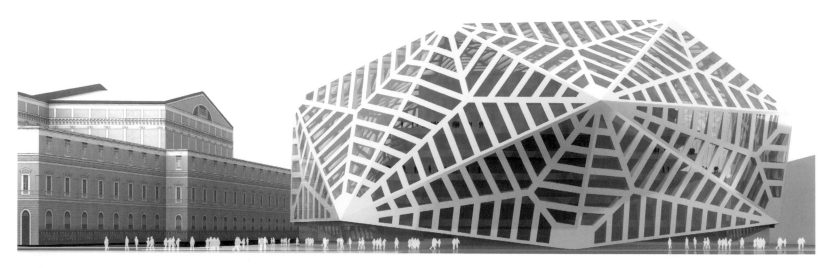

525

The interior spaces branch out from the central corridor, which runs horizontally along the length of the building and is lit by the large glass panes of the structure. The theater's décor is characterized by the combination of deep gold and red colors which are projected onto the rows of the stalls, the balconies, the walls, and the ceilings.

Ausgehend von einem Mittelgang, der das gesamte Bauwerk durchquert und sein Licht über große Glasfenster erhält, werden alle Innenräume erschlossen. Die Innausstattung des Theaters zeichnet sich durch die Verwendung von goldenen und tiefroten Farbtönen bei den Sitzreihen im Parkett, auf den Rängen, an den Wänden und an der Decke aus.

Une allée centrale, qui traverse tout le bâtiment et qui est éclairé par les grandes vitres de la structure, donne accès au reste des espaces intérieurs. La décoration du théâtre est caractérisée par le mélange des couleurs or et rouge intense choisis pour les sièges, les balcons, les murs et les toits.

Vanuit de hoofdgang, die over de hele lengte van het gebouw loopt en waar licht binnenvalt via grote ramen, vertakken zich de andere binnenruimten. De decoratie van het theater kenmerkt zich door de kleuren goud en dieprood, die gepland zijn voor de zitplaatsen van de parterre, de balkons, de muren en de plafonds.

Kemerlife XXI

Göktürk, Turkey

ARCHITECT

EEA-Emre Arolat Architects, Nevzat Sayin, Ihsan Bilgin
www.emrearolat.com

DIMENSIONS

Site area: 80 000 m² / 861 113 sq ft

PHOTO

© Ali Bekman

The architectural design emerged after a long process of reflection on the most appropriate design bearing the site in mind. The ensemble is sited in one of the numerous districts that make up the Istanbul metropolitan area.

The complex comprises 206 apartments designed according to 13 different styles. Three of the faces are closed to permit the distribution of public and private gardens inside. The first floor has duplex apartments. They have their own private gardens slightly raised with respect to the communal recreational areas to afford more privacy. Above them climb the three-story apartment buildings in a perpendicular arrangement with respect to the communal spaces.

Die Entwürfe für dieses Bauprojekt entstanden nach einem langen Prozess der Reflexion über die angemessene Gestaltung der Bauten, vor allem wegen der Lage des Bauplatzes. Die Anlage sollte in einem der zahlreichen Bezirke entstehen, die zum Großraum Istanbul gehören.

Der Komplex umfasst 206 Wohneinheiten in 13 verschiedenen Grundtypen. Sie sind auf drei Seiten abgeschlossen, um die Anlage gemeinschaftlicher und privater Gärten zu ermöglichen. Zu ebener Erde befinden sich die unteren Geschosse der Maisonettewohnungen, die wie Reihenhäuser angelegt sind. Sie verfügen über kleine Gärten, die den Gemeinschaftsgärten gegenüber erhöht liegen, um die Privatsphäre zu erhalten. Über den Maisonnetten erheben sich dreistöckige Appartementhäuser, während die Gemeinschaftsbereiche auf die waagerechte Ebene beschränkt bleiben.

Ce projet architectural est né d'une longue réflexion sur le design le plus approprié en fonction de son emplacement. Le lotissement se situe dans la banlieue d'Istanbul. Il comporte 206 logements de 13 types différents. Trois de ses côtés sont fermés pour permettre l'aménagement de jardins publics et privés à l'intérieur. Au rez-de-chaussée, les duplex prennent la forme de maisons mitoyennes. Chaque maison a son propre jardin privé, légèrement surélevé par rapport aux aires de jeux communes afin d'offrir un maximum d'intimité. Au-dessus des duplex se trouvent les immeubles de trois étages, dotés d'une structure verticale et d'un aménagement perpendiculaire par rapport aux espaces communs.

Dit architectonische project is het resultaat van een langdurig proces van bezinning op het meest geëigende ontwerp dat rekening houdt met de locatie. Het geheel ligt in een van de vele districten die samen de stadsagglomeratie Istanbul vormen. Het complex bestaat uit 206 woningen naar 13 verschillende ontwerpen. Aan drie zijden is het afgesloten om daarbinnen plaats te bieden aan openbare plantsoenen en privétuinen. Op de begane grond bevinden zich geschakelde duplexwoningen. Deze appartementen beschikken over een eigen tuin die iets boven het niveau van de gemeenschappelijke recreatieve voorzieningen ligt, waardoor er meer privacy is. Boven de duplexwoningen liggen de appartementengebouwen van drie verdiepingen, verticale constructies die loodrecht op de gemeenschappelijke ruimten staan.

Sketch

The axial change of the vertical volumes over the horizontal floor plan facilitates the creation of private gardens on the first floor occupied by the duplex apartments. The basement is allocated to parking, services and the connections between the different communal areas.

Der Achsenwechsel der aufstrebenden Baukörper gegenüber der waagerechten Bebauung ermöglichte die Anlage der Privatgärten im Erdgeschoss der Maisonnettewohnungen. Das Untergeschoss dient als Parkgarage, für Versorgungseinrichtungen und Verbindungen zwischen den Gemeinschaftsbereichen.

Le changement d'axe que produisent les volumes verticaux par rapport à la surface horizontale a permis de créer des jardins privés du rez-de-chaussée au niveau des duplex. Les parkings se trouvent au sous-sol ainsi que les services et les connexions entre les différents espaces communs.

De aswijziging veroorzaakt door de verticale componenten op het horizontale grondplan staat de aanleg van privétuinen op de door duplexwoningen ingenomen begane grond toe. Het souterrain is bestemd voor facilitaire en parkeervoorzieningen en vormt daarnaast de verbinding tussen de diverse gemeenschappelijke voorzieningen.

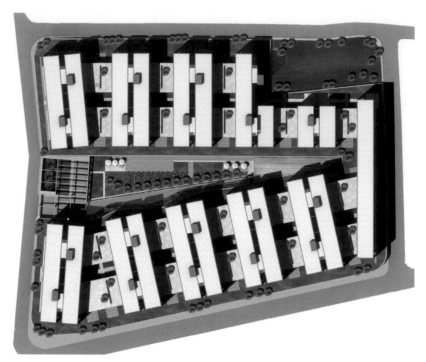

Site plan

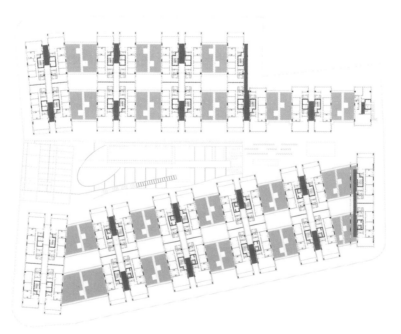

Third floor

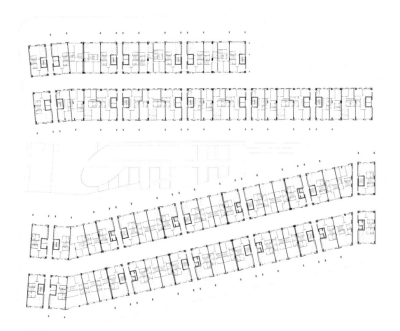

Second floor

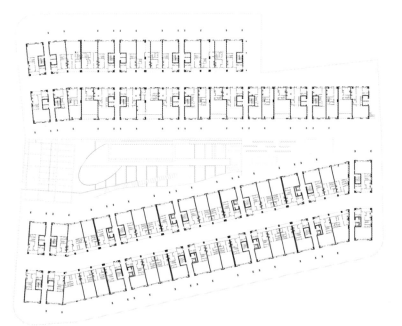

First floor

Kanyon

Istanbul, Turkey

ARCHITECT

The Jerde Partnership
www.jerde.com

COLLABORATORS AND OTHERS

Eczacibasi, Is Real Estate & Investment (investors);
Tabanlioglu Mimarlik (executive architect); Arup
(engineer); Sevil Peach Gence Associates, Brigitte
Weber (interiors); Tepe Construction (contractor).

DIMENSIONS

37 500 m² / 403 647 sq ft

PHOTO

© Ali Kabas

The architectural complex is composed of offices, luxury apartments, an amphitheater, and a shopping mall. It is designed to attract a select public from the city and high-end businesses in Turkey. The design stands out from the usual configuration of commercial sites in Istanbul. The architects wanted to offer an open-air mall that was highly dynamic, perfectly functional and above all, sustainable. The undulating forms afford striking changing perspectives and make it easier for visitors to walk around it freely. A curved and open central aisle forms the nucleus that joins the rest of the different spaces. It is crossed to reach the leisure, commercial, and residential areas. A series of courtyards which function as meeting points are produced. There is also a large amphitheater in the middle of the site for staging theater performances and concerts.

Dieser Baukomplex setzt sich zusammen aus Büros, Luxusappartements, einem Amphitheater und einem Einkaufszentrum mit den renommiertesten Geschäften der Türkei. Er wurde errichtet, um begüterte Kundschaft aus der Stadt anzuziehen.
Der Entwurf unterscheidet sich von der üblichen Anlage der Einkaufszentren in Istanbul. Die Architekten wollten eine Einkaufswelt unter freiem Himmel schaffen, die dynamisch, funktionell und vor allem nachhaltig ausgerichtet sein sollte. Die schwingenden Formen bieten stets wechselnde Ansichten und erleichtern das Flanieren.
Der offene, geschwungene Hauptweg ist der Mittelpunkt, von dem aus die übrigen Bereiche erschlossen werden: Freizeiteinrichtungen, Läden und Wohnungen. Die Innenhöfe sind als Treffpunkte gedacht. In dem großzügigen Veranstaltungsbereich des Komplexes finden Theateraufführungen und Konzerte statt.

Le complexe architectural se compose de bureaux, de logement de luxe, d'un amphithéâtre et d'un centre commercial. Il est destiné à attirer le public « select » de la ville, ainsi que les commerces les plus prestigieux de Turquie.
Le design est loin de la configuration habituelle des centres commerciaux d'Istanbul. Les architectes voulaient offrir un lieu en plein air, très dynamique, parfaitement fonctionnel et surtout en accord avec le développement durable. Les formes ondulantes offrent des perspectives changeantes qui attirent l'attention et facilitent la circulation des usagers.
Une allée centrale, curviligne et ouverte, constitue le centre des différents espaces. Elle permet d'accéder aux zones commerciales, résidentielles et de loisir. Une série de cours intérieures, fonctionnant comme des lieux de réunion, a été créée. Il existe également un amphithéâtre au centre de l'enceinte dans lequel ont lieu des représentations théâtrales et musicales.

Het complex bestaat uit kantoren, luxe wooneenheden, een amfitheater en een winkelcentrum en moet een zeer select publiek uit de stad aantrekken, evenals de meest prestigieuze winkels van Turkije.
Het ontwerp onderscheidt zich van de bouwstijl van alle andere winkelcentra in Istanbul. De architecten wilden een openluchtwinkelcentrum realiseren dat uitzonderlijk dynamisch zou zijn, functioneel en, bovenal, duurzaam. De golvende vormen zorgen voor markante, wisselende perspectieven en bevorderen de doorstroom van bezoekers. Een centrale open, kronkelende promenade is het middelpunt dat de overige ruimten met elkaar verbindt. Via deze passage kom je in het amusements-, het winkel- en het woongedeelte. Enkele binnenplaatsen fungeren als ontmoetingspunten. Tevens is er een groot amfitheater in het hart van het complex, waar toneelstukken en concerten worden uitgevoerd.

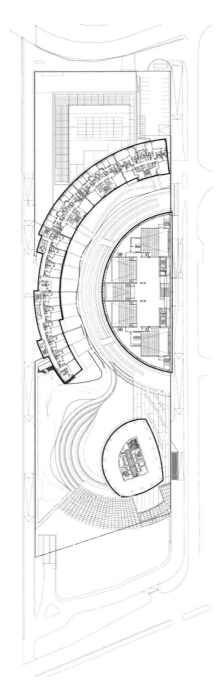

First floor

The tallest building in the complex is allocated to offices and luxury apartments. A canopy is set in the entrance to the offices and apartments. The creation of walkways enables the connection of the different spaces in the complex.

Das höchste Gebäude des Komplexes nimmt Büroräume und Luxusappartements auf. Über dem Eingang zum Einkaufszentrum wurde eine Art Baldachin errichtet, in dem ebenfalls Verwaltungsräume und Wohnungen untergebracht sind. Über Stege sind die einzelnen Bereiche des Zentrums miteinander verbunden.

Le bâtiment le plus haut de l'ensemble architectural abrite les bureaux et les appartements de luxe. La création de passerelles permet de relier les différents espaces qui forment l'enceinte.

Het hoogste gebouw van het geheel is bestemd voor kantoren en luxe appartementen. Een overkapping is aangebracht bij de entree ervan. De loopbruggen zorgen voor de verbinding tussen de verschillende delen van het complex.

Second floor

Evidea

Istanbul, Turkey

ARCHITECT

EEA-Emre Arolat Architects, Nevzat Sayin, Ihsan Bilgin
www.emrearolat.com

DIMENSIONS

Site area: 150 000 m² / 1 614 587 sq ft
Built area: 8 765 m² / 94 400 sq ft

PHOTO

© Emre Arolat

The neighborhood of Cekmeköy, on the outskirts of Istanbul, is in the middle of a building boom. In this context it was decided to build this complex of residential properties that is conceptually and esthetically different from the typical architecture of the rest of the country. This construction was made possible because the local building regulations were adapted to the typology of the macro-projects commissioned to major developers. The result of a conscientious study and the country's building laws applied to large-scale constructions was a uniform and compact nine-story building formed of four plaster blocks. The blocks were closed onto the interior courtyard, far removed from the permeability of the staggered layout characteristic to urban development in Turkey. The connection areas with the gardens and pool, as well as private gardens, converge in the central courtyard.

Das zu den Außenbezirken der türkischen Hauptstadt gehörende Viertel Cekmeköy erlebt zur Zeit einen wahren Bauboom. Das hier vorgestellte Wohnviertel fällt allerdings aus dem Rahmen, da es sich sowohl von der Anlage als auch von der Art der Architektur her von den landesüblichen Projekten unterscheidet. Ermöglicht wurde dieser Komplex dadurch, dass die lokale Bauordnung der Typologie der Großprojekte großer Baukonzerne angepasst wurde.
Im Ergebnis einer eingehenden Studie und in Anwendung der Baugesetze des Landes auf Großbauten entstand ein kompaktes neunstöckiges Gebäude, das aus vier verputzten Blöcken besteht. Als Blockrandbebauung schließen die vier Baukörper einen zentralen Innenhof ein, in dem sich eine großzügig gestaltete Gemeinschaftszone mit Gärten und Schwimmbad sowie einigen Privatgärten befindet.

Cekmeköy est un quartier situé dans la périphérie d'Istanbul, dans lequel la construction est en plein essor. Dans ce contexte, un lotissement, dont la conception et l'esthétique architecturales diffèrent du reste du pays, a été créé. Cette construction a été rendue possible car la législation technique locale s'est adaptée à la typologie des projets de grande envergure que les gros promoteurs mettent en place.
Après une étude consciencieuse conformément aux lois de construction du pays qui régissent les grands projets de constructions, le projet a donné naissance à un édifice de neuf étages uniforme et compact, formé par quatre blocs recouverts de crépis. Ces blocs s'organisent autour d'une cour intérieure, loin de du rythme échelonné caractéristique des constructions turques. Les espaces qui relient les jardins et les piscines ainsi que les jardins privés convergent vers cette cour intérieure.

In Cekmeköy, een wijk in de periferie van de Turkse hoofdstad, wordt momenteel volop gebouwd. In deze context werd besloten tot de bouw van dit wooncomplex dat zowel conceptueel als esthetisch afwijkt van de architectuur van de rest van het land. De bouw ervan was mogelijk doordat de plaatselijke bouwvoorschriften werden aangepast aan de typologie van de macroprojecten van grote projectontwikkelaars. Het resultaat van een diepgaande studie en toepassing van de Turkse bouwwetgeving was een uniform, compact gebouw van negen verdiepingen, bestaand uit vier gepleisterde woonblokken. De blokken vormen een gesloten front naar een binnenplaats en staan mijlenver af van de open, verspringende bebouwing die zo karakteristiek is voor Turkse steden. Op het binnenterrein komen de delen samen die de plantsoenen, het zwembad en de privétuinen verbinden.

The architectural complex comprises four blocks for 473 residential apartments and an interior central courtyard that contains recreational areas. The materials used in this design are concrete for the structure; plaster, plastic paint, and perforated metal for the finishes; and timber for the exterior lattice work.

Der Baukomplex besteht aus vier Blöcken mit 473 Wohneinheiten und einem zentralen Innenhof, der einen Erholungsbereich umfasst. Als Materialien wurde Beton für die tragende Struktur, Gips, Dispersionsfarbe und gelochtes Metall für die Innenausstattung sowie Holz für die Außenjalousien verwendet.

Le lotissement se compose de quatre blocs divisés en 473 résidences et une cour centrale intérieure avec des aires de jeux. Les matériaux utilisés pour ce projet sont le béton pour la structure; le plâtre, la peinture plastique et le métal perforé pour les finitions et le bois pour les persiennes.

Het architectonisch complex bestaat uit vier blokken voor 473 wooneenheden en een centraal binnenterrein met recreatieve voorzieningen. De toegepaste materialen zijn beton voor het skelet, pleister, acrylverf en geperforeerd metaal voor de afwerking en hout voor de zonwering buiten.

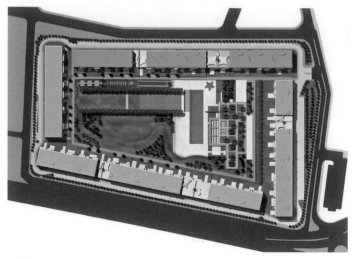

Site plan

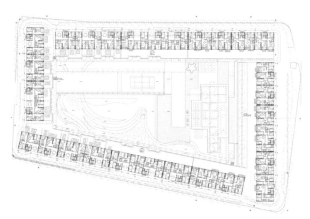

Complex ground plan at +20 feet

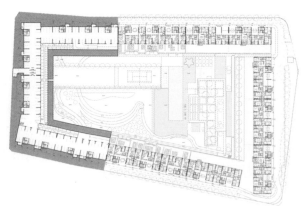

Complex ground plan at +8.8 feet and +10 feet

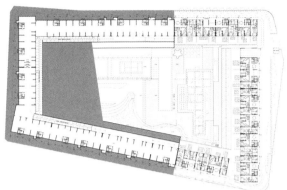

Complex ground plan at −1 ft and 0 ft

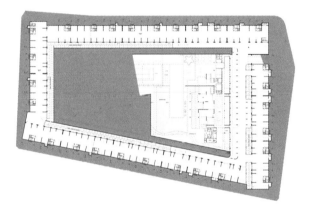

Complex ground plan at −10 ft

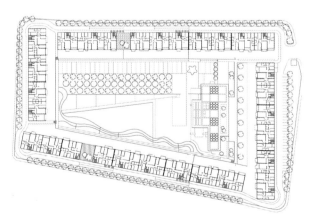

Ground floor of the complex

Asia

Ibn Battuta Mall

Dubai, United Arab Emirates

ARCHITECT

Callison Architects

www.callison.com

COLLABORATORS AND OTHERS

Géant, Ikea, Gap, Megaplex (anchor tenants)

DIMENSIONS

139 255 m² / 1 500 000 sq ft

PHOTO

© Callison/Chris Eden

The job commissioned to Callison Architecture involved transforming a small outlet center into an enormous commercial space. The architects drew their inspiration from the travels of 14th-century Moroccan explorer Ibn Battuta. The resulting design was a structure divided into six thematic zones that evoke the areas he traveled around: Andalusia, Tunisia, China, Egypt, India, and Persia.

This division is visible both in the architecture and the interior design. These differences are patent in the finishes, mosaics, masonry work, vaulted ceilings, sculptures, fountains, and decorative elements, among other features.

Despite this conceptual eclecticism, the designers were able to unify the site via an elegant and balanced architecture that unites tradition and modernity.

Das Büro Callison erhielt den Auftrag, ein kleines *Outletcenter* in ein großzügig dimensioniertes Einkaufszentrum umzubauen. Die Architekten ließen sich von den Reisen des marokkanischen Entdeckers Ibn Battuta anregen, der im 14. Jahrhundert viele Länder der damals bekannten Welt bereiste. Die Namen der sechs Bereiche erinnern an diese Länder: Andalusien, China, Ägypten, Indien, Persien und Tunesien. Diese Gliederung spiegelt sich sowohl in der Architektur als auch im Design der Innenräume wider, die mithilfe wechselnder Oberflächentexturen, Mosaiken, Sichtmauerwerk, gewölbten Decken, Skulpturen, Brunnenanlagen und weiterer Schmuckelemente voneinander differenziert wurden.

Trotz der eklektischen Gestaltung gelang es den Planern, mit ihrer eleganten, ausgewogenen Architektur ein einheitliches Bild zu schaffen, Tradition und Moderne zu vereinen.

La mission confiée au cabinet d'architecture Callison était de transformer un petit centre commercial en un « mall » de grande envergure.

Les architectes se sont inspirés des voyages d'Ibn Battuta, un explorateur marocain du XIVᵉ siècle. Le résultat est une structure divisée en six départements thématiques évoquant les régions parcourues par le voyageur : l'Andalousie, la Tunisie, la Chine, l'Égypte, l'Inde et la Perse. Cette division est visible aussi bien au niveau de l'architecture que de la conception intérieure, avec de nettes différences dans les finitions, les mosaïques, la maçonnerie, les plafonds voûtés, la sculpture, les fontaines et les éléments décoratifs.

Malgré cet éclectisme conceptuel, les designers ont réussi à unifier l'ensemble grâce à une architecture élégante et équilibrée, mêlant tradition et modernité.

De opdracht verstrekt aan architectenbureau Callison behelsde de transformatie van een kleine outlet in een reusachtig winkelcentrum. De architecten lieten zich inspireren door de reizen van Ibn Battuta, een Marokkaanse ontdekkingsreiziger uit de 14e eeuw. Het ontwerp dat hieruit voortvloeide, was een bouwwerk verdeeld in zes thematische afdelingen die verwijzen naar de streken waar hij doorheen reisde: Andalusië, Tunesië, China, Egypte, India en Perzië.

Deze onderverdeling is zichtbaar in zowel het exterieur als het interieur. De verschillen zijn duidelijk te zien in onder andere afwerking, mozaïeken, metselwerk, gewelfde plafonds, beeldhouwwerk, fonteinen en decoratieve elementen.

Ondanks dit conceptuele eclecticisme zijn de ontwerpers erin geslaagd alles tot één geheel te smeden dankzij een elegante, uitgebalanceerde architectuur die traditie en moderne tijd met elkaar verbindt.

The mall comprises 21 movie theaters, the first IMAX cinema in the United Arab Emirates and a plethora of businesses offering premium services to visitors. The different ambiances represented inside speak to Ibn Battuta's travels, such as a pyramid sculpture that evokes Egypt.

Das Einkaufszentrum umfasst 21 Kinosäle, das erste IMAX-Theater der Arabischen Emirate und eine Vielzahl von Geschäften, die den Besuchern offen stehen. Die unterschiedlich gestalteten Innenräume erinnern an die Reisen Ibn Battutas, darunter etwa eine Pyramidenstruktur, die Ägypten heraufbeschwört.

Le centre commercial se compose de 21 salles de cinéma, le premier cinéma IMAX des Émirats arabes unis et d'une multitude de commerces offrant les meilleurs services à la clientèle. Les différentes ambiances représentées à l'intérieur évoquent les voyages d'Ibn Battuta, une pyramide fait ainsi référence à son voyage en Égypte.

Het winkelcentrum bestaat uit 21 bioscoopzalen, de eerste IMAX-bioscoop van de Verenigde Arabische Emiraten en talloze winkels die de bezoekers eersteklas kwaliteit bieden. De verschillende sferen binnen brengen de reizen van Ibn Battuta in herinnering, zoals een piramidevormige sculptuur die doet denken aan Egypte.

Special emphasis was put on the details in the interior design. The richness of the finishes, ceilings, false beams, sculptural details, etc., have been carefully planned to achieve a greater impact. Care was also taken with the lighting that gives the mall a theatrical look in line with the different spaces represented.

Auf die gelungene Innenausstattung wurde besonderer Wert gelegt. Die Verschiedenheit der Oberflächen, die Decken mit ihrenScheinbalken, die bildhauerischen Details – alles wurde bis ins Kleinste durchdacht, um eine besondere Atmosphäre zu schaffen, zu der die ausgeklügelte Beleuchtung das ihre beiträgt.

Pour la conception intérieure, l'accent a été mis sur les détails. La richesse des finitions, des plafonds, des fausses poutres, des détails sculpturaux, etc., apportent une ambiance spectaculaire. L'éclairage a également été soigné ; il donne un côté théâtral, en accord avec les espaces représentés.

Bij het interieurontwerp is speciale aandacht besteed aan de details. De rijkdom van de afwerking, de plafonds, schijnbalken, gebeeldhouwde elementen etc. zijn tot in de puntjes verzorgd. Ook is veel zorg besteed aan de verlichting, die het complex een theatraal aanzien geeft in overeenstemming met de diverse verbeelde ruimten.

Emirates Towers Complex

Dubai, United Arab Emirates

ARCHITECT

Hazel WS Wong/Norr Group Consultants
www.norrlimited.com

COLLABORATORS AND OTHERS

Jumeirah International Group (client); Besix, PERI
GmbH Formwork and Scaffolding, Ssanyong
Engineering & Construction (other companies)

DIMENSIONS

Height: 309 m / 1 014 ft (Jumeirah Emirates
Tower Hotel)
Height: 355 m / 1165 ft (Emirates Office Tower)

PHOTO

© Jumeirah

The architectural complex comprises two iconic, almost-identical towers. The roof of the Emirates Office Tower rises 1,165 ft and is higher than the 1,014-ft Jumeirah Emirates Tower Hotel. The two towers are connected by a two-storey retail complex spread over 6,135 sq ft and known as "the Boulevard". The complex is completed with over 42 acres of gardens, lakes, waterfalls, rest areas, and a parking lot for 1,800 cars.

The two towers capture the changing light of the desert sun and transform it according to the angle of observation. The buildings are clad in aluminum panels with copper and silver reflective glass. The architects performed a real feat of engineering to stabilize the buildings because of their height. They distributed the weight on three different points in a triangular shape.

Der Komplex besteht aus zwei fast identischen Turmhochhäusern. Die Spitze des Emirates Office Tower erreicht 355 m, die des Jumeirah Emirates Tower Hotels 309 m. Beide Türme sind über ein zweigeschossiges Sockelbauwerk miteinander verbunden: The Boulevard mit 9.000 m² Nutzfläche. Zur Gesamtanlage gehören weiterhin über 570.000 m² Gärten, Teiche, Wasserfälle, Ruhezonen sowie ein Parkhaus mit 1800 Stellplätzen.

Die Türme fangen das Sonnenlicht der Wüste ein und wandeln es je nach Einfallswinkel um. Die Gebäude sind mit Aluminiumpaneelen mit reflektierendem Silber- bzw. Kupferglas verkleidet.

Es ist eine hervorragende Ingenieurleistung, diese sehr hohen Bauten stabil zu halten. Die Lösung bestand darin, das Gewicht auf drei so weit wie möglich voneinander entfernte Punkte zu verteilen, nämlich durch einen dreieckigen Grundriss.

L'ensemble architectural se compose de deux tours presque identiques. Le toit de la tour Emirate Office culmine à 355 m et dépasse le Jumeirah Emirates Tower Hotel, de 309 m de hauteur. Les deux bâtiments sont reliés par une construction de deux étages d'une superficie de 9000 m², connue sous le nom de The Boulevard. L'ensemble se complète par plus de 570 000 m² de jardins, lacs, cascades, aires de repos et par un parking pouvant accueillir 1 800 véhicules.

Les deux tours capturent la lumière du soleil du désert qui change en fonction de l'angle de vue. Les édifices sont recouverts de panneaux d'aluminium et de verre réfléchissant de couleur cuivre et argent.

Les architectes ont réalisé une véritable prouesse d'ingénierie pour stabiliser les gratte-ciels. Pour cela, ils ont réparti le poids sur trois points différents, formant un triangle.

Het architectonische complex bestaat uit twee iconische, bijna identieke torens. Het dak van de Emirates Office Tower reikt tot 355 m hoogte en is hoger dan het 309 m hoge Jumeirah Emirates Tower Hotel. Beide gebouwen zijn onderling verbonden door een 9.000 m² grote constructie van twee verdiepingen: "de boulevard". Het geheel wordt gecompleteerd door ruim 570.000 m² aan tuinen, meren, watervallen, rustplekken en een parkeergelegenheid voor 1800 auto's.

De twee torens vangen het veranderende licht van de woestijnzon en transformeren het al naargelang het gezichtspunt. De gebouwen zijn bekleed met gevelpanelen van aluminium en koper en zilver reflecterend glas.

De architecten verrichtten ware ingenieursarbeid om de gebouwen te stabiliseren, gezien de hoogte ervan: ze verdeelden het gewicht over drie van elkaar verwijderde punten in een driehoekige vorm.

To make the towers stable, the architects created a triangle which as well as its architectural function made it possible to distribute the weight on three points. In Islamic culture, the three vertices of this geometric shape represent the Sun, the Moon, and the Earth.

Um die Türme zu stabilisieren, entschieden sich die Architekten für einen dreieckigen Grundriss, der es erlaubte, das Gewicht auf drei Punkte zu verteilen. In der islamischen Kultur stehen die drei Eckpunkte des Dreiecks für Sonne, Mond und Erde.

Afin de stabiliser les tours, les architectes ont créé un triangle qui, en plus de sa fonction architecturale, a permis de répartir le poids sur trois points. Dans la culture islamique, les trois sommets de cette forme géométrique représentent le soleil, la lune et la terre.

Om de torens te stabiliseren creëerden de architecten een driehoek die het, los van zijn architectonische functie, mogelijk maakte het gewicht over drie punten te verdelen. In de islamitische cultuur verwijzen de drie hoekpunten van deze meetkundige figuur naar de zon, de maan en de aarde.

The five-star hotel has 56 floors and 40 luxury suites. Inside there are exclusive zones including areas for personal care, specialized businesses, swimming pools, rest areas, diverse restaurants, a ballroom, and a meeting room. It has become an architectural landmark because of its original shape.

Das Fünf-Sterne-Hotel hat 56 Stockwerke und verfügt über 40 Luxussuiten. Weiters gibt es besondere Pflegebereiche, Spezialgeschäfte, Schwimmbäder, Ruhezonen, verschiedene Restaurants, Tanzsäle und Konferenzräume. Aufgrund seiner originellen Form ist das Hotel sehr schnell bekannt geworden.

L'hôtel cinq étoiles comporte 56 étages et dispose de 40 suites de luxe. À l'intérieur, il existe des espaces exclusifs qui incluent : centres de soins personnels, commerces spécialisés, piscines, aires de repos, plusieurs restaurants, un salon de danse et des salles de réunion. Cet édifice est devenu une référence architecturale en raison de l'originalité de sa forme.

Het vijfsterrenhotel telt 56 verdiepingen en beschikt over 40 luxe suites. Binnen zijn exclusieve ruimten voor persoonlijke verzorging, speciaalzaken, zwembaden, ontspanningsruimten, diverse restaurants, een balzaal en vergaderzalen. Vanwege zijn originele vorm is het uitgegroeid tot een architectonisch icoon.

Burj Al Arab

Dubai, United Arab Emirates

ARCHITECT
Tom Wright/WS Atkins
www.wsatkins.com

COLLABORATORS AND OTHERS
Said Khalil (builder); Murray and Roberts (contractor);
Maurice Brill (interior lighting); Jonathan Speirs and
Associates Ltd (exterior lighting)

DIMENSIONS
Height: 321 m / 1 053 ft

PHOTO
© Jumeirah

Burj Al Arab, or "the tower of the Arabs" in Arabic, is the world's first seven-star hotel. The building stands 1,053 ft high and is considered the world's tallest building used exclusively as a hotel. The client, the Emir of Dubai, commissioned the project to become a landmark of this city in the United Arab Emirates.

The most characteristic feature of the building is its sail-shaped façade built in Teflon and sheathed in fiber glass. The inspiration for the design was the *dhow,* a type of Arabian vessel.

It stands on an artificial island 920 ft out from Jumeirah Beach and connected to the mainland by a private curving bridge. On the top floor are a heliport and a restaurant built on corbel beams.

Burj Al Arab, der "Turm der Araber", ist das erste Sieben-Sterne-Hotel der Welt. Der Wolkenkratzer hat eine Höhe von 321 m und gilt als das höchste Hotelgebäude weltweit. Der Bauherr, der Emir von Dubai, gab dieses Projekt in Auftrag, um der Stadt in den Vereinigten Arabischen Emiraten ein Wahrzeichen zu geben.

Das auffälligste Merkmal des Bauwerks ist seine Form: ein Segel, das aus Teflon besteht und mit Glasfiber verkleidet wurde. Vorbild dieses Entwurfs waren die Daus, die traditionellen arabischen Segelboote.

Das Hotel steht auf einer künstlichen Insel, 280 m vor dem Strand von Jumeirah und ist über eine geschwungene private Brücke mit dem Festland verbunden. Im obersten Stockwerk befindet sich ein Heliport und ein Restaurant auf einer weit auskragenden Plattform.

Burj al-Arab, « la tour des Arabes », est le premier hôtel sept étoiles du monde. Le bâtiment, haut de 321 m, est considéré comme l'espace hôtelier le plus haut du monde. L'émir de Dubaï a commandé ce projet afin qu'il devienne un emblème de la capitale des Emirats arabes unis.

L'élément le plus caractéristique de cette construction est sa façade en forme de voile, construite en téflon et recouverte de fibre de verre qui s'inspire des dhows, un type d'embarcation arabe. Cet hôtel est situé sur une île artificielle à 280 m de la plage de Jumeirah et il est connecté au continent par un sinueux pont privé. Le dernier étage comporte un héliport et un restaurant construit sur des poutres en encorbellement.

Burj Al Arab, 'toren van de Arabieren' in het Arabisch, is het eerste zevensterrenhotel ter wereld. Het gebouw is 321 m hoog en wordt beschouwd als 's werelds hoogste gebouw dat uitsluitend als hotel wordt gebruikt. De opdrachtgever, de emir van Dubai, wilde dat dit project de blikvanger zou worden van deze stad in de Verenigde Arabische Emiraten.

Het meest karakteristieke van het bouwwerk is de gevel in de vorm van een zeil, gemaakt van teflon-coated fibreglas-doek. Het ontwerp is geïnspireerd op een *dhow*, een traditioneel type Arabisch schip.

Het hotel bevindt zich op een kunstmatig eiland, op 280 m van het strand van Jumeirah, en is met het vasteland verbonden via een privébrug die in een bocht loopt. Op de bovenste verdieping bevinden zich een helikopterplatform en een restaurant gebouwd op kraagliggers.

Another feature of this construction is the lobby by the interior designer Khuan Chew, considered the highest lobby in the world. The hotel has no rooms, just 202 two-story suites whose sizes range between 1,820 sq ft and 8,400 sq ft. This hotel is currently the foremost symbol of Dubai's prosperity.

Ein weiteres Charakteristikum dieses Bauwerks ist die Lobby, die von dem Innenarchitekten Khuan Chew gestaltet wurde und als höchste Hotelhalle der Welt gilt. Das Hotel hat keine Zimmer, sondern 202 zweigeschossige Suiten mit einer Fläche von 170 m² bis 780 m². Das Gebäude symbolisiert unzweifelhaft den Reichtum Dubais.

Un autre élément remarquable de cette construction est le lobby, qui est considéré comme le hall le plus spacieux du monde. Il a été conçu par le décorateur d'intérieur Khuan Chew. L'hôtel n'a pas de chambres simples, mais seulement des suites (202 !) de deux étages dont la superficie varie entre 170 et 780 m². Aujourd'hui, cet hôtel représente la prospérité de Dubaï.

Een ander kenmerk van dit gebouw is de lobby, bedacht door interieurontwerper Khuan Chew en beschouwd als de hoogste ter wereld. Het hotel heeft geen kamers, maar 202 suites van twee verdiepingen waarvan het oppervlak varieert van 170 m² tot 780 m². Het hotel is het symbool bij uitstek van Dubai's welvaart.

The deluxe exterior is reflected inside with the use of the best materials from around the world: Statutario marble in the reception area, Carrara marble for the floors and walls, Bahia Azul granite from Brazil for the décor, precious stones from northern Italy, Arabian mosaic tiles for the flooring, gold leaf for covering columns and ceilings, etc.

Die Exklusivität des Äußeren wird vom Luxus des Inneren noch übertroffen, bei dessen Ausstattung die besten Materialien verwendet wurden: Skulpturenmarmor an der Rezeption, Carrara-Marmor für Wände und Böden, blauer Granit aus Brasilien, Halbedelsteine aus Norditalien, arabische Mosaiksteine für die Pflasterung, Blattgold zur Verkleidung von Säulen, Decken usw.

Le luxe extérieur se reflète à l'intérieur par l'utilisation des matériaux les plus luxueux : marbre statuaire pour la réception, marbre de Carrare pour les sols et les murs, granite bleu du Brésil pour la décoration, pierres précieuses du nord de l'Italie, mosaïques arabes pour le revêtement des sols, feuilles d'or pour le revêtement des colonnes et des plafonds, etc.

De luxe van het exterieur komt terug in het interieur door toepassing van materialen zoals Statuario-marmer voor de receptie, Carrara-marmer voor vloeren en wanden, Braziliaans Azul Bahia-graniet voor de afwerking, kostbare steensoorten uit Noord-Italië, Arabische mozaïeken voor de vloeren, bladgoud op de zuilen en plafonds.

Mosque in Chittagong

Chittagong, Bangladesh

ARCHITECT

Claus en Kaan Architecten

www.clausenkaan.com

COLLABORATORS AND OTHERS

M. Morshed Khan, Faisal M. Khan & Family (clients);
Kashef Mahboob Chowdhury, Faysal Kabir, Anup
Kumar Basak (project team); Matiur Rahman
(structural engineer); Lutful Aziz (electrical engineer);
Urbana (landscape); Azizul Haq (plumbing); M. A. Aziz,
Moniruzzaman Monir (site engineers)

DIMENSIONS

Plot: 5 200 m² / 55 972 sq ft

Main Mosque: 500 m² / 5 382 sq ft

Front Court: 550 m² / 5 920 sq ft

PHOTO

© Kashef Mahboob Chowdhury/Urbana

When the architect received the commission of building a mosque, he considered the possibility of designing not just a place for worship but also a space for meditation. The project has become a center for the Islamic community of Chandgaon thanks to its urban location and characteristic architecture.

For the conception of the building design, the studio started by identifying the elements typical to a mosque: the *qiblah*, or wall that faces Mecca; the *mihrab*, or niche in the wall, and the *minbar,* or pulpit. Once these elements were located, the rest of the spaces were freed from any traditional or cultural limitation to push the parameters of the final design.

The mosque consists of two identical square volumes: the *sahn*, or religious courtyard in front of the mosque, and the mosque itself.

Als der Architekt den Auftrag erhielt, eine Moschee zu errichten, zog er in Erwägung, nicht nur ein Gotteshaus, sondern auch einen Ort der Meditation zu schaffen. Aufgrund seiner Lage und seiner charakteristischen Architektur ist das Gebäude zum Mittelpunkt der islamischen Gemeinde von Chandgaon geworden. Bei der Planung ging das Architekturbüro von den entscheidenden Elementen einer Moschee aus: der Quibla, der nach Mekka ausgerichteten Wand, dem Mihrab, der Gebetsnische, und dem Minbar, der Kanzel. Nachdem der Standort dieser Elemente innerhalb des Baus festgelegt war, konnten die verbleibenden Vorgaben ohne weitere Einschränkungen religiöser oder kultureller Art eingeplant werden.

Der Gebäudekomplex besteht aus zwei gleich großen Baukörpern über quadratischem Grundriss: dem Sahn oder Vorhof und der eigentlichen Moschee.

Lorsque la mission de construire une nouvelle mosquée, l'idée était de créer non seulement un lieu de culte mais aussi un espace destiné à la méditation. Le projet est devenu le centre spirituel de la communauté musulmane de Chandgaon grâce à son emplacement et à son architecture singulière. Pour concevoir le design, le cabinet d'architecture a d'abord identifié les éléments propres à une mosquée : la *qibla*, mur orienté vers la Mecque ; le *mihrab*, niche dans laquelle se trouve la *qibla*; et enfin, le *minbar*, ou pupitre. Une fois que ces trois éléments étaient placés, le reste des espaces a été conçu sans restriction traditionnelle ou culturelle afin d'étendre les paramètres de la conception finale.

La mosquée se compose de deux volumes carrés identiques : le *sahn*, une cour religieuse située devant le bâtiment, et la mosquée.

Toen de architect opdracht kreeg een moskee te bouwen, overwoog hij de mogelijkheid niet alleen een gebedshuis te ontwerpen, maar ook een plek die zich leendevoor meditatie. Het project is dankzij de stedelijke ligging en de karakteristieke architectuur ervan uitgegroeid tot het centrum van de islamitische gemeenschap van Chandgaon.

Voor het ontwerpconcept begon het bureau met het vaststellen van de voor een moskee typerende elementen: de *qiblah* of naar Mekka gerichte muur, de *mihrab* of nis, en de *minbar* of preekstoel. Toen deze elementen eenmaal hun plaats hadden, zijn de overige ruimten gevrijwaard van elke traditionele of culturele beperking om de parameters van het ontwerp uit te breiden.

De moskee bestaat uit twee identieke vierkante bouwelementen: de *sahn*, de religieuze binnenplaats vóór de moskee, en de moskee zelf.

This religious center has become a new meeting place for the rural population of Chandgaon because of its original architecture and its conception as new uses, as well as the traditional use of a place of prayer. Large openings pierce the façades and roofs, exposing it to the elements.

Dieses religiöse Zentrum mit seiner originellen Architektur ist zum Treffpunkt der ländlichen Bevölkerung von Chandgaon geworden. Es vereint die traditionelle Nutzung als Ort des Gebets mit weiteren Nutzungsmöglichkeiten. Die großen Öffnungen in der Fassade und dem Dach schaffen eine Verbindung zu den Elementen.

Ce centre religieux est devenu un nouvel espace de réunion pour la population rurale de Chandgaon en raison de son architecture originale et du nouvel usage que ce lieu a acquis, en plus d'être un lieu de culte traditionnel. De grandes ouvertures ont été créées sur la façade et les toits.

Dit religieuze centrum is niet alleen een gebedshuis, maar is vanwege zijn originele architectuur en opvatting van nieuwe toepassingen uitgegroeid tot een ontmoetingsplaats voor de bevolking van Chandgaon. Door grote openingen in de gevels en daken is de moskee blootgesteld aan de elementen.

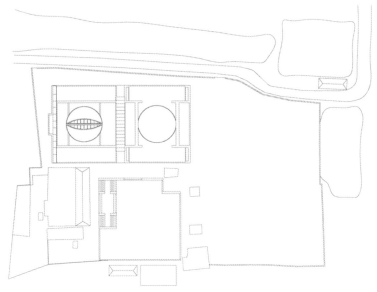

Site plan

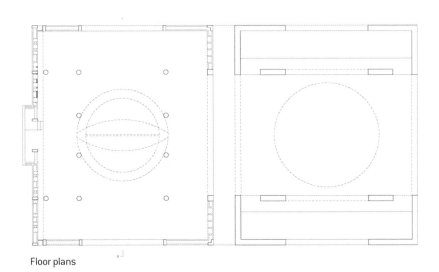

Floor plans

West elevation

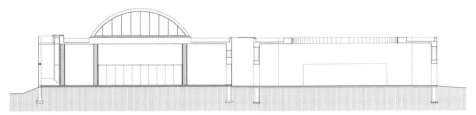

Longitudinal section

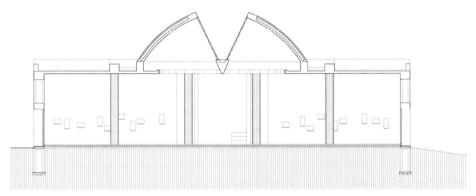

Cross section

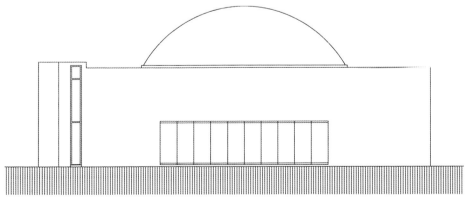

South elevation

The mosque is unusual in that it contains two spectacular architectural elements. The first is a large circular opening on the roof in reference to spiritual affairs. The second is a cupola with a glazed open cut, an example of the zenith for the faithful.

Die Moschee zeichnet sich durch zwei spektakuläre architektonische Details aus: Das erste ist die große runde Öffnung im Dach als Symbol der Spiritualität. Das zweite isst die große Kuppel mit ihrer verglasten Spaltöffnung, die den Gläubigen den Zenit weist.

La mosquée se distingue par ses deux éléments architecturaux spectaculaires : une grande ouverture circulaire sur le toit faisant allusion au spirituel et une coupole dans laquelle une ouverture vitrée a été réalisée, telle la marque du zénith pour les fidèles.

De moskee valt op door twee spectaculaire architectonische elementen. Het eerste is een grote ronde uitsparing in het dak die verwijst naar het spirituele. Het tweede is een ingesneden koepel waarvan de ontstane openingen beglaasd zijn, als toonbeeld van het zenit voor de gelovigen.

Tongxian Gatehouse

Beijing, China

ARCHITECT
Nader Tehrani/Office dA
www.officeda.com

COLLABORATORS AND OTHERS
Monica Ponce de Leon, Nader Tehrani/Office dA
(project design); Jeff Asanza, Timothy Clark, Michael
Tunkey (project coordinators); Hansy Luz Better,
Christine Mueller, Chris Orsega, Tali Buchler, Abeer
Seikaly, Chris Arner, Albert Garcia, Kristen Giannattasio,
Achille Rossini, Hamad Al-Sultan, Hadijanto JoJo, Julian
Palacio (project team); Beijing No.1 Building Repair
Company (general contractor); Li Zhang (manager);
Matt Johnson (consultants)

DIMENSIONS
929 m² / 10 000 sq ft

PHOTO
© Dan Bibb

The Tongxian Gatehouse was conceived as a residence for Chinese artists and a place to showcase their works. It also had to function as a place where the artists could exchange creative ideas and receive foreign artists.

The complex lies 30 miles from Beijing in a rural village with an artist population. It comprises a gallery, diverse studio spaces, apartments for the artists, and a number of administrative areas. The main space is the gatehouse which acts as the entrance to the site and contains the apartments and studios for the artists-in-residence. Local gray brick and chuzumu wood were used in the construction as traditional characteristic components. Modernity is represented in the original structure of the inverted-L shaped building.

Das Tongxian Gatehouse wurde als ein Wohnheim für chinesische Künstler und als Ausstellungsort für ihre Werke konzipiert. Außerdem sollen die Künstler sich hier über kreative Ideen austauschen und ausländische Kollegen empfangen.

Dieser der Kunst gewidmete Komplex liegt etwa 48 km von Peking entfernt, in einem ländlichen Dorf, das mit der Kunst verbunden ist. Er umfasst eine Galerie, mehrere Studiensäle, Wohnungen für die Künstler und einige Verwaltungseinrichtungen. Der wichtigste Teil ist das „Gatehouse", das den Eingang zu der Anlage darstellt und die Ateliers und Appartements der hier wohnenden Künstler beherbergt. Für den Bau wurden traditionelle Materialien wie der örtliche graue Backstein und Chuzumuzu-Holz verwendet. Das moderne Element des Baus ist die originelle Form des Gebäudes: ein umgekehrtes L.

La Tongxian Gatehouse est une résidence pour des artistes chinois et un espace pour qu'ils exposent leurs œuvres. Il s'agit également d'un lieu dans lequel les artistes peuvent échanger leurs idées créatives et recevoir des artistes étrangers.

Cet ensemble architectural est situé à 48 km de Pékin, dans un petit village dont la population est très proche de l'art. Ce bâtiment se compose d'une galerie, de divers ateliers, d'appartements pour les artistes et des quelques bureaux. L'espace principal est la « gatehouse » qui sert d'entrée au bâtiment. C'est là que se trouvent les appartements et les studios des créateurs résidents. Pour cette construction, les matériaux utilisés sont traditionnels : la brique grise locale et le bois de chuzumu. La modernité de ce bâtiment se reflète dans la structure originale du bâtiment, en L inversé.

Het Tongxian Gatehouse is ontworpen als huisvesting voor Chinese kunstenaars en als expositieruimte voor hun werk. Het moest een plek zijn waar de kunstenaars creatieve ideeën kunnen uitwisselen en buitenlandse collega's kunnen ontvangen.

Het complex ligt zo'n 48 km van Peking, in een landelijk dorpje met een artistieke bevolking. Het bestaat uit een galerie, diverse ateliers, appartementen voor de kunstenaars en een aantal administratieve ruimten. De belangrijkste ruimte is het *gatehouse* dat fungeert als toegang tot het complex. Hierin zijn de appartementen en studio's voor de inwonende kunstenaars ondergebracht. Voor de bouw zijn de lokale grijze baksteen en chuzumu-hout gebruikt als karakteristieke traditionele elementen. De moderne component wordt vertegenwoordigd door de originele structuur van het gebouw in de vorm van een omgekeerde L.

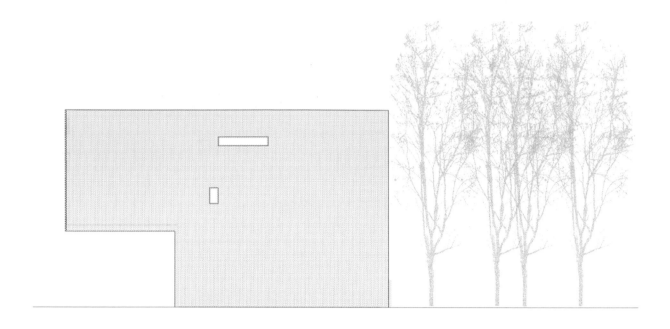

Elevations

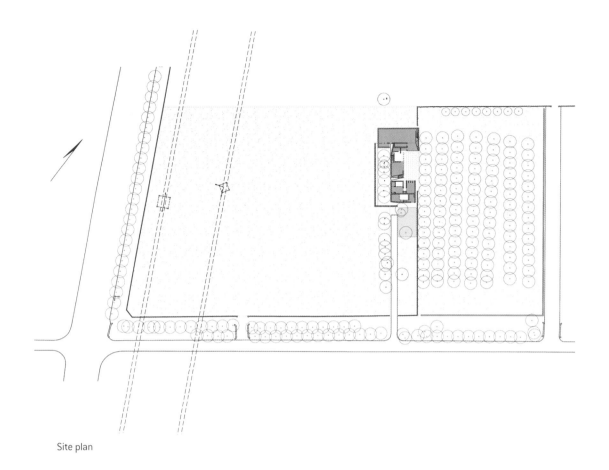

Site plan

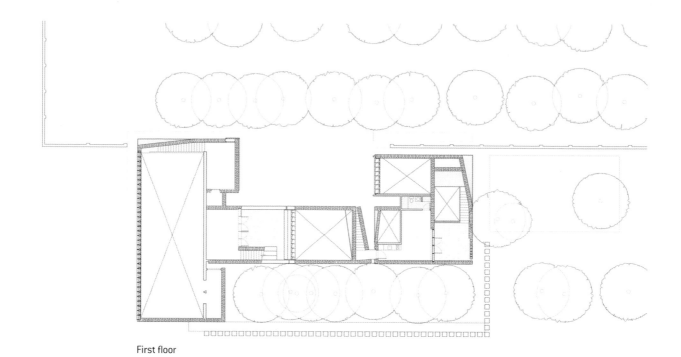

First floor

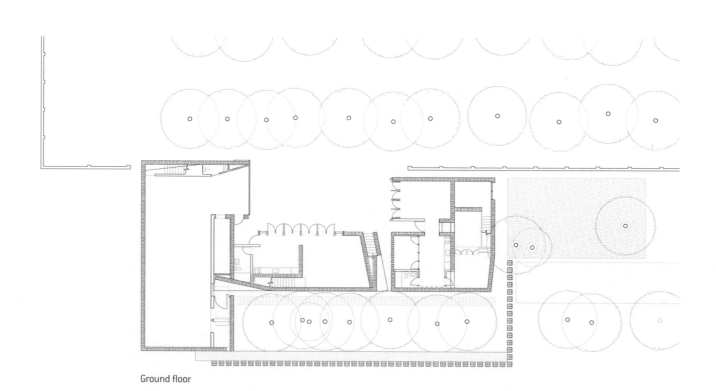

Ground floor

The interaction between tradition and modernity that exists on the outside is materialized inside through the use of local brick, concrete, and plaster. The gatehouse building comprises apartments and double-height studios with a diaphanous design, free of unnecessary ornamentation in the typical minimalist style.

Der schon außen sichtbare Dialog zwischen Tradition und Moderne setzt sich im Inneren mit der Verwendung von Backstein, Gips und Beton fort. Im „Gatehouse" befinden sich Künstlerwohnungen und über zwei Geschosse reichende Ateliers in lichtem, auf unnötige Ausschmückung verzichtenden Design minimalistischer Prägung.

L'interaction entre tradition et modernité à l'extérieur, se matérialise également à l'intérieur par l'utilisation de la brique locale, du béton et du plâtre. Le bâtiment gatehouse se compose d'appartement et de bureaux à deux étages dotés d'un design diaphane et minimaliste, sans ornement superflu.

De wisselwerking tussen traditie en moderne tijd buiten is binnen gematerialiseerd door het gebruik van lokale baksteen, beton en gipsmortel. Het gatehouse bestaat uit appartementen en dubbelhoge ateliers met een lichtdoorlatende vormgeving, zonder overbodige opsmuk, zoals het een minimalistische stijl betaamt.

Xinzhao Residential Area

Beijing, China

ARCHITECT

GMP – Von Gerkan; Mark & Partners Architects
www.gmp-architekten.de

COLLABORATORS AND OTHERS

Beijing Xinzhao Real Development Co, Eijing Town-
Country Houses Construction Development Co
(clients); Dirk Heller, Karen Shroeder (project
management); Beijing Victory Star Architecture
Design Co (Chinese partner practice)

DIMENSIONS

Site area: 235 000 m² / 2 529 519 sq ft

PHOTO

© Fuxing Studio, Jan Siefke

Construction on this macro-project was carried out in different phases. The first phase involved building 1,468 apartments over 1.7 million sq ft. When the last of the estimated three phases is completed, the complex will cover nearly 6.5 million sq ft and have 5,800 apartments.

The square lot is axially divided into four districts. The central part comprises three sequences of squares that connect the north with the south and contains the school modules. In the middle of the residential zone a park is created with different tree species, and small unplanted areas. A string of apartments running west-east makes it possible to direct the main façades on a north-south axis. This rigid, linear structure is only interrupted by different-sized open spaces between the apartment blocks in the form of an interior courtyard.

Die Errichtung dieses Makroprojektes erfolgte in mehreren Phasen. In der ersten Phase wurden 160.000 m² Wohnfläche bzw. 148 Wohnungen gebaut. Sobald die dritte und letzte Phase abgeschlossen ist, werden insgesamt 600.000 m² oder 5800 Wohnungen erbaut worden sein.

Der quadratische Baugrund wird durch Achsen in vier Bereiche geteilt. Den Mittelpunkt des Komplexes nehmen drei aufeinander folgende Plätze ein, an denen Schulgebäude liegen. Im Zentrum der Wohnanlage wird ein Park mit verschiedenen Baumarten und einigen unbewachsenen Zonen angelegt. Von Westen nach Osten wird eine Reihe von Wohnungen errichtet, deren Hauptfassaden von Norden nach Süden ausgerichtet sind. Diese starre, lang gestreckte Struktur wird nur dort unterbrochen, wo zwischen den Wohnblöcken Freiflächen unterschiedlicher Größe in Form von Innenhöfen angelegt werden.

La construction de ce projet de grande envergure a été réalisée en trois phases. Lors de la première, 1 468 appartements ont déjà été construits sur 160 000 m². Lorsque la dernière étape sera achevée, la résidence comptera 5 800 appartements sur 600 000 m².

La parcelle de forme carrée est divisée par un axe en quatre quartiers. La partie centrale, sur laquelle sont construits les établissements scolaires, est composée de trois places qui relient la partie nord au sud. Au centre de la zone résidentielle se trouve un parc formé de différentes espèces d'arbres et de petits terrains sans plantations. Une rangée de logements est construite d'est en ouest ce qui permet d'orienter du nord au sud les façades principales. Cette structure rigide et linéaire n'est interrompue que par des espaces ouverts de différentes formes entre les lotissements, comme s'il s'agissait d'une cour intérieure.

De bouw van dit macroproject werd in drie fases gerealiseerd. In de eerste fase is er 160.000 m² gebouwd met daarin 1468 appartementen. Zodra de laatste van de drie beoogde fases voltooid is, zal er 600.000 m² gebouwd zijn met 5800 appartementen.

De vierkante bouwkavel is door een as verdeeld in vier districten. Het centrale deel wordt gevormd door drie opeenvolgende reeksen pleinen die het noorden met het zuiden verbinden en waar de schoolmodulen gehuisvest zijn. Midden in het woondeel is een park ontworpen met diverse soorten beplanting en kleine onbeplante gedeelten. Door de bouw van een rij woningen van west naar oost kunnen de hoofdgevels noord-zuid gericht zijn. Deze strikte, lineaire structuur wordt slechts doorbroken door open ruimten van verschillende afmetingen tussen de woonblokken in de vorm van een binnenplaats.

The number of apartments in each building changes in line with the district. All of the districts are related via a central boulevard and a parking area at the southern end of the lot. The commercial spaces were built in the southeast part of the site and in the first floors of the buildings facing the main road.

Die Anzahl der Wohneinheiten in jedem Gebäude ändert sich je nach Abschnitt. Alle Abschnitte sind über eine zentrale Allee und eine Stellplatzanlage im südlichen Bereich des Komplexes miteinander verbunden. Die Ladenlokale liegen im südwestlichen Teil der Anlage im Erdgeschoss der auf die Hauptstraße schauenden Gebäude.

Le nombre d'étages de chaque immeuble change en fonction du secteur. Ils sont tous reliés par une allée centrale et un parking situé dans la zone sud du terrain. Les espaces commerciaux sont répartis dans la zone sud-est de l'enceinte et au rez-de-chaussée des bâtiments donnant sur la rue principale.

Het aantal verdiepingen per gebouw varieert al naargelang het district. Alle districten zijn verbonden door een centrale boulevard en een parkeervoorziening in het zuiden van de kavel. De winkels zijn op het zuidoostelijke deel van het terrein gebouwd en op de begane grond van de gebouwen die uitkijken op de hoofdweg.

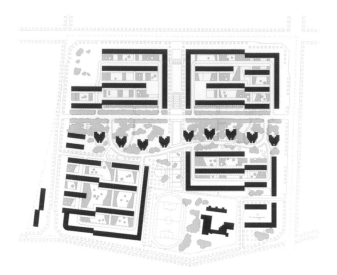

Site plan

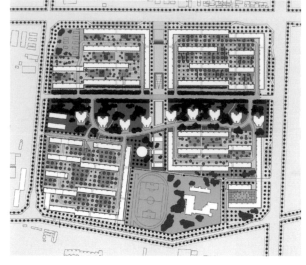

Garden plan

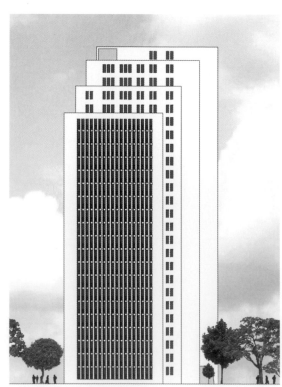

West elevation

South elevation

T1 front elevation   T2 front elevation

T3 front elevation

Zhongguancun Culture Center

Beijing, China

ARCHITECT

GMP – Von Gerkan, Mark & Partners Architects
www.gmp-architekten.de

COLLABORATORS AND OTHERS

China Zhongguancun Culture Development Co. (client);
Meinhard von Gerkan (design); Nicolas Pomränke
(project management); Doris Schäffler, Gero Heimann,
Xia Lin, Giuseppina Orto, Jan Pavuk (project team);
Schlaich Bergermann und Partner (structural
engineers)

DIMENSIONS

85 000 m² / 914 932 sq ft

PHOTO

© Ben McMillan, Christian Gahl

The design mainly stands out for the arrangement of the glass strips on the façade which wraps the building to create a feeling of movement. To emphasize this effect a curved structure was created along with a trapezoidal floor plan, which together present great expressiveness. The glass panels are set in cornices that cover the whole of the building perimeter.
The building is mostly occupied by IT and communications firms. The architects consequently decided to clad the building with this glass façade that would speak to this professional field. The efficiency and economy of building resources was also stressed in the design.
This original plan meant that images could be projected onto the façades with the aid of mirrors, so that the building appears at night as a symbol of the modern technology of the communication media.

Im Entwurf sticht die Anordnung der gläsernen Bänder an der Fassade hervor, die das Gebäude scheinbar in Bewegung versetzen. Auch der trapezförmige Grundriss und die kurvige Struktur unterstreichen diesen Eindruck, indem sie eine große Plastizität schaffen. Die Glaspaneele sitzen zwischen Gesimsen, die den gesamten Baukörper umgeben.
Untergebracht sind hier vor allem Unternehmen, die sich mit Informatik und Kommunikation befassen. Daher statteten die Architekten den Bau mit einer verglasten Fassade aus, die schon von außen auf dieses Berufsfeld aufmerksam macht. Daneben wurde besonderer Wert auf einen sparsamen und effizienten Einsatz der verfügbaren Baustoffe gelegt.
Dank des ausgefallenen Designs ist es möglich, mithilfe von Spiegeln Bilder auf die Fassade zu projizieren, sodass der Bau nachts wie ein leuchtendes Symbol modernster Kommunikationstechnologie erscheint.

Le projet se distingue grâce à la disposition de panneaux de verre sur la façade du bâtiment, ce qui a permis de créer une sensation de mouvement. Une structure curviligne et un pan trapézoïdal, présentant une grande plasticité, viennent accentuer cet effet. Les panneaux en verre s'inscrivent dans les corniches qui couvrent tout le périmètre du bâtiment.
Le bâtiment est en grande partie occupé par des entreprises d'informatique et de communication. Pour cette raison, les architectes ont décidé d'habiller le bâtiment de cette façade de verre, qui évoque les nouvelles technologies. De plus, l'efficacité et l'économie de moyens ont été mises en avant dans la construction du projet.
Avec ce design original, les images sont projetées sur les façades à l'aide de miroirs et permettent au bâtiment de briller la nuit tel un symbole de la technologie moderne des moyens de communication.

Het ontwerp valt vooral op door de glazen strips op de gevel rondom het gebouw die een gevoel van beweging teweegbrengen. Om dit effect te benadrukken is gekozen voor een structuur met gebogen vormen en een trapeziumvormig grondplan, die samen een expressief geheel vormen. De glazen panelen zijn gezet in lijsten die de volledige omtrek van het gebouw volgen.
Het pand huisvest vooral informatica- en communicatiebedrijven. Om die reden besloten de architecten het gebouw te bekleden met een beglaasde gevel, als verwijzing naar de beroepsgroep. Bovendien is bij de bouw speciaal de nadruk gelegd op een efficiënt en economisch gebruik van middelen.
Dit originele ontwerp biedt de mogelijkheid beelden op de gevels te projecteren met behulp van spiegels, waardoor het gebouw 's nachts lijkt op een symbool van de moderne communicatietechnologie.

A series of strategically positioned mirrors were installed inside so the façade could work as a screen onto which images are projected. At night the building becomes a light box. The projection, sun-filtering and ventilation systems are housed in the internal space on the exterior layer.

Im Inneren des Gebäudes sorgen strategisch positionierte Spiegel dafür, dass die Fassade als Projektionsfläche genutzt werden kann. So wird der Bau nachts zu einem leuchtenden Kasten. Die Vorrichtungen zur Projektion, zur Filterung des Sonnenlichts und zur Belüftung sind in einen Zwischenraum der Außenhaut untergebracht.

À l'intérieur, une série de miroirs a été installée de manière stratégique pour que la façade serve d'écran pour la projection d'images. La nuit, le bâtiment devient une boîte à lumière. Les systèmes de projection, de filtration solaire et de ventilation se trouvent dans la partie interne de la couche extérieure.

Binnen zijn op strategische punten spiegels geplaatst, zodat de gevel als scherm kan dienen voor de projectie van beelden. 's Nachts verandert het gebouw in een lightbox. De projectie-, zonnefilter- en ventilatiesystemen zijn ondergebracht in de tussenruimte van de buitengevel.

Elevation A

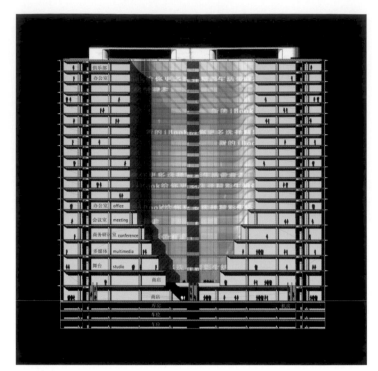

Elevation B

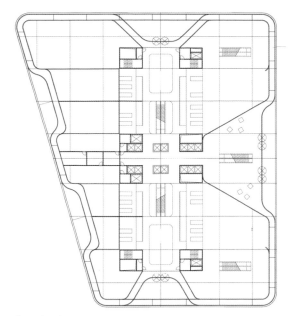

Upper level

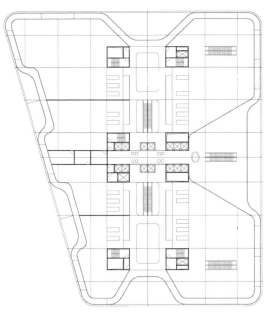

Typical plan

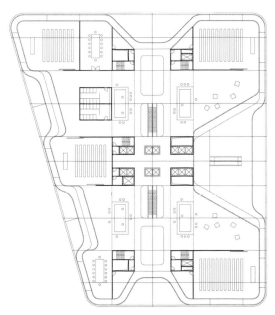

Lower level

Watercube

Beijing, China

ARCHITECT

PTW Architects
www.ptw.com.au

COLLABORATORS AND OTHERS

Beijing State-Owned Assets (client); China State
Construction Engineering Corporation (consortium
leader); Chris Bosse (principal in charge); Arup
(mechanical engineer); Three Gorges Corporation
(project manager); Shenzhen Design Consulting Co
(construction)

DIMENSIONS

70 000 m² / 753 474 sq ft

PHOTO

© PTW Architects, CSCEC

The Beijing National Aquatics Center, known as the Watercube, is the sports hall where the 2008
Summer Olympics swimming, diving, and synchronized swimming competitions were held. It is
located in Olympic Park in the Chaoyang district, very close to the National Stadium.

Two pools were built inside: one for the swimming competitions and another solely for diving
events. It has 6,000 permanent seats with a further 11,000 able to be added for major sport-
ing events.

The building is original for its striking façade which resembles an enormous ice cube. The structure was built with a steel frame and clad in a type of plastic called ethylene tetrafluoroethylene
(ETFE), which is highly resistant to heat, corrosion, and ultraviolet light.

Das Watercube genannte Nationale Wassersportzentrum in Peking ist eine Sporthalle, in der die
Ausscheidungswettkämpfe der Olympischen Spiele von 2008 im Schwimmen, Springen und
Synchronschwimmen ausgetragen wurden. Das Zentrum befindet sich im Olympiapark, im Vier-
tel Chaoyang, ganz in der Nähe des Nationalstadions.

Der Bau beherbergt zwei Schwimmbecken: eines für die Schwimmwettkämpfe, das andere für
die Sprünge. Die Zuschauerränge können für sportliche Großveranstaltungen je nach Bedarf von
6000 auf 11000 Plätze erweitert werden.

Das besondere Merkmal des Gebäudes ist seine Aufsehen erregende Fassade, die einem riesen-
haften Eisblock ähnelt. Über einem Stahlrahmen wurde eine Verkleidung aus dem Kunststoff
Ethylen-Tetrafluorethylen (EFTE) angebracht, der äußerst hitzebeständig und widerstandsfähig
ist und vor ultravioletter Strahlung schützt.

Le Centre aquatique national de Pékin, connu sous le nom de Watercube (Cube d'eau), est le
pavillon où ont eu lieu les compétitions de natation, de plongeon et de natation synchronisée
des Jeux Olympiques 2008. Situé dans le parc olympique, plus précisément dans le quartier de
Chaoyang, tout près du stade national, il comporte deux piscines : l'une destinée aux épreuves
spécifiques de natation et l'autre uniquement à celles de plongeons. Le bâtiment contient 6 000
places fixes et 11 000 de plus en cas de grands événements sportifs.

L'originalité du bâtiment se trouve dans la façade spectaculaire qui ressemble à un énorme gla-
çon. Le bâtiment a été construit avec une structure en acier et revêtu d'un type de plastique
appelé éthylène tétrafluoroéthylène (ETFE), très résistant à la chaleur, à la corrosion et aux
radiations UV.

Het Nationaal Aquatisch Centrum in Peking, bekend als de Watercube, is een sportpaviljoen waar
tijdens de Olympische Spelen van 2008 de wedstrijden voor het zwemmen, schoonspringen en
synchroon zwemmen werden gehouden. Het ligt in het Olympisch Park, in het district Chaoyang,
vlak bij het Nationaal Stadion.

Binnen zijn twee zwembaden gebouwd: het ene voor de specifieke zwemwedstrijden en het
ander uitsluitend voor het schoonspringen. De capaciteit is 6000 permanente zitplaatsen en kan
bij grote sportevenementen met 11.000 plaatsen worden uitgebreid.

Het gebouw is vooral bijzonder door zijn spectaculaire gevel die lijkt op een enorm ijsblok. De
basisconstructie bestaat uit een stalen frame bekleed met een soort kunststof genaamd Ethy-
leen-tetrafluorethyleen (ETFE), dat uitstekend bestand is tegen hitte, corrosie en ultraviolette
straling.

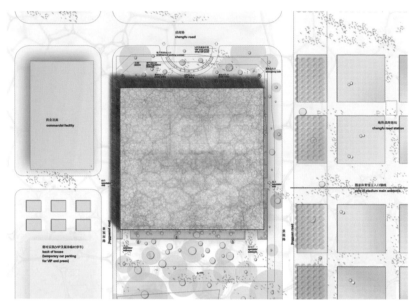

Site plan

Renderings

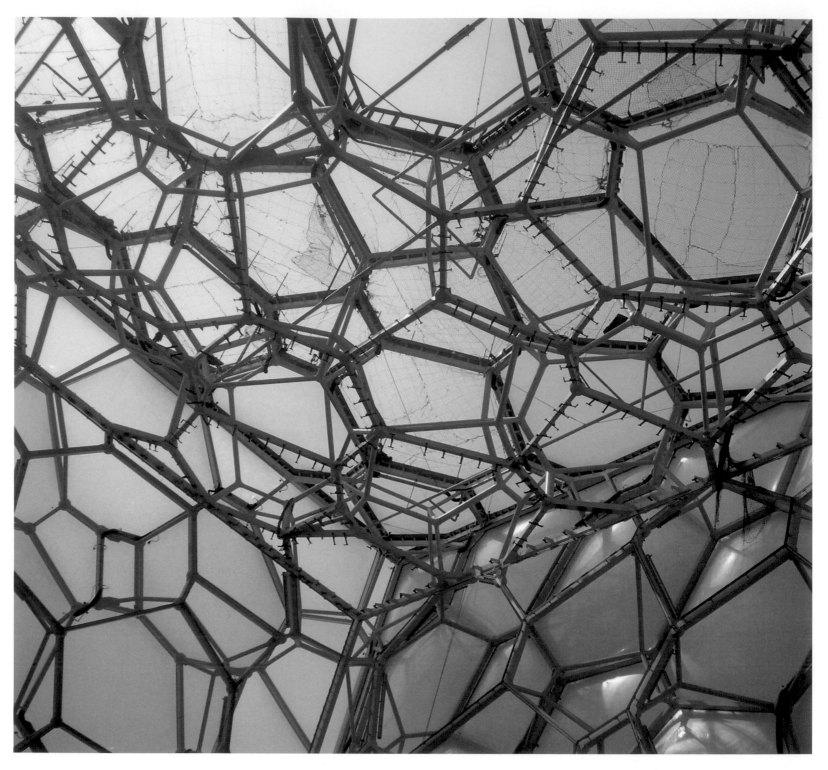

The façade configuration is based on organic cellular compositions whose shape evokes the superimposition of soap bubbles. This blanket of geometrical pillows was built with an ETFE cladding that allows more light and heat penetration than traditional glass.

Die Gestaltung der Fassade des Wassersportzentrums ahmt die organische Zellstruktur nach, obwohl sie zugleich an Seifenschaum denken lässt. Die Außenhaut aus EFTE erlaubt eine bessere Nutzung des Tageslichts und eine bessere Regulierung des Wärmehaushalts als eine traditionelle Glasfassade.

La configuration de la façade s'inspire des compositions cellulaires organiques et son aspect rappelle celui des bulles de savon. Cette couche molletonnée aux formes géométriques a été construite avec un revêtement en ETFE permettant à la lumière et à la chaleur de passer plus facilement qu'avec du verre traditionnel.

De configuratie van de gevel is gebaseerd op organische celverbindingen en doet in zijn vorm denken aan een massa schuimbelletjes. Deze deken van meetkundige kussens bestaat uit een bekleding van ETFE, dat meer licht en warmte doorlaat dan traditioneel glas.

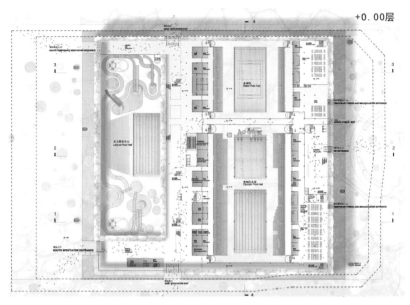

Plan

Shanghai New International Expo Center

Shanghai, China

ARCHITECT

Murphy / Jahn Architects

www.murphyjahn.com

COLLABORATORS AND OTHERS

Shanghai New International Expo Center Joint Venture, Shanghai Pudong Land Development Company, Messe Munich, Messe Düsseldorf, Hanover Fairs (clients); Hong Kong Construction Holding Limited, Shanghai No. 3 Construction Co. Ltd (contractors); Shanghai Modern Architectural Design Group Co. Ltd (designers); Werner Sobek Ingenieure GmbH (structural engineering); Transsolar Energietechnik GmbH (MEP consultant); Rolf Jensen and Associates (occupational safety consultant)

DIMENSIONS

300 000 m² / 3 229 173 sq ft

PHOTO

© Doug Snower, Miuzhijang Yangqitao, Chen Bairong

This new architectural complex was sited in Pudong (Shanghai), a strategic and privileged location that forms part of China's main economic, financial and industrial powerhouse. This fact affected the resulting design, characterized by a markedly urban character.

The internal distribution is organized as if it were a city, where the corridors form a triangle with alternative entrances distributed on each side. On the outside, the building is surrounded by covered arcades that connect the entrances with all the corridors. The main entrance door to the venue is in a tall circular building. The undulating roof was designed as the symbol of identification of the trade fair site. An office building and hotel for visitors and users were built along with the exhibition center.

Dieser neue Gebäudekomplex entstand in Pudong (Shanghai), einem strategisch gelegenen Ort, der zu einem privilegierten Gebiet in China gehört, in dem die größte wirtschaftliche, industrielle und finanzielle Entwicklung zu verzeichnen ist. Der Entwurf gibt sich dementsprechend betont urban.

Die Raumaufteilung im Inneren ist wie eine Stadt angelegt: Die Flure bilden ein Dreieck mit wechselnden Zugängen, die auf zwei Seiten verteilt sind. Außen ist das Gebäude von gedeckten Arkaden umgeben, über welche die Eingänge mit allen Gängen verbunden sind. Der Haupteingang zum Messegelände befindet sich in einem runden Turm. Das gewellte Dach ist bereits zu einem Markenzeichen des Messegeländes geworden. Außer dem eigentlichen Ausstellungsbereich wurden ein Bürogebäude und ein Hotel für die Besucher erbaut.

Ce nouvel ensemble architectural se situe à Pudong (Shanghai), un lieu stratégique et privilégié faisant partie de la zone la plus développée de Chine sur le plan économique, financier et industriel. Son emplacement a donc conditionné le design du bâtiment.

L'aménagement interne se présente comme une ville où les couloirs forment un triangle avec des entrées alternatives réparties sur deux côtés. À l'extérieur, le bâtiment est entouré d'arcades couvertes qui relient les entrées aux couloirs. La porte d'accès principal à l'enceinte se trouve dans une tour circulaire. La toiture ondulée est devenue une référence propre à l'enceinte du salon. En plus du centre d'exposition, des bureaux ainsi qu'un hôtel accueillant les visiteurs et les usagers ont été construits.

Dit nieuwe architectonische complex werd gesitueerd in Pudong (Shanghai), een strategische en geprivilegieerde locatie die deel uitmaakt van het gebied met de sterkste economische, financiële en industriële ontwikkeling van China. Dit gegeven was bepalend voor het uiteindelijke ontwerp, dat zich kenmerkt door een uitgesproken stedelijk karakter.

De indeling binnen is ter hand genomen alsof het een stad betrof, waar de beurshallen een driehoek vormen met alternatieve ingangen, verdeeld over twee zijden. Buiten is het gebouw omgeven door overdekte arcaden die de ingangen verbinden met alle hallen. De hoofdingang bevindt zich in een ronde toren. Het golvende dak is uitgegroeid tot herkenningssymbool voor het beurscomplex. Behalve het expocentrum zijn er een kantoorgebouw en een hotel voor bezoekers en gebruikers gerealiseerd.

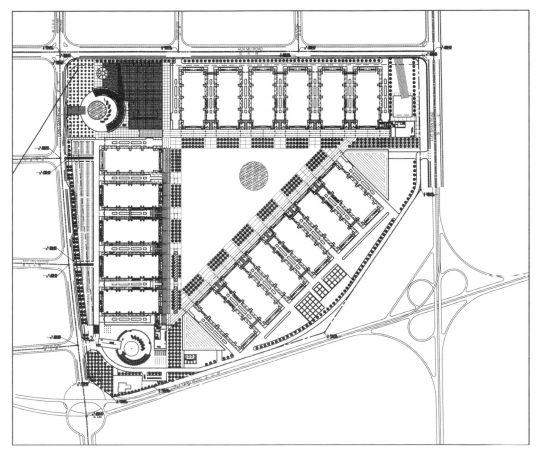

Site plan

Each corridor in the Expo Centre has a covered area measuring 630 × 262 ft held up by 16 columns. The building rests on a mesh of interlaced beams that form a 236-ft structure and end in a projection at either end. The interlaced beams form 39 × 19-ft diamond shapes in the middle.

Jedem Gang der Ausstellungshallen entspricht eine überdachte Fläche von 192 × 80 m, deren Dach von 16 Stützen getragen wird. Das Gebäude besteht aus einem Gitter miteinander verbundener Träger mit 72 m Seitenlänge und Dachvorsprüngen an beiden Enden. Die Träger bilden Rhomben von 12 × 6 m.

Chaque couloir d'exposition possède une toiture de 192 × 80 m soutenue par 16 colonnes. Le bâtiment repose sur un treillis de poutres entrelacées qui forment une structure de 72 m et terminent en saillie de chaque côté. Les poutres forment des losanges de 12 × 6 m au point central.

Elke beurshal in het Expo Centre heeft een overdekt gedeelte van 192 × 80 m, gedragen door 16 zuilen. Het gebouw is versterkt door een geraamte van balken die een 72 m lange structuur vormen en aan beide uiteinden uitlopen in een vooruitstekend element. Het geraamte vormt in het midden ruiten van 12 × 6 m.

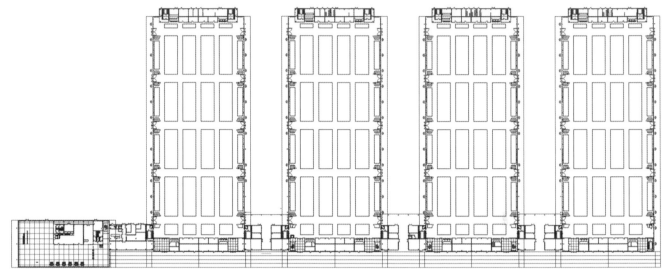

Plan

Elevation

Elevation A

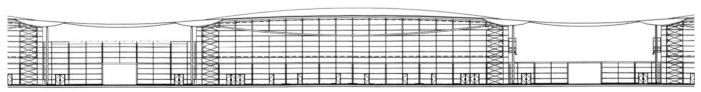

Elevation B

Grand Gateway

Shanghai, China

ARCHITECT

Callison Architects
www.callison.com

COLLABORATORS AND OTHERS

Lian Hua, Xinhua, Paradise Warner, Adidas,
DKNY (anchor tenants)

DIMENSIONS

309 570 m² / 3 332 184 sq ft

PHOTO

© Callison/Chris Eden

The commercial complex lies alongside Shanghai's biggest and busiest subway station and is therefore in one of the most celebrated parts of the city. It was designed to be the key driver of development for this commercial district.

Six floors of stores, two towers with nine and eleven stories of offices and residences, and three large floors of parking comprise this major architectural project. The residential blocks were built to house luxury apartments. The parking areas are allocated to facilitate access to the mall customers and to provide parking spaces for the apartment owners.

The architecture and interior design were commissioned to Callison Architecture, which planned a design that followed the typical Chinese configuration.

Dieses Einkaufszentrum liegt in der Nähe der größten und meist genutzten Metrostation von Shanghai, also in einem der bekanntesten Viertel der Stadt. Es sollte als Antrieb der zukünftigen Entwicklung dieses Geschäftsviertels dienen.

Der Gesamtkomplex setzt sich zusammen aus sechs Geschäftsetagen, zwei Hochhäusern von neun bzw. elf Stockwerken mit Wohnungen und Büroräumen und drei Parkgeschossen. Die Wohnungen sind nur für die Bezieher hoher Einkommen gedacht. Die Stellplätze stehen den Besuchern des Einkaufszentrums zur Verfügung, während die Eigentümer der Wohnungen jeweils über ihren festen Parkplatz verfügen.

Architektur und Innenausstattung des Einkaufszentrums wurden dem Büro Callison übertragen, das dieses Projekt entsprechend der in China geltenden Standards plante und ausführte.

Ce complexe commercial est situé à côté de la station de métro la plus importante et la plus fréquentée de Shanghai ; il est donc au cœur d'un des quartiers emblématiques de la ville. Il a été conçu pour stimuler le développement de cette zone commerciale.

Ce complexe est composé de 6 étages commerciaux, de 2 immeubles de 9 et 11 étages, proposant bureaux et résidences de luxe, ainsi que de trois grands parkings sur 3 étages. Les parkings facilitent l'accès au centre commercial pour les clients ; les résidents ont quant à eux des places réservées.

L'architecture et la conception des intérieurs ont été confiés à l'agence d'architecture Callison qui a respecté la configuration typique chinoise.

Het winkelcentrum ligt naast het grootste en drukste metrostation van Shanghai en bevindt zich dus in een van de bekendste delen van de stad. Het is ontworpen als motor van de ontwikkeling van dit commerciële district.

Zes verdiepingen met winkels, twee torens van negen en elf etages met kantoren en wooneenheden, en drie grote parkeergarages maken met elkaar dit grootse architectonische project uit. De wooneenheden zijn exclusief gebouwd voor luxe appartementen. De parkeergarages zijn bedoeld om de klanten van het winkelcentrum gemakkelijker toegang te verlenen en de eigenaars van de appartementen een vaste parkeerplaats te bieden.

De opdracht voor het architectonische en interieurontwerp werd aan architectenbureau Callison verstrekt, dat een plan ontwierp in overeenstemming met de typisch Chinese bouwstijl.

The strictly commercial areas were grouped either under an international model (Vogue) or according to the typical Chinese configuration (Domus). Traffic circulates via a fan-shaped structure repeated throughout and which is visually unified through the use of curved shapes.

Die eigentlichen Einkaufsbereiche wurden jeweils unter einem internationalen Modell (Vogue) oder einem einheimisch chinesischen zusammengefasst (Domus). Die Erschließung erfolgt in Form einer Fächerstruktur, die bei den Lokalen wieder aufgenommen und mit abgerundeten Formen ergänzt wird.

Les aires exclusivement commerciales ont été regroupées, soit selon un modèle international (Vogue), soit selon la configuration typiquement chinoise (Domus). La circulation se fait suivant une structure en forme d'éventail qui se répète tout le long des établissements et dont l'aspect s'unifie grâce à des formes courbes.

De strikt commerciële delen werden ofwel onder een internationaal model (Vogue) gegroepeerd ofwel volgens de typisch Chinese bouwstijl (Domus) geordend. De verkeersstroom verloopt via een waaiervormige structuur, die zich overal herhaalt en die door middel van ronde vormen visueel tot één geheel wordt.

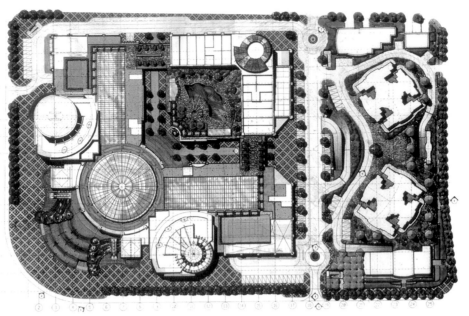

Plan

Siam Paragon

Bangkok, Thailand

ARCHITECT
RTKL Associates
www.rtkl.com

COLLABORATORS AND OTHERS
The Mall Group, Siam Piwat (developers, management and owners)

DIMENSIONS
40 000 m² / 430 556 sq ft

PHOTO
© Mick Ryan

The Siam Paragon was built to be the premier large-scale shopping mall in Thailand. The clients sought a privileged downtown location to emphasize its importance in the urban and economic layout of the capital.

The architects chose a high-luxe, glitzy design to draw users, visitors, and tourists. A glass façade that lets outsiders see into the large central atrium and the activity taking place inside was designed with this intention in mind.

A spectacular deck was built between the Siam Paragon and the Siam Center and features a succession of fountains and gardens. Special attention was paid to the natural lighting and the amplitude of the spaces that help create a pleasant atmosphere.

Mit dem Siam Paragon entstand das erste große Einkaufszentrum in Thailand. Die Bauherrn entschieden sich für eine bevorzugte Lage im Stadtzentrum, um die Bedeutung des Komplexes innerhalb der Stadtstruktur und für die Wirtschaft der Hauptstadt zu unterstreichen.

Um Geschäftsleute, Besucher und Touristen anzuziehen, wurde ein auffällig luxuriöses Design ausgewählt. Aus demselben Grund wurde auch die gläserne Fassade errichtet, die Einblick in das große Atrium gewährt und den Betrachter teilhaben lässt an den für ein solches Zentrum charakteristischen Aktivitäten.

Zwischen dem Siam Paragon und dem Siam Center befindet sich eine eindrucksvolle Terrasse mit einer Reihe von Brunnenanlagen und Gärten. Besondere Beachtung wurde der Nutzung des Tageslichts und der Weitläufigkeit der Anlage geschenkt, um ein möglichst angenehmes Ambiente zu schaffen.

Le Siam Paragon a été construit dans afin de devenir le plus grand centre commercial de Thaïlande. Les clients ont choisi un emplacement privilégié dans le centre-ville pour accentuer sa portée dans le schéma urbain et économique de la capitale.

Afin d'attirer les usagers, visiteurs et touristes, les architectes ont opté pour un design luxueux et fastueux. Pour cela, ils ont choisi une façade en verre laissant visibles le grand hall central ainsi que l'activité à l'intérieur de ce type de complexe architectural.

Une terrasse spectaculaire a été construite entre le Siam Paragon et le Siam Center, avec un ensemble de fontaines et de jardins. Les architectes ont été particulièrement attentifs à la lumière naturelle et à l'étendue des espaces, ce qui a contribué à créer une ambiance agréable.

Het Siam Paragon is gebouwd als eerste grote winkelcomplex van Thailand. De opdrachtgevers besloten op zoek te gaan naar een exclusief perceel in het stadscentrum om het belang ervan in het stedelijke en economische organogram van de hoofdstad te benadrukken.

Om gebruikers, bezoekers en toeristen te trekken, besloten de architecten tot een luxueus ontwerp. Met dit idee in het achterhoofd is een beglaasde gevel ontworpen die zicht biedt op het grote centrale atrium en op de activiteiten binnen in het complex.

Er is een spectaculair terras aangelegd tussen het Siam Paragon en het Siam Center, waar een reeks fonteinen en plantsoenen de blikvangers zijn. Speciale aandacht is besteed aan daglicht en aan ruimte, wat bijdraagt aan een aangenaam leefklimaat.

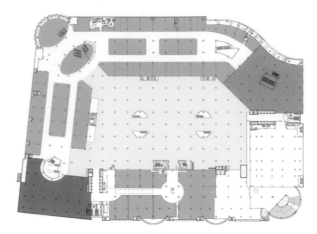

Second floor

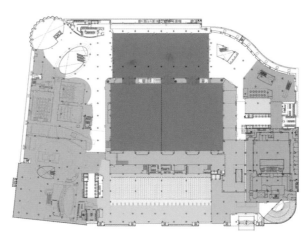

First floor

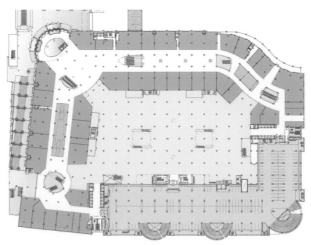

Ground floor

The mall is home to establishments such as major department stores, a supermarket, a saltwater aquarium, and IMAX movie theaters, among others. The main access to the site is via a large glassed-in curtain wall that gives the ensemble a certain monumental character.

Das Einkaufszentrum umfasst ein großes Kaufhaus, einen Supermarkt, ein Meerwasseraquarium, ein IMAX-Kinocenter und andere Einrichtungen. Man betritt den Komplex durch eine Art gläsernen Vorhang, der die Großartigkeit der gesamten Anlage noch unterstreicht.

L'intérieur du centre commercial comporte, entre autres, des grandes surfaces, un supermarché, un aquarium d'eau salée et des cinémas IMAX. L'accès principal à l'enceinte se fait par une grande baie vitrée qui dote l'ensemble d'un certain caractère monumental.

Het winkelcomplex huisvest bedrijven zoals een aantal grote warenhuizen, een supermarkt, een zoutwateraquarium en IMAX-bioscopen. De hoofdingang wordt gevormd door een grote glazen vliesgevel die het complex een zeker monumentaal karakter verleent.

Dream Mall
Kaohsiung, Taiwan

ARCHITECT
RTKL Associates
www.rtkl.com

COLLABORATORS AND OTHERS
Tungcheng Development (developer,
management, owner

DIMENSIONS
232 260 m² / 2 500 026 sq ft

PHOTO
© Mick Ryan

This huge shopping mall is sited in an old industrial zone close to Kaohsiung Wharf. This area has been recently rejuvenated to house diverse architectural complexes, such as various commercial and recreational areas, a multitude of offices, a hotel, and a high-rise residential building. The neighborhood is expected to become one of the busiest hubs of economic activity in the area.
The architect's design aims to evoke the buzzing commercial bustle of a cargo port and is inspired by the local seafaring tradition. The ensemble comprises two main buildings that wrap around an open-air square. The design stands out for the curved façades of the buildings with stylized glass finishes that imitate the appearance of sea creatures.

In einem ehemaligen Gewerbegebiet in der Nähe der Hafenmole von Kaohsiung wurde dieses große Einkaufszentrum errichtet. Die Gegend wurde erst kürzlich vollständig erneuert, um eine ganze Reihe von Neubauten aufzunehmen, darunter verschiedene Geschäfte, mehrere Freizeit-einrichtungen, ein Vielzahl von Büros, ein Hotel und ein hohes Gebäude mit Wohnungen. In der Zukunft soll dieses Viertel zu einem der wirtschaftlich aktivsten der Region werden.
Der Entwurf der Architekten greift die Idee lebhafter wirtschaftlicher Geschäftigkeit auf, wie sie für einen Hafen typisch ist, und knüpft so an die alte Seehandelstradition der Gegend an. Der Komplex besteht aus zwei großen Gebäuden, die einen Platz einrahmen. Auffallend sind die geschwunge-nen, verglasten Fassaden, die in ihrer glitzernden Erscheinung an Meerestiere erinnern.

Dans une ancienne zone industrielle proche du quai de Kaohsiung, se trouve ce centre commer-cial aux dimensions colossales. Cet espace a été récemment rénové et a accueilli de nouvelles constructions, comme par exemple des commerces, des aires de jeux, des bureaux, un hôtel et un complexe résidentiel de grande envergure. À l'avenir, ce quartier devrait développer l'une des plus grandes activités économiques de la région.
Le projet des architectes évoque l'effervescence de l'activité commerciale d'un port de marchan-dises dont l'inspiration se fonde sur la tradition maritime de la région. L'ensemble se compose de deux immeubles principaux qui s'organisent autour d'une place en plein air. Le design se dis-tingue par les façades arrondies des immeubles et les finitions vitrées qui imitent la phys-ionomie des animaux aquatiques.

Dit gigantische winkelcentrum ligt op een voormalig industrieterrein vlak bij de haven van Kaoh-siung. Dit gebied is onlangs nieuw leven ingeblazen en herbergt nu diverse architectonische complexen, zoals verschillende winkels, een aantal recreatieve voorzieningen, talrijke kantoren, een hotel en een torenhoog wooncomplex. De verwachting is dat de wijk in de toekomst tot een van de economisch meest actieve centra in dit gebied zal uitgroeien.
De opzet van de architecten was de koortsachtige commerciële activiteit van een doorvoerha-ven in herinnering brengen, geïnspireerd op de zeevaarttraditie in de regio. Het geheel bestaat uit twee hoofdgebouwen die een plein in de open lucht omsluiten. Karakteristiek voor het ont-werp zijn de rondlopende gevels van de gebouwen, met glazen details die het beeld van water-dieren moeten oproepen.

A series of elements refer to the area's port feel, such as the undulating tinted-glass grid reminiscent of fish scales. The first floor stands out for the width of the aisles that lead into rotundas to facilitate circulation and guarantee fluid pedestrian traffic.

Eine ganze Reihe von Elementen erinnert an die Hafenatmosphäre der Vergangenheit, so z. B. das gewellte Raster getönten Glases der Fassade, das an die glänzenden Schuppen eines Fisches denken lässt. Im Erdgeschoss fällt die Breite der Gänge auf, die sich zu Kreisen erweitern und den Besucherstrom erleichtern.

Il existe une série d'éléments qui rappellent l'ambiance d'un port, comme le quadrillage ondulé en verre tinté faisant penser aux écailles d'un poisson. Au rez-de-chaussée, les couloirs sont larges et de nombreux carrefours facilitent et fluidifient le passage des usagers.

Een aantal elementen verwijst naar de havensfeer van het gebied, zoals het golvende ruitpatroon van gekleurd glas dat doet denken aan de schubben van een vis. Op de begane grond vallen de brede passages op die uitlopen in rotondes om de doorstroom van gebruikers te verbeteren.

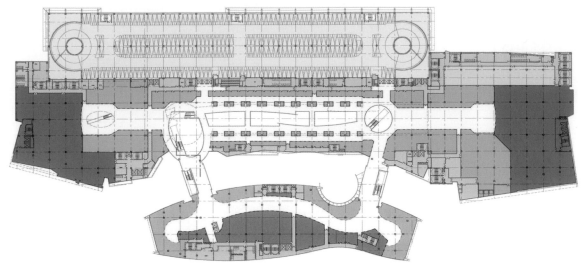

Second floor

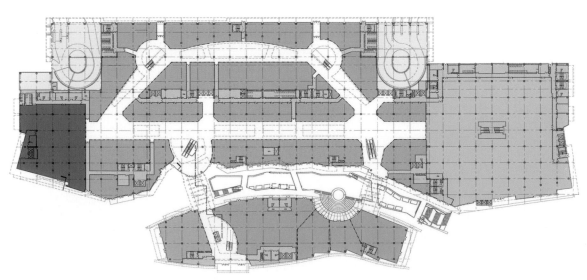

First floor

The interiors have a very vivid character emphasized by bold furniture, striking decorative elements and bright lighting. The aisles lead into rotundas that give rise to a series of panoptic areas featuring a succession of balconies and the luminosity afforded by the skylights.

Die Inneneinrichtung zeichnet sich durch das gewagte Design der Möbel, Aufsehen erregende Dekorationselemente und eine kraftvolle Beleuchtung aus. Die Gänge laufen auf Kreisel zu. Dort bieten Balkone Gelegenheit in die verschiedenen Teile des Komplexes zu blicken. Glasdächer lassen das Tageslicht einfallen.

Les intérieurs attirent l'attention et sont mis en valeur par un mobilier audacieux, des éléments décoratifs spectaculaires et un éclairage puissant. Les couloirs convergent vers des carrefours et l'intérieur s'établit selon un modèle panoptique dont ressortent les balcons et la luminosité apportée par les lucarnes.

De interieurs zijn heel opvallend, wat wordt benadrukt door gedurfd meubilair, spectaculaire decoratieve elementen en felle verlichting. De gangen komen samen in rotondes die plaats bieden aan een reeks panoptische elementen, waarbij vooral de balkons opvallen en het licht dat door de daklichten valt.

Sendai Baptist Church
Sendai, Japan

ARCHITECT

SOY Source Architectural Design Office
www.soy-source.com

COLLABORATORS AND OTHERS

Ishuyama Architectural Engineering and Structure
Office (associate architect); Obayashi Corporation
(contractor)

DIMENSIONS

2 264 m² / 24 370 sq ft

PHOTO

© Hiroshi Yokoyama

The new Baptist church was built on the land where the former church stood, which was demolished for failing to meet Japan's strict architectural regulations. The inside is allocated to a church for 130 people and also has a crèche and an apartment for the pastor and his wife. Each space has its own independent entrance.

Because of its strategic location in a fast-growing business district, the clients feared the church would not stand out from among the new-build constructions around it. With this premise, the architects decided on a monumental design where textures are the true stars. The different textures make it possible to differentiate the spaces and buildings. One of the aspects that stand out the most in the construction is the creased façade in ochre shades.

Die neue Baptistenkirche wurde anstelle des alten Gotteshauses errichtet, das abgerissen werden musste, weil es nicht den strengen japanischen Bauvorschriften entsprach. Der Bau umfasst die eigentliche Kirche mit 130 Plätzen, einen Kindergarten und die Wohnung für den Pfarrer und seine Frau. Alle drei Einrichtungen verfügen über jeweils separate Eingänge.

Angesichts der Lage inmitten eines rasch anwachsenden Geschäftsviertel befürchteten die Bauherrn, dass die Kirche unter den Neubauten nicht genug auffallen würde. Die Architekten legten den Entwurf zu einem monumentalen Gebäude vor, bei dem die Oberflächentexturen ein große Rolle spielen, denn sie entsprechen der Unterscheidung der verschiedenen Bauteile und Einrichtungen. Am auffälligsten ist sicher die raue Hauptfassade in ihren Ockertönen.

Cette église baptiste a été construite sur le terrain d'une ancienne église démolie car elle ne répondait pas aux normes strictes de l'architecture japonaise. L'intérieur est consacré à la prière et peut accueillir 130 personnes. Elle comporte également une garderie et un logement pour le pasteur et son épouse. Chaque espace a sa propre entrée indépendante.

Dû à son emplacement stratégique dans un quartier d'affaires en pleine croissance, les clients craignaient que l'église soit perdue au milieu des nouveaux édifices construits tout autour. Pour y remédier, les architectes ont opté pour un design monumental dans lequel les textures ont le rôle principal. Les matières permettent de différencier les espaces des fondations. L'un des aspects les plus remarquables du projet est sa façade rugueuse dans les tons ocre.

De nieuwe doopsgezinde kerk is gebouwd op het terrein waar eerder een oude kerk is gesloopt, omdat hij niet voldeed aan de strikte Japanse architectuurnormen. Binnen is er een kerk voor 130 mensen, en daarnaast zijn er een crèche en een appartement voor de dominee en zijn vrouw. Elke ruimte heeft zijn eigen ingang.

Vanwege zijn strategische ligging in een snelgroeiend handelsdistrict waren de opdrachtgevers bang dat de kerk niet zou opvallen tussen de omliggende nieuwbouw. Vanuit die vooronderstelling besloten de architecten met een monumentaal ontwerp te komen waarbij de gebruikte materialen de echte hoofdrolspelers zijn. Door de verschillende texturen is er een duidelijk onderscheid tussen de ruimten en gebouwen. Een van de opvallendste aspecten is de ruwe gevel in okertinten.

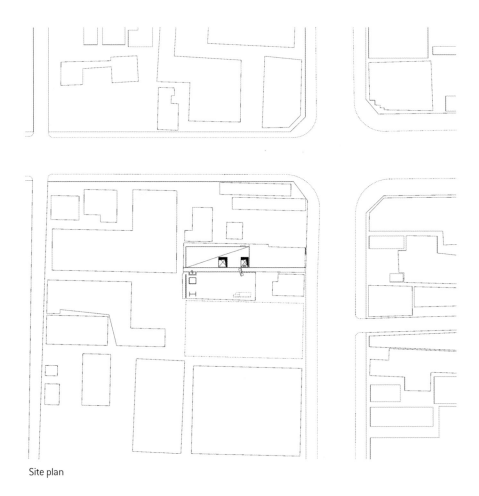

Site plan

The creased texture of the façades and monumental nature of the building make it stand out from among the surrounding structures. The ensemble comprises the church, crèche, apartment, and the courtyards for each. Simple light bulbs were installed inside the church to generate a warm and welcoming space.

Die raue Oberflächenstruktur der Fassaden und die Monumentalität des Bauwerks verliehen ihm einen eigenen Charakter und heben es von der Umgebung ab. Die Kirche, der Kindergarten und die Pfarrwohnung haben jeweils eigene Gartenhöfe. Im Inneren der Kirche sorgen schlichte Glühlampen für eine angenehme Stimmung.

La texture rugueuse des façades et le caractère monumental de l'édifice attire l'attention parmi les bâtiments qui l'entourent. L'ensemble est composé de l'église, de la garderie, du logement et des patios correspondant à chaque espace. À l'intérieur de l'église, le fait de disposer des ampoules simples crée un espace chaleureux et accueillant.

Door de ruwe textuur van de gevels en zijn monumentale karakter valt het gebouw op tussen de omliggende bebouwing. Het geheel bestaat uit kerk, crèche, woning en binnenplaatsen bij elke eenheid. In de kerk zijn eenvoudige gloeilampen opgehangen die voor een warme, uitnodigende uitstraling zorgen.

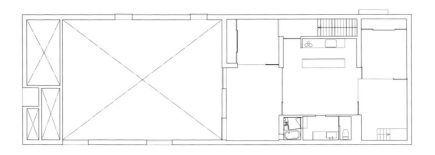

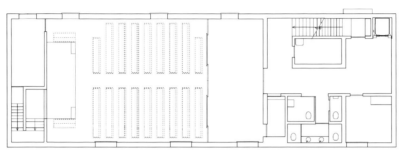

Second floor and first floor

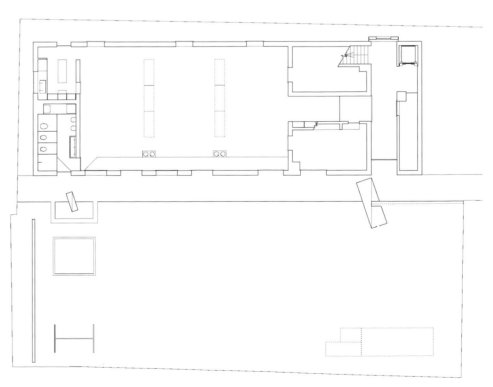

Ground floor: kindergarten and courtyard

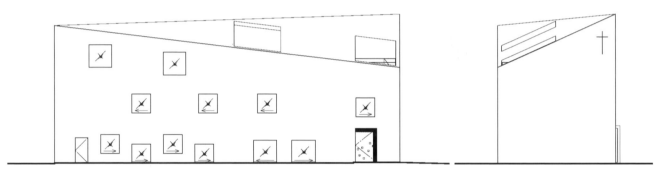

West elevation and south elevation

Of note inside are the red tones present on the ceilings, in the kitchen, and on the window frames. The architects used the roof tiles of the old demolished church to pay tribute to it when paving the vestibule floor. The lighting in this aisle is theatrical, presenting a dark and mysterious space.

Im Inneren herrschen rötliche Farbtöne vor, so wie etwa an den Decken, in der Küche oder bei den Fensterrahmen. Als eine kleine Hommage an den abgerissenen Altbau wurden dessen Dachziegel zur Pflasterung des Bodens der Eingangshalle verwendet. Hier werden durch die Beleuchtung geheimnisvolle Hell-Dunkel-Kontraste erzielt.

À l'intérieur, les tons rougeâtres des plafonds, de la cuisine et des fenêtres ressortent. En hommage à l'ancienne église démolie, les architectes ont utilisé ses tuiles pour paver le sol de l'entrée. L'éclairage utilisé dans ce couloir reproduit l'éclairage théâtral, créant une ambiance obscure et mystérieuse.

Binnen vallen de roodtinten op die zijn gebruikt voor de plafonds, de keuken en de raamkozijnen. Als eerbetoon aan de gesloopte kerk hebben de architecten de oude dakpannen gebruikt om de vloer van de hal te betegelen. De verlichting in de hal is theatraal: ze toont een duistere, mysterieuze ruimte.

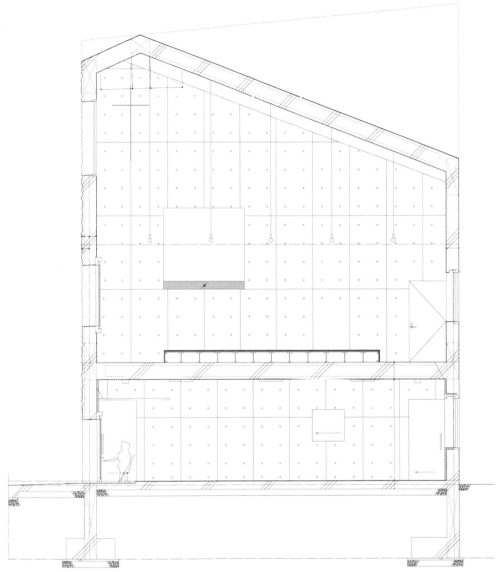

Section detail

House in Chikata

Fukuyama, Japan

ARCHITECT
Kazunori Fujimoto Architect & Associates
www.jutok.jp

COLLABORATORS AND OTHERS
IKE Structural consultants (structural engineer);
Fuji Corporation (builder)

DIMENSIONS
432 m² / 4 650 sq ft

PHOTO
© Kaori Ichikawa, Kazunori Fujimoto

The house is in Chikata, a commuter town on the outskirts of Fukuyama which is characterized by its sparse population and rural feel. The architect designed a home set back from the road to conserve the spaciousness of the plot of land. Between the house, built at the rear of the property, and the edges of the plot, only grass was planted because the area lay on a slight slope. The building has two parallel floors. The upper floor has a deck supported on a wall running parallel to the house. The lower level is cantilevered toward the exterior using elongated concrete slabs that establish a close relationship between outdoors and in. This floor contains the private rooms and bathrooms, while the top floor has the living room, kitchen, and the main bathroom.

Dieses Einfamilienhaus befindet sich in Chikata, einem Vorort von Fukuyama, der locker besiedelt ist und einen eher ländlichen Charakter aufweist. Der Architekt plante das Haus in weiter Entfernung zur Straße, um die Größe des Grundstücks auszunutzen. Zwischen dem Haus, das im hinteren Teil des Anwesens liegt, und dem entgegen gesetzten Ende wurde wegen des Gefälles nur Rasen ausgesät.
Das Haus besteht aus zwei Ebenen. Das Obergeschoss verfügt über eine Terrasse, die von einer parallel verlaufenden Mauer gestützt wird. Die langen Betonplatten im Erdgeschoss erweitern den Wohnbereich und stellen eine Verbindung zwischen Innen- und Außen her. Im unteren Niveau liegen die Schlafräume und die Toiletten, während Wohnzimmer, Küche und Badezimmer im Obergeschoss untergebracht sind.

Cette maison se situe dans la localité de Chikata, une ville dortoir dans la banlieue de Fukuyama, peu peuplée et assez rurale. L'architecte a conçu une maison éloignée de la route afin de profiter de l'espace du terrain. Entre la maison, construite à l'arrière de la propriété, et les limites du terrain, il n'y a que de la pelouse en raison de la légère inclinaison du terrain.
Le bâtiment présente deux niveaux. À l'étage supérieur se trouve une terrasse qui repose sur un mur parallèle à la maison. Le niveau inférieur se prolonge à l'extérieur grâce à une série de dalles en béton qui établissent un lien étroit entre dedans et dehors. Au rez-de-chausée, se trouvent les chambres et les toilettes. À l'étage, se situent le salon, la cuisine ainsi que la salle de bain.

Deze woning bevindt zich in Chikata, een landelijk slaapstadje in de omgeving van Fukuyama. De architect ontwierp een woning die van de weg af lag om de ruimtelijkheid van het perceel te behouden. Tussen het huis, gebouwd achter op het stuk grond, en de begrenzing van de kavel is alleen een gazon aangelegd, aangezien het terrein enigszins schuin afliep.
Het gebouw bestaat uit twee parallelle niveaus, waarvan de bovenverdieping een terras herbergt dat steunt op een muur die parallel aan het huis loopt. Het ondergelegen niveau richt zich naar buiten via langwerpige betonnen tegels, waardoor een hechte relatie ontstaat tussen buiten en binnen. Op deze verdieping zijn de privévertrekken en de toiletten, terwijl op de bovenverdieping de woonkamer, de keuken en de badkamer te vinden zijn.

The architect's primary goal was to create a balance between the building, the area around the house, the façade openings, and the material used. The minimalist design was chosen to emphasize this balance. The design is characterized by the different proportions and sizes created using elements, walls, openings, and cantilevers.

Bei der Entwurfsplanung kam es dem Architekten vor allem darauf an, mithilfe der verwendeten Materialien und der Öffnungen in der Fassade ein ausgewogenes Verhältnis zwischen dem Gebäude und seiner Umgebung zu schaffen. Daraus ergeben sich die verschiedenen Proportionen der einzelnen Elemente des Projekts.

L'objectif principal de l'architecte était de créer un équilibre entre le bâtiment, les environs de la maison, les ouvertures de la façade et le matériau utilisé. Pour mettre en valeur cette harmonie, l'architecte a choisi un design minimaliste. Les différentes proportions et formes des éléments, murs, ouvertures et saillies caractérisent ce projet.

De architect beoogde een evenwicht te creëren tussen het gebouw, de omgeving, de openingen in de gevel en het gebruikte materiaal. Hij koos voor een minimalistische vormgeving om dit evenwicht te benadrukken. De verschillende proporties en afmetingen, bewerkstelligd door muren, openingen en uitkragingen, kenmerken dit project.

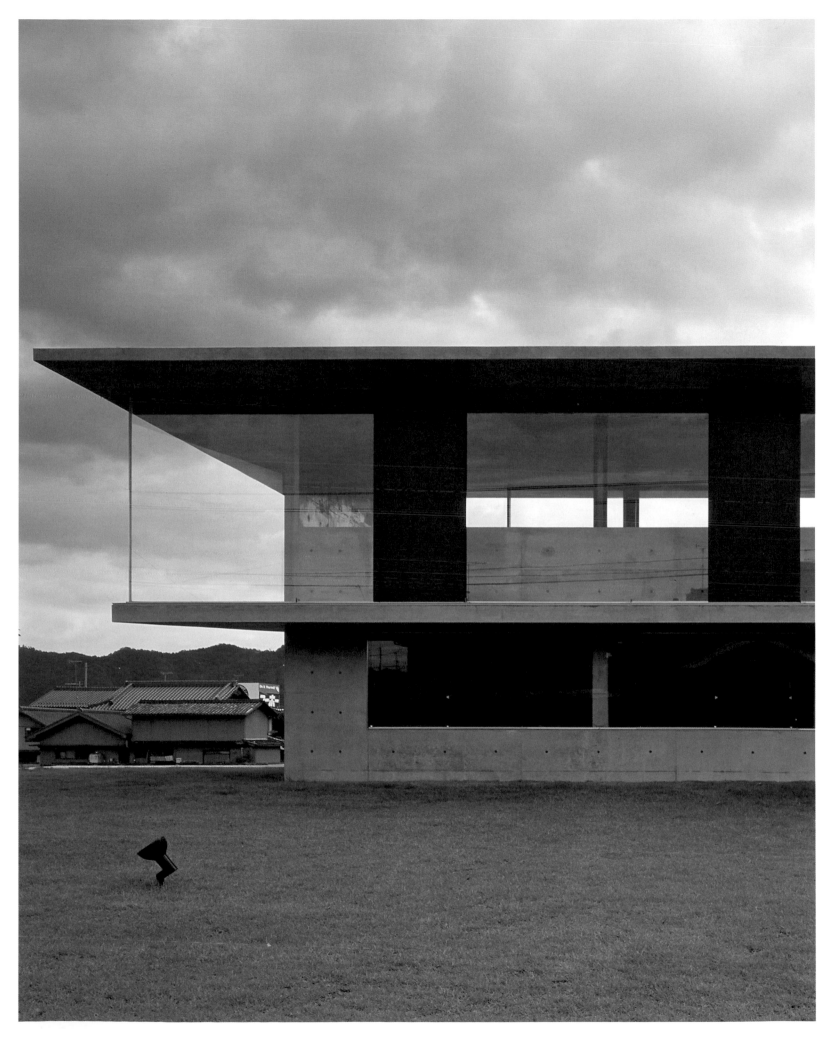

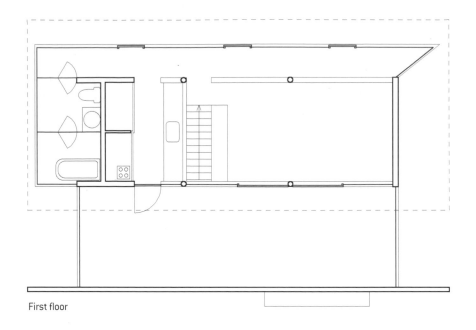

First floor

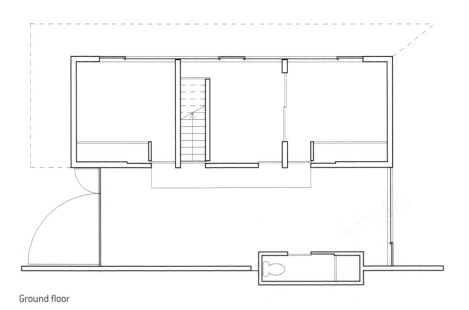

Ground floor

The common areas are located on the upper floor: the living room, kitchen and main bathroom. The half-height walls function as separating elements between the spaces. Despite the separating walls, the owners' privacy is respected because of the structure's original layout and composition.

Im ersten Stock liegen die Gemeinschaftsräume: Wohnzimmer, Küche und Badezimmer. Die halbhohen Wände dienen als Trennung zwischen den einzelnen Bereichen. Die Privatsphäre der Bewohner bleibt dank der besonderen Raumaufteilung des Hauses erhalten.

À l'étage supérieur se trouvent les espaces communs : le salon, la cuisine et la salle de bain. Les murs à mi-hauteur constituent les séparations entre les espaces. L'intimité des propriétaires est garantie par la répartition originale des éléments et la composition de la structure.

Op de bovenverdieping zijn de gemeenschappelijke ruimten: de woonkamer, de keuken en de badkamer. De halfhoge muren fungeren als scheidingselementen tussen de ruimten. Ondanks deze wanden wordt de privacy van de eigenaars gewaarborgd door de originele indeling en compositie van de constructie.

cooperation camaraderie trust capability

awe vulnerability spirit grief sacrifice courage skill compass

Oceania

150 Liverpool Street

Sydney, Australia

ARCHITECT

Ian Moore Architects

www.theohotz.ch

COLLABORATORS AND OTHERS

Lion Pacific International (client); Infinity
Constructions (contractor); Arup & Bonacci Rickard
(structure); City Plan Services (planning and
building); Arup Acoustics (acoustics); Halkat Electrical
(electrics); O'Dor-Out (mechanics); Warren Smith
& Partners (hydraulics)

DIMENSIONS

4 750 m² / 51 129 sq ft

PHOTO

©Ross Honeysett

An old two-story building at the corner of two streets forced the architects to develop this residential complex in the shape of an L. The work comprises two differentiated elements with the main structure at the northern end and the other one in the side street.

The two buildings are architecturally and esthetically different. The main structure is an off-white color and the secondary building, with a square floor plan, is orange. Despite the differences, the two buildings are integrated via three large balconies framed in orange.

The rectangle is the geometric element most often used in this architectural ensemble. Horizontal lines prevail over vertical ones. There are a total of 35 apartments, most in the cream-colored building, as well as five commercial premises.

Ein altes, zweigeschossiges Gebäude an einer Straßenecke zwang die Architekten, diesen Wohnkomplex über einem L-förmigen Grundriss zu planen. Die Anlage besteht daher aus zwei Teilen, wobei der Haupttrakt im Norden und der andere in der Nebenstraße liegt.

Die beiden Flügel unterscheiden sich sowohl in architektonischer als auch ästhetischer Hinsicht. Das Hauptgebäude ist knochenfarben, der quadratische Nebentrakt orange. Doch trotz der Unterschiede sind die beiden Teil über die drei großen orangefarbenen Balkons miteinander verbunden.

Das vorherrschende Formelement bei dieser Anlage ist das Rechteck. Im Gesamteindruck überwiegen die waagerechten gegenüber den senkrechten Linien. Insgesamt stehen 35 Wohneinheiten, vornehmlich im cremefarbenen Gebäude, und fünf Ladenlokale zur Verfügung.

L'ancien immeuble de deux étages situé à l'angle de deux rues a contraint les architectes à développer une résidence en forme de L. L'ensemble se compose de deux éléments distincts : la structure principale se situe au nord et l'autre dans la rue adjacente.

Les deux constructions se distinguent au niveau de l'architecture et de l'esthétisme. La structure principale est dans les tons de blanc cassé et la seconde, de forme carrée, est dans les tons orangés. Malgré les différences, les deux bâtiments sont unis par trois grands balcons de la même teinte.

Le rectangle est l'élément géométrique le plus utilisé dans cet ensemble architectural. On dénombre un total de 35 logements, situés en majorité dans le bâtiment de couleur crème, et 5 locaux commerciaux.

Een oud gebouw van twee verdiepingen gelegen op de hoek van twee straten dwong de architecten dit wooncomplex in de vorm van een L te ontwikkelen. Het geheel bestaat uit twee verschillende elementen, met het hoofdgebouw aan de noordzijde en het andere in de zijstraat.

Beide constructies onderscheiden zich zowel in architectonisch als in esthetisch opzicht van elkaar. Het hoofdgebouw is crèmewit van kleur en het andere, met een vierkant grondplan, oranje. Ondanks de verschillen vormen beide gebouwen één geheel middels drie grote balkons met een oranje omlijsting.

De rechthoek is het meest toegepaste meetkundige element in dit architectonische geheel. Horizontale lijnen overheersen de verticale. Er zijn in totaal 35 woningen, voornamelijk in het crèmewitte gebouw, en vijf winkelruimten.

A predominantly minimalist design was used in the apartment interiors. The kitchens feature areas of saturated chromatic shades. To achieve this saturation the standard and uniform range of Vola tap colors was used.

Die Innenausstattung der Wohnungen kann als minimalistisch bezeichnet werden. In den Küchen konzentrieren sich in ausgewählten Bereichen gesättigte Farben. Dafür wurde auf die einheitliche Standardfarbpalette der Armaturen von Vola zurückgegriffen.

L'intérieur des habitations est d'un style minimaliste. Dans les cuisines, les couleurs sont saturées. Afin d'obtenir cet effet, on a utilisé la gamme des couleurs standard et uniformes de la robinetterie Vola.

In de woningen is vooral een minimalistisch design toegepast. In de keukens zijn accentvlakken in verzadigde kleuren aangebracht. Om die verzadiging te bereiken is het uniforme standaardkleurengamma van Vola-kranen gebruikt.

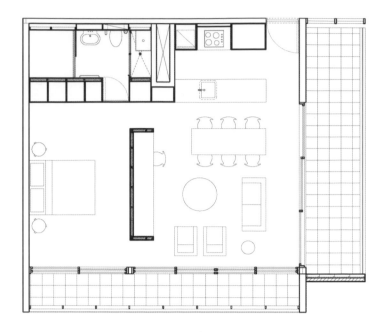

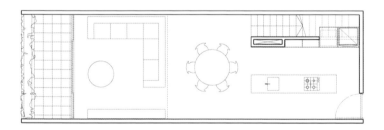

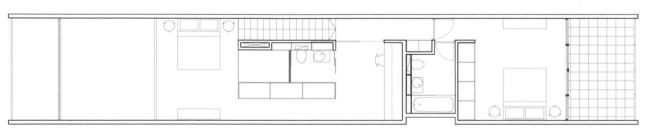

Typical plans

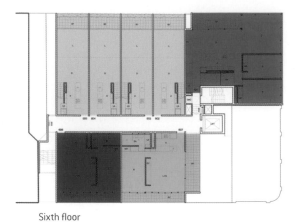

Sixth floor

Seventh floor

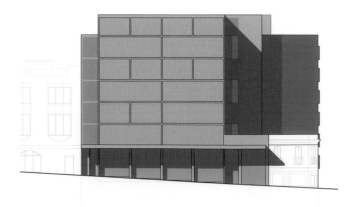
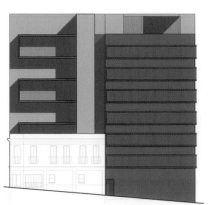

South elevation and east elevation

Pirelli rubber was used on the flooring, giving the space a neutral off-white tone. This design emphasizes and creates spaces that are visually larger and more pure. Natural light penetrates through the regular-shaped aluminum slatted shutters while the artificial light was strategically installed in focal points.

Als Bodenbelag wurde Kautschuk von Pirelli ausgewählt, der den Räumen einen neutralen cremefarbenen Grundton verleiht. Dadurch wirken die Wohnungen optisch größer. Durch die Lamellen der Aluminiumjalousien dringt das Tageslicht ein, während für die künstliche Beleuchtung strategisch platzierte Punktstrahler eingesetzt werden.

Le revêtement des sols est en caoutchouc Pirelli, ce qui confère à l'espace un ton blanc cassé neutre. Ce design permet de créer des espaces visuellement plus vastes et plus purs. La lumière naturelle pénètre au travers des stores en aluminium réglables, alors que la lumière artificielle est installée dans les coins stratégiques.

Voor de vloeren is Pirelli-rubber gebruikt, dat de ruimte een neutraal crèmewitte kleur geeft. Dit design benadrukt en creëert visueel grotere en helderder ruimten. Daglicht valt binnen via reguliere aluminium zonweringen, terwijl kunstlicht op strategische punten werd geïnstalleerd.

National Emergency Services Memorial

Canberra, Australia

ARCHITECT
ASPECT Studios Landscape Architecture & Urban
Designers
www.aspect.net.au

COLLABORATORS AND OTHERS
National Emergency Service Personnel Sterring
Committee & National Capital Authority (client);
Charles Anderson (artist); Darryl Cowie (development
and construction); Martin Butcher (lighting design);
SA Precast (construction of the wall); John Woodside
Consulting (engineering)

DIMENSIONS
500 m² / 5 382 sq ft

PHOTO
© Ben Wrigley

This memorial was designed to honor Australians who work in the emergency services: firefighters, police, ambulance crews, search and rescue teams, volunteers, etc. It is located on the large avenue Anzac Parade, on the section that looks toward Lake Burley Griffin.

The architects' aim was for viewers, upon visiting the memorial, to be aware of the situations of danger and gravity faced by people who work in the emergency services. The resulting design is a zigzag horizontal structure whose two sides are treated differently. One face features words that define the values and professionalism of emergency personnel. On the other side, a frieze with a relief boasts a collection of images that reflect the diversity of their work.

Diese Gedenkstätte wurde entworfen, um alle Australier zu ehren, die in Hilfs- und Katastrophendiensten tätig sind: Feuerwehr, Polizei, Krankenwagen, Such- und Rettungstrupps, freiwillige Helfer u. a. Sie befindet sich an der breiten Anzac Parade, auf Höhe des Burley-Griffin-Sees.

Die Architekten wollten, dass sich die Besucher des Ehrenmals der Gefährlichkeit der Situationen bewusst werden, in die sich die Mitarbeiter der Rettungsteams oftmals begeben müssen. Deshalb entwarfen sie eine waagerecht angelegte Zickzackstruktur, deren Außenseiten unterschiedlich behandelt wurden. Auf der einen Seite werden der Mut und die Professionalität der Rettungsmannschaften in einprägsamen Worten hervorgehoben, auf der anderen schildert ein Relief in einer Reihe von Bildern die Vielfalt der Einsätze der verschiedenen Hilfs- und Rettungsdienste.

Ce monument a été créé en l'honneur des Australiens qui travaillent dans les services d'urgence : pompiers, policiers, ambulanciers, équipes de recherches et de secours, volontaires, etc. Il est situé sur la grande avenue Anzac Parade, sur le tronçon qui donne sur le lac Burley Griffin.

L'objectif des architectes est de faire prendre conscience aux visiteurs des situations périlleuses et dangereuses auxquelles sont confrontées les personnes travaillant dans les services d'urgences. Pour cela, ils ont conçu une structure horizontale en zigzag dont les deux côtés ont des formes différentes. Sur l'un, on remarque des mots définissant les valeurs et le professionnalisme du personnel des urgences. Sur l'autre, une frise d'images en relief reflètent la diversité de leurs travaux.

Dit monument werd ontworpen ter ere van de Australiërs die werkzaam zijn bij de openbare hulpdiensten: brandweerlieden, politie, ambulancepersoneel, opsporings- en reddingsteams, vrijwilligers etc. Het ligt aan de grote boulevard Anzac Parade, op het gedeelte met uitzicht op het Lake Burley Griffin.

Het doel van de architecten was de bezoekers van het monument bewust te maken van de gevaarlijke en ernstige situaties waarmee mensen die werkzaam zijn bij de hulpdiensten worden geconfronteerd. Het resultaat is een horizontale zigzagstructuur waarvan beide zijden anders behandeld zijn. Aan één zijde is de hoofdrol weggelegd voor woorden die de waarden en kundigheid van deze mensen beschrijven. Aan de andere kant toont een fries met reliëf een aantal voorstellingen die de diversiteit van hun werk tonen.

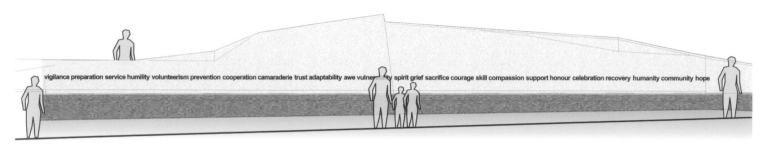

Conceptual representation of one side of the wall

Conceptual representation of the opposite side of the wall

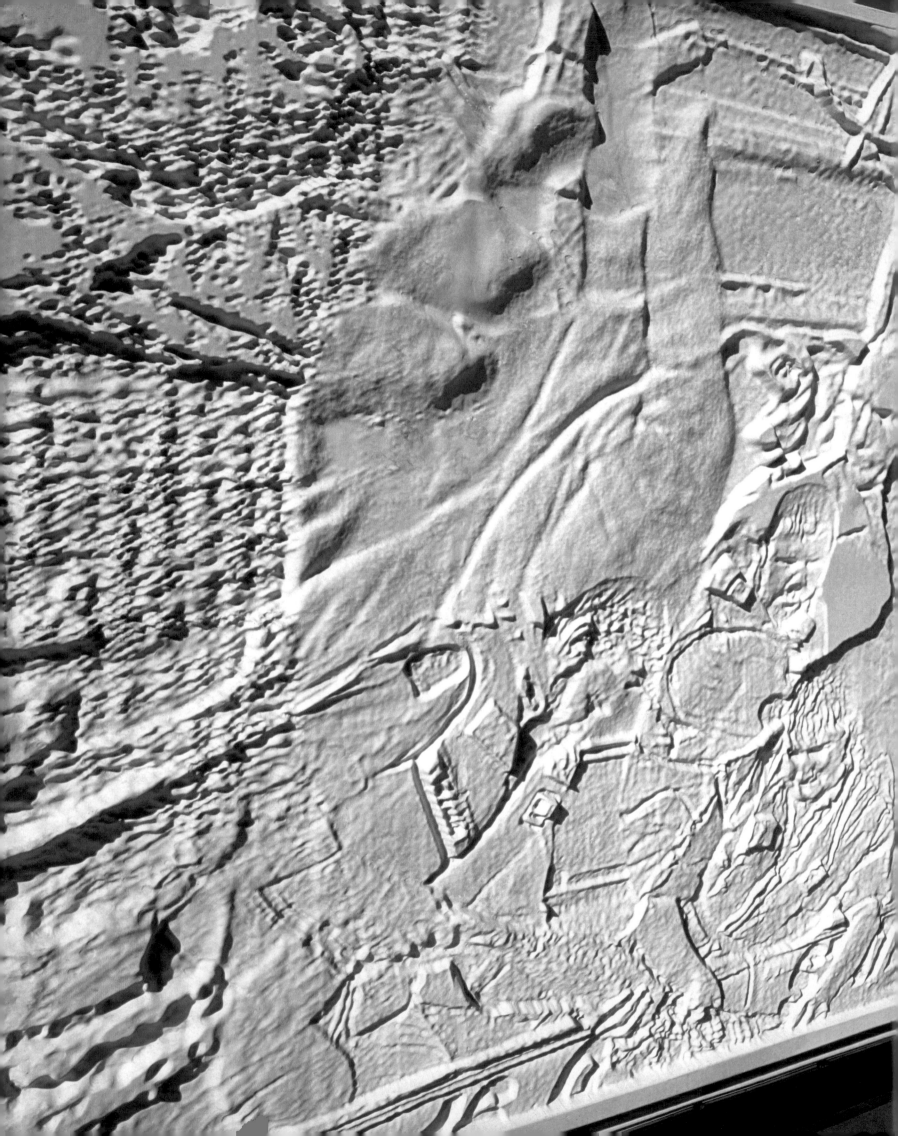

The commemorative memorial also functions as a seat for contemplating the views over Lake Burley Griffin. A bronze projection was built to rest on in the lower part and along the length of the wall. The zigzag main structure is composed of three concrete panels that integrate into the natural environment to perfection.

Das Ehrenmal bietet auch eine hervorragende Sitzgelegenheit mit Ausblick über den Burley-Griffin-See. Im unteren Bereich des Denkmals wurde entlang der gesamten Mauer ein Vorsprung aus Bronze angebracht, auf dem man sich ausruhen kann. Die Zickzackstruktur besteht aus drei Betonpaneelen und fügt sich in die Umgebung ein.

Ce monument commémoratif permet également de contempler la vue du lac Burley Griffin. Sur toute la longueur de la partie inférieure du mur, une saillie en bronze a été construite afin de pouvoir se reposer. La structure principale en zigzag se compose de trois pans en béton qui s'intègrent à la perfection dans l'environnement naturel.

Het herdenkingsmonument fungeert ook als zitplaats om te genieten van het uitzicht op Lake Burley Griffin. Onderaan is langs de hele lengte een bronzen richel aangebracht om op uit te rusten. De zigzaghoofdstructuur bestaat uit drie betonnen platen en gaat volmaakt op in de natuurlijke omgeving.

Federation Square

Melbourne, Australia

ARCHITECT

LAB Architecture Studio; Bates Smart
www.labarchitecture.com
www.batessmart.com.au

COLLABORATORS AND OTHERS

Federation Square Management (client); Multiplex
(managing contractor); Karres en Brands (landscape
architects); Atelier One (engineers); Atelier Ten
(environmental engineers); Connell Wagner (civil
engineers substructure); Hyder Consulting (civil
engineers deck and structural engineers); Bonacci
Group (structural engineers)

DIMENSIONS

44 000 m² / 473.612 sq ft

PHOTO

© Andrew Hoobs, Adrian Lander, Peter Clarke,
Trevor Main

A large architectural complex that functions as a political, social and cultural centre was created in the heart of Melbourne. The winning project of the 1996 international design competition consisted of an ensemble of nine buildings dedicated to different purposes. Restaurants, cafes, bars and art centers are arranged around a central piazza where all the open-air recreational and festive events are held.

The use of perfectly assembled structures of fractal geometry serves to express the material and visual coherence of the buildings that the architects pursued. The materials used most often are glass, stone, and zinc, in triangular and rectangular shapes. As well as architectural consistency, ecological and sustainable systems have been established to achieve greater energy savings.

Mitten in Melbourne ist ein großer Baukomplex entstanden, der als politisches, soziales und kulturelles Zentrum der Stadt fungiert. Der Siegerentwurf des internationalen Wettbewerbs von 1996 sah ein Ensemble von neun Gebäuden unterschiedlicher Nutzung vor. Restaurants, Cafés, Bars und Kunstgalerien umgeben einen zentralen Platz, auf dem alle Arten festlicher Veranstaltungen unter freiem Himmel stattfinden können.

Die Architekten erzielten den gewünschten kohärenten optischen Gesamteindruck der Anlage, indem sie die nach den Regeln der fraktalen Geometrie gestalteten Teile des Ensembles perfekt aufeinander abstimmten. Die dabei am meisten verwendeten Materialien sind Stein, Glas und Zink, bevorzugt in dreieckigen bzw. rechteckigen Flächen. Umweltschutz und Nachhaltigkeit waren weitere wichtige Aspekte, um den Energieverbrauch niedrig zu halten.

Le centre-ville de Melbourne dispose d'un grand ensemble architectural servant de centre politique, social et culturel. Le projet qui a remporté le concours international de design en 1996 proposait un ensemble de neuf édifices aux finalités différentes. Restaurants, cafés, bars et galeries d'art sont disposés autour d'une place centrale sur laquelle ont lieu tous les évènements ludiques et festifs en plein air.

L'utilisation de structures parfaitement assemblées et de géométrie fractale permet d'exprimer la cohérence matérielle et visuelle de tous les bâtiments. Les matériaux les plus utilisés sont le verre, la pierre et le zinc, de forme triangulaire et rectangulaire. Des systèmes écologiques et de développement durable ont été établis pour une plus grande économie d'énergie.

In het hart van Melbourne is een groot architectonisch complex neergezet dat fungeert als politiek, sociaal en cultureel centrum van de stad. Het winnende project van de internationale ontwerpwedstrijd in 1996 bestond uit een geheel van negen gebouwen met verschillende bestemmingen. Restaurants, cafés, bars en kunstcentra zijn opgesteld rondom een centraal plein waar openluchtfestiviteiten plaatsvinden.

Het gebruik van perfect geassembleerde structuren met een fractale geometrie geeft uitdrukking aan de materiële en visuele cohesie van alle gebouwen zoals de architecten die nastreefden. De meest toegepaste materialen zijn glas, steen en zink, in drie- en rechthoekige vormen. Naast architectonische cohesie zijn er ecologische en duurzame systemen geïnstalleerd voor een grotere energiebesparing.

Section A

Section A'

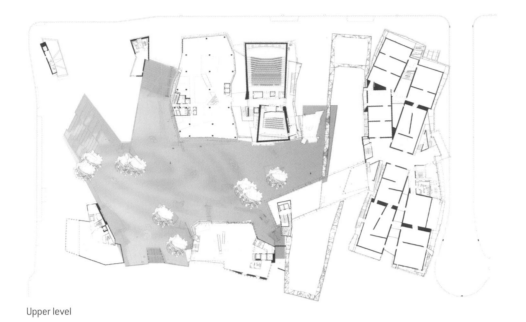

Upper level

Site plan

One of the most representative buildings in Federation Square is the National Gallery of Victoria, a museum dedicated to Australian art, from Aboriginal through to contemporary. Of note is the southern façade, with a pinwheel grid structure arranged in a fractal mode built from materials such as glass, zinc, and sandstone.

Eines der repräsentativsten Bauwerke am Federation Square ist die National Gallery of Victoria, ein Museum, in dem die australische Kunst von den Aborigines bis hin zu zeitgenössischen Künstlern zu sehen ist. Besondere Aufmerksamkeit verdient die Südfassade mit ihrer Gitterstruktur in Art der Fraktale aus Glas, Zink und Sandstein.

L'un des bâtiments les plus représentatifs de Federation Square est la National Gallery of Victoria, un musée consacré à l'art australien, des œuvres aborigènes aux artistes contemporains. Sa façade sud est remarquable par sa structure de forme fractale construite en verre, en zinc et en grès.

Een van de meest representatieve gebouwen op Federation Square is de National Gallery of Victoria, een museum voor Australische kunst, van Aboriginal- tot hedendaagse kunst. Opvallend is de zuidgevel, met een fractale vlechtwerkstructuur, geconstrueerd van materialen als glas, zink en zandsteen.

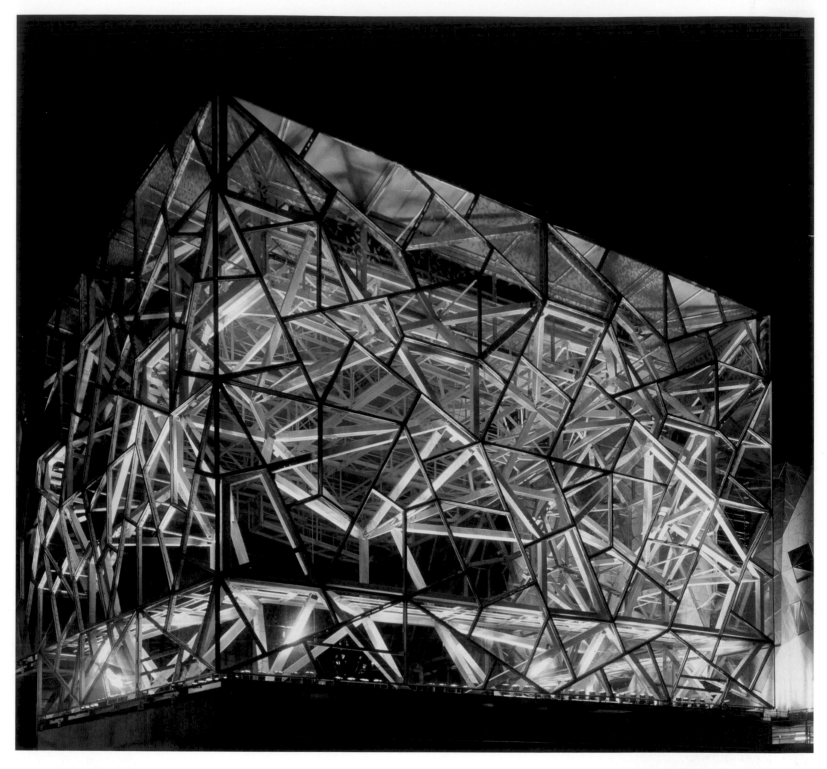

The BMW Edge building is a place built to seat 300 to 450 people in an amphitheater dedicated to putting on theater works, music concerts, presentations and other cultural events. Glass, steel, and zinc are the materials used the most and are the most spectacular elements of this architectural ensemble.

Im BMW-Edge-Gebäude können zwischen 300 und 450 Personen im Zuschauerraum Platz nehmen, um Theateraufführungen, Musikveranstaltungen und allen anderen Arten von kulturellen Veranstaltungen beizuwohnen. Stahl, Zink und Glas sind hier die vorherrschenden, den Gesamteindruck bestimmenden Materialien.

Le bâtiment BMW Edge est un lieu pouvant accueillir de 300 et 450 personnes assises dans un amphithéâtre dédié aux représentations théâtrales, aux événements musicaux et autres rendez-vous culturels. Le verre, l'acier et le zinc sont les matériaux les plus utilisés.

Het BMW Edge gebouw heeft een capaciteit van 300 tot 450 zitplaatsen en is een amfitheater voor theatervoorstellingen, muziekevenementen, presentaties en andere culturele festiviteiten. Glas, staal en zink zijn de meest toegepaste en in het oog springende materialen in dit architectonische geheel.

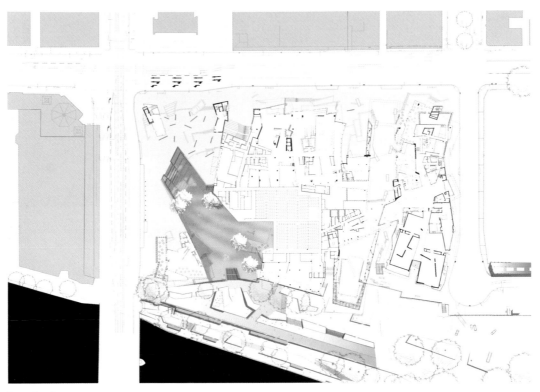

Lower level

Street level

Barro House

Victoria, Australia

ARCHITECT

Wood Marsh Architecture
www.woodmarsh.com.au

COLLABORATORS AND OTHERS

Gillon Consulting Group Pty Ltd (engineer); Building
Makers Pty Ltd (builder); Kenneth Innes Irons
(fireplace consultant); Airflow Design (mechanical
engineer); Klease Consulting (hydraulic engineer)

DIMENSIONS

320 m² / 3 444 sq ft

PHOTO

© Peter Bennetts

The clients commissioned a house that would provide an extensive and welcoming space with a
quality design and timeless style. The architects opted to build a home, in an excellent environment, that would be a free-standing pavilion combining classic and modern components.
Concrete was the material most used in the construction. This is due to the importance of this
material for the family, as they work in a cement business.
The building's three volumes can be appreciated from outside and in. The main volume contains
the upper floor, built with gray pre-cast concrete, and the first floor has a large matt-glass hall. Of
note is a wall clad in red tiles that penetrates inside, crosses the hall and reaches the living room.

Die Bauherrn wünschten sich ein geräumiges, wohnliches Haus mit erstklassigem Design in
zeitlosem Stil. Die Architekten entwarfen ein Einfamilienhaus in hervorragender Lage, einen frei
stehenden Pavillon, in dem sich klassische und moderne Elemente miteinander verbinden.
Der bevorzugte Einsatz von Beton als Baumaterial ist darauf zurückzuführen, dass die Familie
des Bauherrn in der Zementindustrie tätig ist.
Die drei Baukörper des Hauses sind sowohl von innen als auch von außen deutlich zu erkennen.
Der Hauptteil umfasst das Obergeschoss in grauem Sichtbeton und das Erdgeschoss mit einem
großen Eingangsbereich in getöntem Glas. Auffällig ist die mit roten Fliesen verkleidete Wand,
die ins Innere vordringt, die Diele durchquert und bis ins Wohnzimmer führt.

Les clients voulaient un bâtiment avec de grands espaces accueillants dotés d'un design intem-
porel et de qualité. Les architectes ont construit un pavillon combinant des éléments classiques
et modernes, situé dans un lieu magnifique.
Le béton a été le matériau le plus utilisé. Cela n'est pas un hasard dans la mesure où il a une
signification particulière pour la famille qui travaille dans une entreprise de ciment.
Les trois volumes qui forment l'édifice peuvent s'apprécier aussi bien de l'extérieur que de
l'intérieur. Le volume principal correspond à l'étage supérieur, construit en béton apparent de
couleur grise. À l'étage inférieur se trouve un grand hall vitré mat. On peut également remarquer
un mur en carrelage rouge qui traverse le hall pour arriver dans le salon.

De opdrachtgevers wensten een huis dat veel en uitnodigende ruimte zou bieden, met vormgeving van hoge kwaliteit en in een tijdloze stijl. De architecten besloten een woning te bouwen in
een buitengewone omgeving, een vrijstaand paviljoen dat klassieke en moderne elementen
combineert.
Beton was het meest gebruikte materiaal bij de constructie vanwege het belang ervan voor de
familie, die een cementbedrijf bezit.
De drie delen waaruit het gebouw bestaat, zijn buiten en binnen goed van elkaar te onderscheiden. Het hoofdgebouw herbergt de bovenste verdieping, gebouwd van grijs zichtbeton, terwijl op
de begane grond een grote hal van getint glas is. Opvallend is een muur bekleed met rode tegel-
tjes die naar binnen doorloopt, de hal doorkruist en in de woonkamer uitkomt.

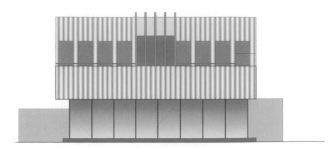

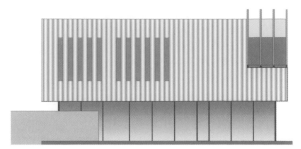

Elevations

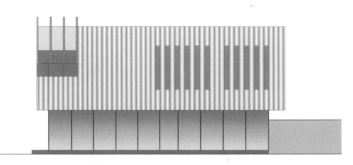

The main façade presents an undulating concrete structure reminiscent of the columns of classic Greek temples. The main volume of the building rests on a concrete platform which in turn unites and articulates the building with the landscape. The garage is on the north side of the building and the swimming pool to the south.

Die gewellte Struktur aus Beton an der Fassade erinnert an die kannelierten Säulen griechischer Tempel. Der zentrale Baukörper ruht auf einer Betonplatte, die das Gebäude eint und gegenüber der Landschaft abgrenzt. Im nördlichen Teil des Hauses liegt die Garage, im Süden das Schwimmbecken.

La façade principale présente une structure ondulée en béton, dont l'aspect rappelle les colonnes grecques des temples classiques. Le volume principal du bâtiment repose sur une plate-forme en béton intégrant parfaitement la construction dans le paysage. Du côté nord se trouve le garage et du côté sud la piscine.

De hoofdgevel vertoont een golvende betonnen opbouw, die doet denken aan de Griekse zuilen uit klassieke tempels. Het hoofdvolume rust op een betonnen platform dat het pand verbindt met het landschap en het ervan en onderscheidt. In het noordelijke deel is de garage en aan de zuidkant het zwembad.

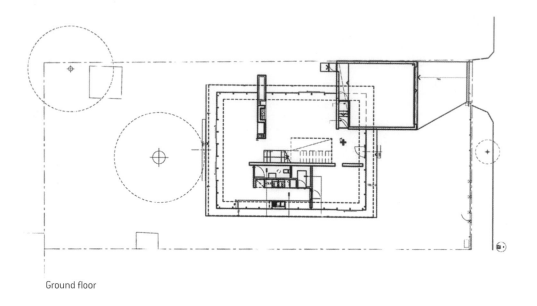

Ground floor

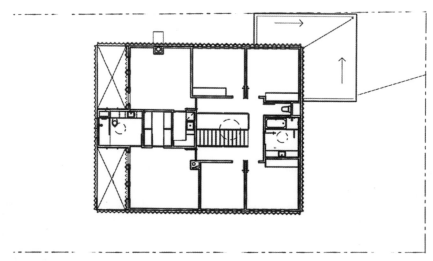

First floor

Floating Island
Mobile, virtual

ARCHITECT
Softroom Architects
www.softroom.com

COLLABORATORS AND OTHERS
Wallpaper magazine (client)

DIMENSIONS
65 m² / 700 sq ft

PHOTO
© Softroom Architects

This design corresponds to a residence that can be transported and sited anywhere in the world. As the main problem is building land, the architects decided to create a floating, portable design that could be located anywhere easily. As well as series construction this makes it possible to reduce production costs.

The home is designed as if it were a summer residence enclosed in an easily transportable carbon fiber bubble. The bubble opens up on one side, which would work as a stabilizing element for the whole, the roof of the residence or the deck of the cabin. Once the bubble opens, the house appears, which, as with a summer home, has a bed and various sofas that can inflate automatically. At the same time as it opens, the floating island unfolds and the floor inflates via a generator.

Bei diesem Projekt handelt es sich um ein eine transportable, weltweit einsetzbare Wohnzelle. Da fehlender Baugrund oft ein großes Problem darstellt, haben die Erfinder ein bewegliches, schwebendes Objekt entworfen, das überall problemlos aufgestellt werden kann. Durch industrielle Serienproduktion können die Herstellungskosten gesenkt werden.

Die Wohneinheit ist wie ein Sommerhaus in einer leicht zu transportierenden Blase aus Karbonfiber eingeschlossen. Dieses Behältnis öffnet sich auf einer Seite. Die aufgeklappte Seitenwand dient dann als Stütze, Dach oder Terrasse. Sobald die schwebende Insel geöffnet wird, entfaltet sie sich und der Boden wird mithilfe eines Generators aufgeblasen. Im Inneren der Blase sieht man den Wohnraum mit einem Bett und mehreren Sofas, die sich ebenfalls automatisch aufblasen.

Ce projet est une résidence flottante que l'on peut transporter n'importe où dans le monde. Envisageant le manque probable de sol constructible à venir, les architectes ont créé cette structure flottante et mobile qui permet une implantation facile. De plus, la construction en série a permis de baisser les coûts de production.

Le logement est conçu comme une résidence d'été au sein d'une bulle de fibres de carbone facilement transportable. La bulle s'ouvre par l'un de ses côtés et sert de stabilisateur, de toit et de terrasse. Une fois la bulle ouverte, le logement apparaît, avec un lit et plusieurs canapés qui se gonflent automatiquement. À l'ouverture, l'île flottante se déplie et son sol se gonfle grâce à un générateur.

Het ontwerp is een mobiel woonhuis dat op een willekeurige locatie kan worden gerealiseerd. Aangezien het grootste probleem tegenwoordig bouwgrond is, verkozen de architecten een drijvende, draagbare woning te ontwerpen die gemakkelijk te plaatsen is. Bovendien zou uitvoering in serie de productiekosten verlagen.

De woning is ontworpen als een vakantiehuis, ingesloten in een eenvoudig te verplaatsen capsule van koolstofvezel. De capsule kan aan één kant geopend worden. Dit deel dient ter stabilisatie, als overkapping van de woning of als terras van de cabine. Als de capsule geopend is, wordt de woning zichtbaar, met een strandhuisachtige inrichting: we zien een bed en diverse zitbanken die automatisch worden opgeblazen. Als de capsule zich opent, ontvouwt zich tegelijkertijd het drijvende eiland en wordt de vloer opgeblazen met een generator.

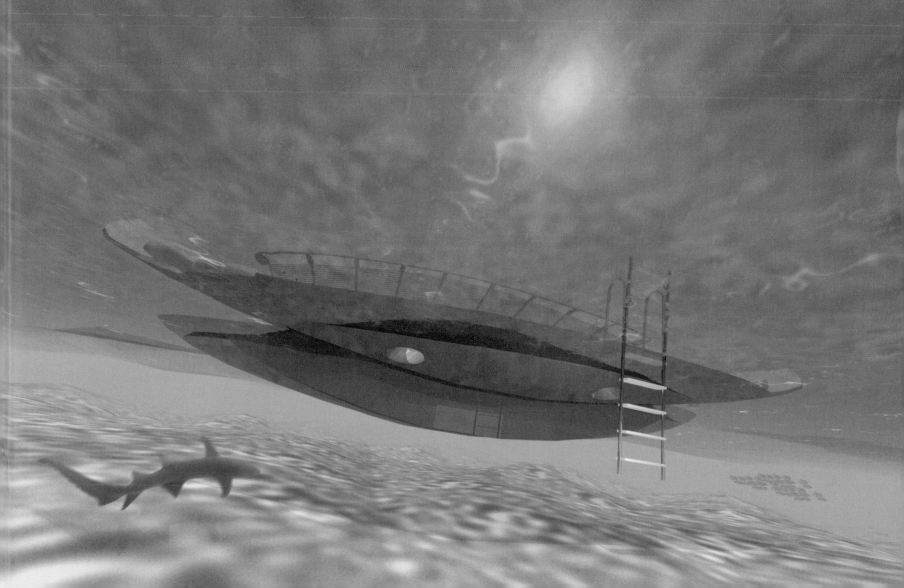

As well as the inflatable bed and sofas there are other furniture elements, such as a desalinated water shower, a bar, neoprene seats, and a platform that functions as the floor. The resulting look of the design is an affordable, simple, and comfortable artificial landscape.

Außer dem Bett und den aufblasbaren Sofas stehen weitere Einrichtungsgegenstände zur Verfügung: eine Dusche, die Meerwasser entsalzt, eine Bar, Sitze aus Neopren und ein Holzgitter als Boden. Im Ergebnis ist eine preiswerte, praktische und bequeme künstliche Wohnlandschaft entstanden.

En plus du lit et des canapés gonflables, il existe une douche avec son système de désalinisation de l'eau, un bar, des sièges néoprènes, ainsi qu'une plate-forme servant de revêtement. Le design final est un paysage artificiel économique, commode et confortable.

Naast het opblaasbare bed en de opblaasbare banken zijn er nog andere woonelementen, zoals een douche die water ontzilt, een bar, zitplaatsen met neopreen stoffering en een platform dat de vloer vormt. Het uiteindelijke resultaat toont zich als een economisch, eenvoudig en comfortabel kunstmatig landschap.